단

이지훈 지음

단

버리고, 세우고, 지키기

문학동네

2장 버려라

인생은 '단 하나의 의자'만을 허락한다

- 설레지 않는다면, 필요 없는 것이다
  : 마크 콘스탄틴 러쉬 창업주의 '벌거벗기' 전략

- '피곤한 삶'이 '높은 연봉'을 가져다주진 않는다
  : '창업의 신' 마틴 베레가드의 '스마트한 성공법'

- 인생은 포트폴리오가 아니다

- 복잡성은 소리 없이 조직을 죽인다

- 최고의 기업들은 무엇을, 어떻게 버렸나
  : GE, 도요타, 이케아의 단순화 프로젝트

- 이기려면 우선 버려야 한다, 바둑에서 배우는 버림의 미학

하수는 드러내고 고수는 감춘다

- 소비자에게 기술을 자랑하는 것은 하수나 하는 짓이다
  : 프리미엄 오디오 브랜드 보스의 '소비자 중심 경영'

- 많이 준다고 좋아할까? 고객은 편리함을 택한다
  : 드루 휴스턴 드롭박스 창업자의 경쟁우위 확보 전략

- 진정한 쾌락주의자는 '적은 것'을 즐긴다
  : 스티븐 그린블랫 하버드대 교수의 '에피쿠로스주의'

- 규칙적이고 정돈된 삶을 살라, 그래야 일에 난폭해질 수 있으니까

3장 세워라

시켜서 vs 신나서 vs 미쳐서, 당신은 어느 쪽인가

단순한 회사는 다섯 가지에 집중한다

4장 지켜라

열매는 결코 하루아침에 열리지 않는다_264

바꾸라, 그러면서 바꾸지 마라_305

지금 우리에겐
'빈 잔의 마음'이 필요하다

'경영의 신'으로 추앙받는 일본 경영계의 전설 마쓰시타 고노스케 松下幸之助가 생전에 지방 출장을 갔을 때의 일이다. 그 지역에 통찰과 사유가 뛰어난 노승이 있다는 이야기를 전해들은 그는 배움을 얻고자 하는 마음에 스님을 찾아갔다. 안내를 받아 어느 방으로 들어가자 노승이 미리 차를 준비해 기다리고 있었다. 인사를 마친 뒤 노승은 준비된 잔에 차를 따랐다. 그런데 어찌된 일인지 마쓰시타의 잔에는 차를 계속 붓는 것이었다. 차가 흘러넘쳐 상이 물바다가 되어가는데도 스님은 멈추지 않았다. 결국 마쓰시타가 노승에게 물었다.

"스님, 찻잔이 이미 넘치고 있는데 어찌 계속 따르십니까?"

그러자 노승이 미소를 머금으며 대답했다.

"그러게 말입니다. 이미 가득찼는데 뭐하러 계속 따르는 걸까요?"

답을 들은 마쓰시타는 당황하더니, 이내 고개를 끄덕이며 말했다. "귀한 가르침을 주셔서 감사합니다."

노승은 아무런 대답 없이 호탕하게 껄껄 웃었다.

노승은 어째서 넘치는 잔에 계속 차를 따랐을까? 그리고 마쓰시타는 왜 스님의 별다를 것 없는 말을 귀한 가르침이라고 한 걸까? 노승은 이미 가득차 넘쳐흐르는 찻잔을 통해 마쓰시타를 깨우친 것이다. 그것은 이미 세상에서 익힌 경험과 지식으로 가득찬 마쓰시타의 머리와 마음에 무엇을 더 담을 수 있겠냐는 메시지였다.

더 큰 채움을 위해서는 비워야 한다. 잔이 그 가운데 아무것도 없음 때문에 쓸모가 생겨나듯 나를 비우는 것이 진정으로 나를 완성하는 길이다. 노자가 말하지 않았던가. 학문의 길은 하루하루 쌓아가는 것이지만, 도道의 길은 하루하루 없애가는 것이라고. 하지만 정작 비울 수 있는 사람은 많지 않다. '더 많이, 더 많이'의 세상을 살고 있는 우리는 넘쳐흐르는 찻잔을 바라보면서도 계속 차를 따른다. 그렇기에 지금 우리에게는 '빈 잔의 마음'1, 즉 '단單의 정신'이 필요하다.

완벽함이란
더이상 '뺄 것'이 없을 때 완성된다

기자로 20년 이상 살아오다보니, 기자의 일과 세상사가 비슷하다는 생각을 자주 하게 된다. 특히 최근 몇 년간 세계적인 경영 대가들을 만나고 그들의 이야기를 들으면서 기자의 일이 경영과도 비슷하다는 생각이 들었다. 가장 비슷한 점의 하나는 높은 단계에 오를수록 '단순함'의 가치가 높이 평가된다는 것이다. 경영에만 국한된 이야기는 아니다. 그것이 기사건 경영이건 스포츠건 예술이건, 최고의 실력은 단순함으로 발휘된다. 하수일수록 정리되지 않고 복잡하다. 고수일수록 잘 정리돼 있고 단순하다.

예를 들어보자. 좋은 기사는 군더더기가 없다. 요점이 명확하고 술술 읽히며 논지와 개성이 뚜렷하다. 경영의 세계도 다르지 않다. 초조한 경영자들은 두꺼운 계획서와 수많은 슬라이드를 사용한다. 진정한 경영자들은 소란스럽지 않다. 경영자들은 단순해지면 다른 사람들이 멍청하다고 할까봐 걱정한다. 현실은 정반대다. 명확하고 현실적인 사람들이 가장 단순하다.

훌륭한 스포츠 선수의 동작 역시 군더더기가 없다. 김효주의 골프 스윙을 보라. 불필요한 동작이 단 하나도 없다. 최소의 근육을 써서, 최소의 움직임으로, 가장 간결한 동작을 한다. 그 동작의 연결이 물 흐르듯 자연스러워 보기에도 아름답다. 수영의 요체 역시 '불필요한 힘의 제거'에 있다. 어깨에 힘이 들어가면 쉽게 지쳐 오래 헤엄치기가 어렵다. 물과 하나가 되지 못하고 따로 놀기 십상이다. 그래서 수영 교습가들은 돌고래의 수영 모습을 떠올려보라고 조언한다. 돌고래의 동작은 물과 하나가 돼 자연스럽고 전혀 힘들어 보이지 않는다. 가장 단순한 동작이 가장 효율적인 동작인 셈이다. 과학의 높은 단계도 단순화다. 세계적인 진화생물학자 에드워드 윌슨Edward Wilson 교수는 "과학자들은 경제성을 추구한다. 가장 단순하면서도 미적으로 가장 아름다운 형태로 정보를 추상화하려 한다"고 설명했다.

생텍쥐페리는 "완벽함이란 더이상 보탤 것이 없을 때가 아니라 더이상 뺄 것이 없을 때 이루어진다"고 말했다. 여기서 단순함의 첫번째 정의가 나온다. 즉 '불필요한 것을 모조리 제거하고 오직 핵심만 남겨놓은 상태, 더이상 뺄 것이 없는 궁극의 경지'다.

단순화란 진짜 '중요한 일'을 하도록 돕는 도구

하지만 지금 우리가 살고 있는 세상은 '빼야 할 것'이 너무도 많다. 혹시 온갖 치약들로 가득찬 슈퍼마켓 진열대 앞에서 어떤 것을 골라야 할지 몰라 멍하니 서 있었던 적이 있는가? 대부분의 제품이 비슷비슷해 보여 고민했던 경험이 있다면 그것은 '반복맹repetition blindness'이라는 신경학적 현상 때문이다. 비슷한 시각 이미지가 쏟아져들어올 때 뇌는 그 치약들을 하나의 커다랗고 희미한 형체로 인식해버리는 것이다. 1949년 3750여 종의 품목을 취급했던 슈퍼마켓은 이제 4만 5000가지 품목을 자랑한다.

정보도 너무 많다. 20년 이상 뉴스산업에 종사해온 나의 눈에도 세상은 정보 과잉으로 보인다. 오늘날 뉴욕타임스 한 부에는 17세기 영국인이 평생을 살면서 접했던 것보다 훨씬 많은 양의 정보가 실려 있다.[2] 활자매체와 인터넷매체는 물론 카카오톡, 페이스북, 트위터를 통해 온갖 뉴스가 초 단위로 업데이트되고, 확대 재생산된다. 하지만 역설적이게도 정작 중요한 뉴스는 얼마 되지 않는다. 현대인이 일상적으

프롤로그

로 저지르는 생각, 행동, 습관의 오류를 집대성한 책『스마트한 생각들 Die Kunst des klaren Denkens』과『스마트한 선택들 Die kunst des klugen Handelns』시리즈를 쓴 작가 롤프 도벨리 Rolf Dobelli는 TV나 신문 뉴스를 보지 않는 것으로 유명하다. 그는 그 이유를 이렇게 설명했다.[3]

"뉴스 과잉의 시대이기 때문이다. 현대인이 뉴스에 얽매여 사는 것은, 정보가 많을수록 옳은 결정을 내릴 수 있다고 믿는 '정보 오류'의 일종이라고 볼 수 있다. 우리 뇌에 주입되는 정보의 양이 어떤 임계점을 넘으면 실제 결정의 질이 떨어진다는 연구 결과도 발표됐다. 뉴스가 정신에 미치는 영향은 설탕이 몸에 미치는 그것과 같다. 자극적이지만 건강을 해친다."

하지만 그는 모든 뉴스가 나쁘다고 말하지는 않는다. 그가 말하는 '나쁜 뉴스'는 '짤막하게 보도되는 속보성 뉴스'를 말한다. 베이루트에서 폭발이 일어났고 러시아에서 비행기가 추락했다는 등의 단발성 이벤트 뉴스 말이다. 단발성 속보는 관능을 자극할 뿐이며 세상에 대해 잘못된 인식을 심어주기 때문이란다. 그러나 좋은 뉴스도 있다.

"우리가 읽어야 할 좋은 뉴스는 단발성 보도가 아니라 사건을 유발하는 원인을 고찰한 것이다. 내용이 풍부하고 통찰력 있는 심층보도 같은 것이다. 특종 같은 게 요즘 시대에 무슨 의미가 있나. 큰일이 터지면 30분 안에 트위터에 다 퍼질 텐데. 내가 편집국장이 되면 사건을 보도하는 일간지가 아니라, 사건을 유발한 배후 요인들을 파헤치는 주간지로 만들겠다."

나 역시 전적으로 동의한다. 이 시대는 '뉴스 news'보다 '올즈 olds'가 필요한 시대라고 생각한다. 시간이 지나도 낡지 않는 지혜 말이다.

지나치게 많은 물건과 정보는 우리 자신을 앗아가고 잠식하고 본질에서 멀어지게 한다. '참을 수 없이 복잡한' 시대의 미덕은 더이상 더하는 데 있지 않다. 빼는 데 있다. '더more'가 지배하는 세상에서 사람들은 오히려 '덜less'을 요구하고 있다. 넘쳐나는 풍요의 바다에서 단순함의 자유를 찾고 싶어한다. 세계적인 건축가 루트비히 미스 반데어 로에의 말처럼 "적은 것이 많은 것less is more"이다.

현명한 기업인들은 단순함의 가치를 잘 캐치해서 제품에 녹여넣는다. 구글은 직사각형의 검색창 달랑 하나 가지고 인터넷 세상을 제패했다. '오디오산업의 애플'로 불리는 보스Bose는 창립 이후 50년 내내 '전원 버튼을 한 번 누르는 것만으로 최고 수준의 음악을 들려주는 것'을 목표로 삼고 있다. 스티브 잡스는 "단순함이야말로 궁극적인 차원의 정교함"이라고 강조했다.

지금 단순화는 경영계의 주요 화두다. 세계 최대 기업 중 하나인 GE의 제프리 이멜트Jeffrey Immelt 회장은 2014년 3월 주주들에게 보낸 연차 보고서에서 "GE의 진보는 단순화를 통해 더 강력해질 것"이라며 그해 화두로 '단순화'를 내걸었다. 그는 2013년 10월 BBC와의 인터뷰에서 이렇게 설명했다.

"조직이 커지면서 중요하지 않은 일을 너무 많이 하고 있다. 단순화는 직원들이 중요하지 않은 일에 맞서 정말 중요한 일을 함께 하도록 돕는 도구다. 조직을 더 날렵하게 만들고, 관료주의를 없애고, 시장에 완전히 집중하는 것을 뜻한다."

요즘 글로벌 컨설팅회사들의 대표 상품 중 하나도 '복잡성 관리complexity management' 컨설팅이다. 기업 스스로 단순해지지 못하니 컨설팅회사들이 도와주는 것이다. 워윅대 경영대학원의 조사에 따르면『포천』기준 세계 200대 기업이 매년 복잡성 문제로 허비하는 비용이 한 기업당 10억 달러에 달했다. 사이먼 콜린슨Simon Collinson 버밍엄대 교수는 "회사가 확장하는 과정에서 늘어나는 조직계층, 새로운 생산라인, 신규 시장이 어느 순간 너무 복잡해지는 임계점에 이르면 이익을 잠식하기 시작한다"고 설명한다.

복잡성을 줄이려면 제품과 서비스, 시장 포트폴리오를 전면 재분석할 필요가 있다. 복잡성이 심각한 조직은 너무 많은 시장을 대상으로 너무 많은 제품을 생산하고 있을 것이다. 업무 프로세스도 살펴봐야 한다. 너무 많은 이메일과 회의, 관료주의적 폐단과 중요하지 않은 관행적 업무가 사라져야 한다. 즉 단순함의 두번째 정의는 '중요하지 않은 것에 맞서 중요한 것에 집중하는 것'이라고 할 수 있다.

단순함의 필요성은 개인이나 기업 차원에 머물지 않는다. 보다 크게는 지구적 차원에서도 단순함이 절실히 요구되는 때이다. 2008년의 글로벌 금융위기는 대량생산·대량소비의 자본주의 시스템이 지속 가능한가에 대한 깊은 질문을 던져주었다. 리먼 쇼크가 발생한 지 6년가량이 지났는데도 세계 경제는 저성장에서 헤어나지 못하고 있다. 인간의 창의력을 실험하듯 온갖 조치가 쏟아졌지만, 그 효과는 지속되지 못하고 경기 부진이 만성적으로 재발하고 있다.

이는 경기 사이클의 문제가 아니라 훨씬 더 구조적인 문제 때문일 수 있다. 뒤에서 더 자세히 살펴보겠지만, 이는 중국을 비롯한 신흥 경제가 시장경제에 편입되면서 지난 30년간 세계 노동시장에 신규 노동력 17억 명이 공급되고, 다른 한편으로 IT의 급속한 발전으로 자동화가 급격하게 진전된 일과 밀접한 관련이 있다. 그 많은 노동력과 기계들이 오늘도 무언가를 만들어내지만 그것을 사들일 유효수요effective demand는 바닥을 치고 있다. 이같은 구조적 문제를 경기 사이클의 관점에서 해결 하려는 것은 닭 잡는 칼로 소를 잡으려는 격이다. 이것은 경제 패러다 임, 나아가 우리의 사고방식 자체의 대변화를 요구하는 문제다. 나는 그 키워드를 단순함에서 찾는다. '더 많이, 더 많이'의 신화에서 벗어나 는 것이다. 우리는 행복을 재정의해야 한다. '더 많이'가 아니라 '나만의 가치'가 행복과 성공의 기준이 되어야 한다. 단순함의 세번째 정의는 '남의 기준이나 가치를 걷어내고 나만의 가치를 세우는 것'이다.

단순함에 이르는 공식, 버리고, 세우고, 지키기

세상엔 너무 많은 물건, 정보, 규칙, 생각, 관습이 있고, 그에 둘러 싸인 우리 삶은 너무 복잡하다. 이처럼 복잡한 세상에서 살아남기 위해 서는 단순해져야 한다. 단순함, 그것은 복잡함을 이기기 위한 단 하나 의 방법이다. 하지만 역설적으로 단순함에 이르는 과정은 결코 단순하 지 않다. 숱한 고민과 과감한 결단, 의욕적인 실행이 뒷받침되어야만 비로소 복잡함의 늪에서 벗어날 수 있다.

그렇다면 어떻게 단순함을 추구해야 하는가? 이 점에 대해서도 기 자의 일과 다른 세상사의 깊은 연관성을 느낀다. 나는 오랜 기자 생활을 통해 좋은 기사는 세 가지 행위를 수반한다는 것을 깨달았다. 버리고, 세우고, 지키기가 그것이다.

좋은 기사는 수많은 팩트들 중에서 헛것을 추려내고 거품을 '버린다'. 그리고 여러 문제를 관통하는 맥과 뉘앙스를 찾아 논점을 '세운다'. 마지막으로 스토리텔러로서 자신의 정체성과 관점을 '지킨다'. 경영도 마찬가지다. 훌륭한 경영자는 버리고, 세우고, 지킨다. 스티브 잡스는 경영에 새로운 역사를 썼다. 잘 '버리고' 뚜렷이 '세우고' 악착같이 '지켰기' 때문이다. 그리하여 그는 누구도 흉내낼 수 없는 단순함의 궁극을 창조했다. 단순함에 이르기 위한 '단의 공식'은 다음과 같다.

첫째, 버려라. 중요한 것을 위해 덜 중요한 것을 버리는 것, '더 많이'를 버리고 핵심에 집중하는 것, 이것이 단순함의 첫번째 공식이다.

둘째, 세워라. 왜 일해야 하는지 사명을 세우고, 내가 누구인지 정체성을 세우고, 어디로 가야 할지 길을 세워야 한다. 그래야 쉽게 흔들리지 않고 올곧게 단순함을 추구할 수 있다. 세움은 단순함의 두번째 공식이다.

셋째, 지켜라. 단순함을 구축했으면 어떤 유혹과 고난에도 굴하지 않고 오래도록 지켜야 한다. 단순함의 핵심은 지속 가능에 달려 있다. 단기간의 구호나 전략에 지나지 않는 단순함은 힘을 발휘하지 못한다. 그렇기에 지킴은 단순함의 세번째 공식이자 단순함의 마침표다.

버리고, 세우고, 지키는 '단의 공식'은 서로 유기적으로 연결돼 있다. 마치 음의 높이, 크기, 음색의 3요소가 음을 규정하고, 색상, 채도,

명도의 3요소가 색을 구성하는 것과 마찬가지다. 불필요한 것을 버려야 중요한 것을 세울 수 있고 이를 오래도록 지킬 수 있다. 승부에 대한 집착과 비교하는 마음을 버려야 나를 자신 있게 세울 수 있다. 또 뚜렷하게 세울수록 방향성이 제시되고 구성원들 사이에 잘 공유돼 버리고 지키는 일이 쉬워진다.

세 가지 '단의 공식'을 다 실천하기란 쉽지 않다. 하지만 이 셋이 동행할 때 비로소 진정한 단순함의 열매를 맺을 수 있다.

버리기만 하고 세우지 못한다면 거짓 단순함이요 공허다. 단순함이 아니라 조악함일 뿐이다.

버리지 않은 채 세우고 지킨다면 과욕이요 아집이며 협량狹量이다. 온갖 미사여구를 동원하며 악을 쓰지만, 누구도 듣지 않는 선거유세와 같다.

버리고 세웠지만 지키지 못한다면 열매를 맺지 못한다. 스스로에게 체화되지 못하고 다른 사람에겐 각인되지 못하는 또 한번의 헛된 약속일 뿐이다.

이 책에서 우리는 이러한 '단의 공식'을 토대로, 어떻게 버리고, 세우고, 지킬 것이며, 이를 통해 어떻게 궁극의 단순함을 이룰지에 대해 살펴볼 것이다.

우리 삶의 진정한 행복은 단순함에서 얻어진다. 지나치게 많은 물건, 지나치게 많은 생각은 우리 내면에 간직된 순수하고 깨끗하고 영롱한 본질에서 우리를 멀어지게 한다. 불필요한 물건, 조작적이고 인위적인 마음을 치우면 흙먼지 하나 날리지 않고 고요해진다. 『그리스인 조르바』를 쓴 니코스 카잔차키스의 묘비명에는 이렇게 적혀 있다.

나는 아무것도 바라지 않는다.
나는 아무것도 두렵지 않다.
나는 자유다.

이 책을 통해 독자 여러분이 단순함에 대해 더 깊이 생각하고, 그리하여 자유라는 이름의 진정한 행복에 조금이라도 더 가까워졌으면 좋겠다.

2015년 1월

이지훈

1장

단순해질
각오가
돼 있는가

'참을 수 없는 세상의 복잡함'에 어떻게 맞설 것인가

이야기를 시작하기에 앞서 세 가지 질문을 해볼까 한다.

하나, 일본의 애니메이션 거장 미야자키 하야오 감독은 왜 3D 영화를 만들지 않을까?

둘, '정리 컨설턴트'란 직업이 있다. 이 직업은 왜 등장했을까?

셋, 콩스탕탱 브랑쿠시라는 조각가가 있다. 옆에 보이는 그의 작품은 무엇을 조각한 것일까?

우선 세번째 질문부터 살펴보자. 정답은 '새'이다. 이 작품의 이름은 〈공간의 새〉이다. 그런데 아무리 찾아봐도 날개가 보이지 않는다. 날개는커녕 머리도, 부리도 없다. 도무지 새의 생김새를 찾을 수 없다.

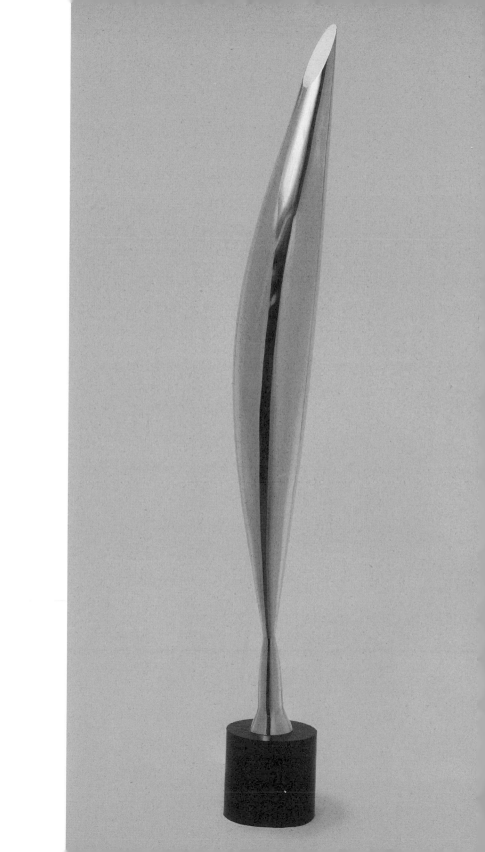

그러나 이 작품 속엔 새의 본질이 팽팽한 긴장감으로 표현돼 있다. 새의 본질이 무엇일까? 그것은 '비상飛翔'이다. 브랑쿠시는 이렇게 말한 적이 있다. "나는 일생 동안 오직 한 가지, 비상의 본질만을 추구해왔다. 비상이란 얼마나 행복한 것인가."

그의 〈새〉 연작은 3단계로 이행됐다. 〈마이아스트라〉(1910~1915)에서 〈금빛 새〉(1916~1923)를 거쳐 〈공간의 새〉(1923~1941)에 이른다. 앞의 작품은 3기 〈공간의 새〉 가운데 하나이다. 브랑쿠시의 작품은 시간이 갈수록 단순화됐는데 〈공간의 새〉에 이르러 단순성과 완전성의 극치를 보여주었다. 〈공간의 새〉는 어디를 봐도 결코 필요 없는 부분이 없다. 아니, 그런 수준을 넘어 과도하게 단순화된 조각이라고 느낄 수도 있다. 하지만 브랑쿠시가 이 작품을 완성하기까지는 21년이 걸렸다. 더하는 작업보다 빼는 작업이 훨씬 고되고 힘든 법이다. 축구를 할 때 상대편의 공격에 쉽게 뚫리기 때문에 있으나 마나 한 선수를 '구멍'이라고 한다. 브랑쿠시의 작품은 이런 구멍이 전혀 없는 공간 구성으로 팽팽한 긴장감을 준다. 작은 일부분만 빠져도 전체가 무너지니 긴장감이 느껴질 수밖에 없다.[1]

이번엔 첫번째 질문으로 돌아가보자. 위클리비즈는 2013년 미야자키 하야오 감독을 인터뷰했다. 우리가 궁금했던 것 중 하나는 그가 왜 3D 영화를 만들지 않는지였다. 요즘 애니메이션은 3D 컴퓨터그래픽이 대세지만, 미야자키 하야오 감독의 스튜디오 지브리는 여전히 2D를 고수한다. 그는 앞으로도 3D를 만들 계획이 없다고 밝힌 적이 있다. 그 이유는 단순함을 강조하는 그의 철학에 기반한다. 그는 "요즘 영화들은 과잉"이라며 이렇게 설명했다.[2]

"과잉으로 세밀하게 한다고 해서 반드시 좋은 것은 아닙니다. 지금의 TV 영상을 보면, HD 영상이 돼서 화면도 아주 크고 구석구석까지 다 보이죠. 하지만 그런 것까지 보고 싶지 않습니다. 제 얼굴보다 더 큰 아나운서의 얼굴 같은 것은 보고 싶지 않은 겁니다. 그래서 저는 점점 TV를 보지 않는 사람이 돼버렸습니다. 지브리미술관에서만 상영한 단편 애니메이션 〈보물찾기〉에는 아예 음성도 넣지 않았습니다. 빼고 빼고, 점점 더 빼다보니 '대사도 필요 없어'라는 식이 된 거죠. 그랬더니 마음이 아주 후련해졌습니다. '이것만으로도 충분히 좋구나'라고 생각했죠. (…) 일본이 안고 있는 문화적인 문제는 '너무 많다'는 겁니다. 너무 많은 양은 질 자체를 바꿔버립니다. 지금은 책도 잡지도 너무 많이 만들어져 한 권 한 권의 가치가 없어질 뿐 아니라, 제대로 봐줘야 하는 것까지 지나쳐버리게 만듭니다. 정말 필요한 것이 뭔지 판단하는 게 중요합니다."

마지막으로 두번째 질문에 대한 설명이다. 후배 기자가 일본에서 100만 부 이상 팔린 『인생이 빛나는 정리의 마법人生がときめく片づけの魔法』이란 책의 저자 곤도 마리에近藤麻理惠를 인터뷰했다. 그녀의 직업은 '정리 컨설턴트'다. 최원석 기자가 쓴 인터뷰 기사 초고를 보고 그런 직업이 있을 수 있나 궁금해졌다. 온갖 직업이 다 있는 일본에만 있는 직업이 아닐까 하는 생각도 들었다.

호기심이 발동해 포털사이트 검색창에 '정리 컨설턴트'라고 입력해보니, 이게 웬일인가, 관련된 콘텐츠가 몇 페이지에 걸쳐 좍 뜨는 게 아닌가. 수많은 정리 컨설팅업체들이 홍보를 하고 있었고, 어느 잡지의 '직업의 세계'라는 코너에는 최근 각광받는 직업의 하나로 당당히 소개됐으며, 정리 컨설턴트 자격증에 교육 과정까지 있었다. 왜 이런 직업이 나왔을까? 세상이 너무 복잡해졌기 때문 아닐까? 내가 내 주변을 스스로 정리하지 못하고 남의 도움을 요청할 정도로 말이다. 곤도 마리에는 이렇게 말했다.[3]

"현대인은 가슴이 두근거리지 않는 것들에 둘러싸여 너무 많은 에너지를 쏟는다. 주변을 찬찬히 살펴보고 자신을 두근거리게 하는 물건만 골라 남김으로써, 자신이 정말 하고 싶은 일에만 집중할 수 있게 된다."

그녀는 "고객 중에 경영자도 꽤 있다"면서 "책상을 정리한 뒤 판단 스피드가 빨라졌다는 사람들이 많다"고 전했다. 정리를 함으로써, 회사를 위해 좋은가, 고객에게 좋은가, 돈을 벌 수 있는가 같은 본질적인 문제에 더 쉽게 다가설 수 있게 됐다고 말한다는 것이다.

결국 세 가지 질문에 대한 답은 '단순함'으로 귀결된다. 브랑쿠시는 새의 본질을 표현하고자 궁극의 단순함을 추구했고, 미야자키 하야오는 질을 훼손하는 양에 맞서 단순함을 지켜내고 있으며, 곤도 마리에는 사람들이 정말 중요한 것에 집중할 수 있도록 주변, 나아가 삶을 단순하게 만드는 방법을 조언하고 있다.

과학기술이 급속도로 발전하는 이 시대에 오히려 단순함에 대한 니즈가 커지는 것은 우연이 아니다. 단순한 형태를 추구하는 경향은 동서를 막론하고 문화적인 역량이 최고조에 달한 시기에 자주 나타난다.[4] 이를테면 중세 서양문화의 최절정기인 르네상스 시대의 건축은 500년 전의 것이라고는 믿을 수 없을 정도로 단순하고 현대적이다. 우리나라의 경우에도 백제나 통일신라, 고려시대 그리고 조선시대의 세종 대나 영정조 대와 같이 문화역량이 집결된 시기에는 단순한 형태가 주류를 이뤘다.

김부식의 『삼국사기』를 보면 온조왕 15년조에 '신작궁실新作宮室'이라는 기록이 있다. 새로 궁궐을 지었다는 뜻이다. 김부식은 그 미감美感을 여덟 글자로 표현했다. '검소하되 누추해 보이지 않았고, 화려하되 사치스러워 보이지 않았다儉而不陋, 華而不侈.' 유홍준 교수는 이것이야말로 한국인이 가질 수 있는 미감의 압권이라고 말한다.[5]

날로 복잡해지는 세상에서 살아남기 위해, 보다 중요한 일에 집중하기 위해, 남과는 다른 가치를 만들어내기 위해, 우리는 반드시 단순해져야 한다. 이러한 단순함은 개인적 차원, 기업 차원, 지구적 차원으로 나누어 살펴볼 수 있다. 물론 이 세 가지 차원의 단순함은 서로 연결돼 있다.

'더 많이'라는 괴물을 버려라

먼저 개인적 차원의 단순함에서부터 설명을 시작해본다. 이는 일찍이 헨리 데이비드 소로가 "우리의 인생은 사소한 일들로 흐지부지 헛되이 쓰이고 있다. 간소하게, 간소하게, 간소하게 살라!"라고 말한 그 단순함이다. "우리는 더 많은 것을 얻으려고만 끝없이 노력하고, 때로는 더 적은 것으로 만족하는 법은 배우지 않을 것인가?"라고 했을 때의 그 단순함을 말한다.

하버드 대학을 졸업한 소로는 친구들과 달리 세속적인 성공이라는 것에 대해 깊은 회의를 품었다. 그는 평생 어떤 것에도 속박받지 않는 자유로운 인간의 길을 탐색했다. 소로는 2년 동안 문명을 등지고 미국 보스턴 근교의 월든 호숫가에 통나무집을 짓고 밭을 일구어 자급자족 생활을 하면서 "인생의 본질적인 사실들만을 직면해 보고, 삶이 아닌 것은 살지 않으려고 했다". 그의 대표작 『월든』은 이 숲 생활의 기록이다. 법정 스님이 열반에 들 때까지 손에서 놓지 않았다는 이 책을 통해 소로는 '소유'라는 이름의 괴물이 삶에서 진정 중요한 것, 즉 '시간이 지나도 낡지 않는 것'을 할 수 없게 만든다고 경종을 울렸다.

"당신이 예민한 관찰력의 소유자라면, 사람을 만날 때 그 사람 뒤로 그가 소유하는 모든 것과 자신의 것이 아닌 척하는 물건들, 심지어는 부엌 가구와 그 외에 그가 계속 모아두면서 태워버리지 못하는 온갖 잡동사니들을 볼 수 있을 것이다. 그는 이것들에 묶인 채로 어떻게든지 앞으로 나아가려고 무척 애를 쓰고 있을 것이다. (…) 나는 한번은 갓 이민 온 사람이 자기의 전 재산이 든 보따리를 메고(그 짐은 마치 목덜미에 난 엄청나게 큰 혹처럼 보였는데) 비틀거리면서 걸어가는 것을 본 적이 있다. 그때 나는 그 사람에게 동정의 염을 금할 수 없었는데, 그것이 그가 가진 전부라서가 아니고 그가 너무 큰 짐을 메고 가야 했기 때문이다. 만약 내가 덫 하나를 끌고 다녀야만 한다면 나는 되도록 가벼운 것들을 고를 터이고 그 덫에 내 급소를 다치지 않도록 조심할 것이다. 아니, 애당초부터 덫에 손발을 넣는 짓은 피하는 것이 현명하다."[6]

소로가 월든 호숫가에 통나무집을 짓고 살며 『월든』을 쓰기 시작한 것은 약 170년 전이다. 비슷한 시기에 프랑스의 사상가 알렉시 드

토크빌은 미국을 처음 방문한 뒤 이렇게 썼다.

"나는 세상에서 가장 행복한 여건을 누리며 가장 자유롭고 가장 좋은 교육을 받은 사람들을 미국에서 보았다. 하지만 내 눈에는 그들의 미간에 항상 구름이 끼어 있고, 즐길 때조차 심각하다못해 거의 슬픈 것처럼 보였다. 그들은 모든 것을 움켜쥐고 있지만 아무것도 확고하게 붙잡고 있지 않았기 때문에 뭔가 새로운 기쁨을 황급히 쫓아가면서 쥐고 있던 걸 놓치고 있다."[7]

모든 것을 움켜쥐고 있는 듯했지만, 정작 아무것도 확고히 붙잡지 못해 불행해 보였던 170년 전 사람들의 모습은 현대에도 재현되고 있다. 아니, 170년이 지난 지금 인간의 모습은 숭고해지기는커녕 더욱 비루해졌다. 훨씬 많은 것을 움켜쥐게 됐지만, 훨씬 덜 깨어 있다는 점에서 말이다. 삶에서 진정 중요한 것을 위해서는 '더 많이'라는 괴물을 버려야 한다는 소로의 외침은 오늘날 더욱 절실해졌다. 그러나 그의 외침은 여전히 허공에서만 맴돌고 있다. 인류의 DNA가 혁명직으로 바뀌지 않는 한 앞으로도 영원히 그럴 가능성이 높다.

단순함이란 '더 중요한 것'을 위해 '덜 중요한 것'을 줄이는 것
: 재러드 다이아몬드 교수의 '컴맹 예찬론'

세계적인 베스트셀러 『총, 균, 쇠 Guns, Germs, and Steel』의 저자 재러드 다이아몬드 Jared Diamond 교수의 삶은 우리가 인생에서 무엇을 줄이고 무엇을 늘려야 할지를 잘 보여준다. 그는 '컴맹'이다. 평생 컴퓨터를 배우지 않았다고 한다. 후배 기자가 그를 인터뷰하러 찾아갔을 때 그의 연구실에도 컴퓨터는 없었다. 책상에는 오래된 녹음기와 공테이프만 수북이 쌓여 있을 뿐이었다. 다이아몬드 교수는 책을 쓸 때도 컴퓨터를 사용하지 않는다고 한다. 그의 집필 방식은 우선 펜으로 공책에 쓴 다음 그 내용을 읽어 테이프에 녹음하는 것이다. 그 테이프를 들으면서 컴퓨터 문서로 작업하는 것은 비서의 몫이다. 다이아몬드 교수는 컴퓨터를 쓰지 않는 것의 장점을 이렇게 설명했다.[8]

"컴퓨터는 엄청난 시간 낭비입니다. 물론 비서가 없었다면 저도 컴퓨터를 쓸 수밖에 없었겠지만, 유능한 비서를 둔 덕분에 전 매일 이메일을 체크하며 쓸데없는 스팸메일을 지우거나 비아그라 광고를 볼 필요가 없어요. 세계 각국에서 이거 해달라 저거 해달라고 보내오는 초청장을 일일이 검토할 필요도 없고요. 비서가 중요한 것만 솎아내 인쇄해서 내게 가져다줘요. 집사람도 매일 밤 집에 오면 한 시간 반씩 컴퓨터 앞에 앉아 이런저런 뒤치다꺼리를 해줍니다."

그럼 그는 그 시간에 과연 무엇을 할까. 그의 대답이 압권이다.

"책을 한 자라도 더 보고, 아들들과 이야기를 나누죠."

시대 변화에 뒤처지지 않을까 염려스럽기도 하지만, 다이아몬드 교수는 오히려 "그 반대"라고 설명한다. 인터넷에 빠진 동료들보다 자신의 생산성이 더 높다는 것이다. 컴퓨터 앞에 있으면 집중하는 시간보다 낭비하는 시간이 더 많다는 설명이다. 검색할 게 있으면 비서에게 부탁하는 방식으로, 컴퓨터의 장점을 향유하면서 맹점을 최대한 피하는 것이 그의 노하우다. 다이아몬드 교수의 생각을 우리의 표현으로 바꾸자면, 시간이 지나도 낡지 않는 중요한 일을 더 하기 위해 사소한 일을 줄여야 한다는 것이다. 그는 같은 이유에서 SNS나 스마트폰도 좋지 않다고 말한다.

"SNS나 스마트폰은 인간관계의 발전에 좋지 않다고 생각해요. 어쩌다 사람 대 사람이 만나서 이야기를 하려 해도, 특히 젊은 친구들은 대화 시간의 대부분을 스마트폰이나 아이팟에 고개를 파묻고 보냅니다. 이건 도대체 누구와 얘기하는 건지 분간이 힘들어요. 사람 대 사람의 소통이 아니라 사람 대 기계의 소통이 주가 되는 것이죠. 그런데 사람이 사람과 대화할 때 모든 집중력을 할애하지 않으면, 사회적 신호를 잡아내지 못하게 됩니다. 표정, 말투, 눈빛에서 읽히는 사람의 본심과 진의를 파악하지 못하는 것이죠."

세계적인 마에스트로 정명훈의 삶의 키워드도 '단순함'이다.[9] 그는 스마트폰도 이메일도 이용하지 않는다. 외국에 있는 그와 연락하려면 호텔로 국제전화를 걸거나 팩스를 보내야 한다. 그의 일상은 음악 외에 가족, 요리, 신앙이 전부다. 그만큼 자신에게 소중하고 의미 있는 것에 집중하는 삶을 사는 것이다. 그는 단순한 삶에서 음악적 통찰과 영감을 얻는다고 한다.

컴퓨터나 인터넷, SNS를 하지 말자고 주장하려는 것이 아니다. 인생에서 '더 중요한 것'을 위해 '덜 중요한 것'을 줄이자는 것이다. 결국 개인적 차원의 단순함이란 '중요하지 않은 것'을 덜어냄으로써 '중요한 것'을 지키는 것, 이로써 삶을 더욱 가치 있고 풍요롭게 만드는 것이다.

멀티태스킹의 맹점

'차를 마주하면 차를 마시고, 밥을 마주하면 밥을 먹으라逢茶喫茶, 逢飯喫飯'라는 말이 있다. 선어禪語의 하나다. 다시 말해 차를 마시며 신문을 읽는다든지 밥을 먹으면서 TV를 본다든지 하지 말라는 것이다. 뭔가를 하면서 다른 무언가를 함께 하는 생활습관, 요즘 말로 멀티태스킹은 마음을 어지럽히는 원인이 되므로 선禪에서는 경계한다.

그러나 많은 사람들은 멀티태스킹을 급격한 기술 진보가 낳은 문명의 선물로 받아들인다. 좀 과장해 표현하자면 오늘날의 기술은 우리가 57가지 일을 한꺼번에 할 수 있게 하거나 혹은 할 수 있다고 착각하게 만들었다. 물론 멀티태스킹은 어느 정도 필요한 일이긴 하다. 예를 들어 식당 종업원이 서빙을 하면서 동시에 주문을 받지 않는다면 손님의 대기 시간은 길어질 것이고, 맞벌이 부부가 한편으로 회사 일을 보면서 다른 한편으로 보육원 선생님과 아이들의 전화를 받지 않는다면 가정의 평화는 깨질 것이다. 그러나 우리는 멀티태스킹의 대가를 간과하고 있다. 세네카는 "어디에나 있는 자는 아무데도 없는 자"라고 하지 않았던가.

2009년 스탠퍼드 대학의 실증 연구 결과는 멀티태스킹의 대가를 잘 보여준다. 연구진은 100명의 학생을 두 그룹으로 나눴다. 평소 인터넷과 모바일을 오가며 멀티태스킹을 많이 하는 그룹과 그렇지 않은 그룹으로 말이다. 그리고 여러 가지 인지 능력 시험을 했다. 그 결과 멀티태스킹을 많이 하는 그룹이 모든 시험에서 능력이 떨어지는 것으로 나타났다.[10] 그들은 중요한 정보와 사소한 정보를 잘 구분하지 못했으며, 정보를 저장하고 정리하지 못했다. 심지어 그들은 멀티태스킹 자체도 제대로 하지 못했다. 하나의 과제에서 다른 과제로 빨리, 그리고 잘 전환하지 못했던 것이다.

첫번째 실험은 간단한 도형 실험이었다. 화면에 빨간색 사각형이 두 번 나타나는데 두번째엔 빨간색 사각형 주변에 2~6개의 파란색 사각형이 붙어 있었다. 연구진은 "파란색 사각형은 무시하고, 빨간색 사각형이 위치가 바뀌었는지 확인하라"고 했다. 멀티태스킹을 잘 하지 않는 그룹은 쉽게 답을 맞혔지만, 멀티태스킹을 많이 하는 그룹은 주변의 파란색 사각형까지 보느라 정신이 팔려 형편없는 점수가 나왔다. 두번째 실험은 여러 알파벳 문자를 연속적으로 보여주면서 같은 알파벳이 몇 번 나오는지 세는 것이었다. 보통 학생들은 답을 잘 맞혔지만, 멀티태스커multi tasker들은 하면 할수록 점수가 떨어졌다. 세번째 실험은 알파벳 문자와 숫자를 연속적으로 보여주면서 "숫자에 집중하라"고 지시하면 짝수인지 홀수인지 알아맞히고, "알파벳에 집중하라"고 하면 자음인지 모음인지를 맞히는 시험이었다. 생각의 전환 능력을 시험한 것이다. 그러나 이번에도 멀티태스커들은 집중을 못하고 형편없는 점수를 받았다.

연구진은 이같은 연구 결과에 크게 당황했다고 한다. 멀티태스커들이 뭔가 하나라도 잘하는 것이 있지 않나 계속 찾아봤지만, 결국 찾지 못했기 때문이다. 멀티태스커의 문제는 도대체 집중을 못하는 데 있었다. 늘 자신 앞의 모든 정보를 빨아들이지만, 그 어느 하나에도 제대로 집중하지 못하는 것이다.

문제는 오늘날의 경영자들이 멀티태스커를 닮아가고 있다는 점이다. 톰 피터스는 매킨지McKinsey의 온라인 간행물 '매킨지 쿼터리'와의 인터뷰에서 "오늘날 경영자들은 거의 모든 일을 만지작거린다. 마치 주의력 장애가 있는 12세 어린아이처럼 이 일에서 저 일로 옮겨가며, 끝없이 정보의 세례를 받는다"고 꼬집었다. 그래서 그는 요즘 경영자들에게 시간 관리의 중요성을 광적일 정도로 강조한다. 그가 시간 관리에 대해 이야기하기 시작하면 경영자들은 불평한다고 한다. "우리는 두뇌를 가진 성인이라구요. 제발 더 중요한 것을 이야기해주세요." 그러나 더 중요한 것은 없다고 톰 피터스는 말한다. "시간은 희소하고 중요한 자원인데도 사람들은 마치 시간이 무한한 것처럼 여기기 때문"이란다.

요즘 사람들의 멀티태스킹은 주로 온라인 세상에서 일어난다. 우리는 인터넷과 스마트폰을 끊임없이 넘나든다. 마치 세상을 발칵 뒤집어놓을 최후의 통찰이 담긴 것처럼 이메일이나 문자메시지, 카톡을 조바심 내며 기다린다. 우리는 또 뭔가를 찾기 위해 웹에 들어갔다가 어느새 이 링크, 저 링크 옮겨다니며 처음에 왜 접속했는지조차 잊어버린다.

경영사상가 니컬러스 카는 이런 상황에 매우 회의적이다. 그는 인터넷 사이트와 서비스에 익숙해지고부터 뇌가 기능하는 방식이 바뀐 듯했다며, 한 가지 일에 몇 분 이상 집중하지 못하는 무능력을 걱정하기 시작했다. 그는 실제로 인터넷이 뇌의 구조를 바꾸며, 뇌가 인터넷 환경에 적응할수록 사고의 깊이는 얕아진다는 경고를 담아 『생각하지 않는 사람들』이란 책을 썼다.

"온라인 세상에 들어갈 때 우리는 겉핥기식 읽기, 허둥지둥하고 산만한 생각, 그리고 피상적인 학습을 종용하는 환경 속으로 입장하는 셈이다. 온라인상에서 우리는 종종 우리 주변에서 일어나는 일을 망각한다. 기기를 통해 전달되는 상징과 자극의 홍수를 처리하면서 실제 세상의 모습은 점차 흐릿해지고 있다. 인터넷은 우리에게 완전한 산만함이란 본연의 상태로 되돌아가게 하는데, 이 산만함은 우리의 조상들이 경험해왔던 것보다 훨씬 강도가 센 것이다."[11]

『생각하지 않는 사람들』에는 '멀티태스킹'이란 말의 탄생 과정에 대한 일화가 나온다. 1970년대 중반 제록스의 유서 깊은 연구소인 팔로알토 리서치센터에서 회의가 열렸다. 연구소는 유명 컴퓨터 과학자들을 초청해 개발중인 최첨단 기술을 시연했다. 멀티태스킹을 쉽게 해주는 새로운 운영체계에 대한 프레젠테이션이었다. 한 번에 한 가지 일만 볼 수 있었던 기존의 운영체계와 달리, 새로운 운영체계는 스크린을 여러 '창'으로 나눠 각각의 창을 통해 다른 일을 할 수 있었다. 제록스의 발표사는 소프트웨어 프로그램을 짜던 창에서 새로 도착한 이메일을 보는 다른 창으로 옮겨가 클릭했다. 그는 재빨리 이메일을 읽고 답장을 한 뒤 다시 프로그램을 짜던 창으로 넘어왔다.

몇몇 관객은 환호했다. 그러나 다른 반응을 보인 사람들도 있었다. 초대받은 한 과학자는 "세상에, 왜 프로그램을 짜다 말고 이메일을 확인하느라 방해를 받고 산만해지려는 거죠?"라고 화가 난 듯 말했다. 그 과학자의 질문은 당시엔 고려할 가치가 없는 것으로 치부됐지만, 40년이 지난 지금도 중요한 질문이라고 니컬러스 카는 수상한다. 제록스의 연구원은 수많은 종류의 일을 곡예하듯 동시에 해나가기를 원했던 반면, 그 과학자는 일이란 조용히 몰입하는 가운데 행하는 활동이라고 간주했던 것이다.

물론 멀티태스킹이 좋다 나쁘다 무 자르듯 잘라 말할 수는 없을 것이다. 회사원이라면 누구나 동시에 몇 가지 일을 해야 하는 상황을 완전히 피할 수는 없다. 요는 정도의 문제이고, 균형의 문제일 것이다. 우리는 이메일, 스마트폰, 인터넷 등을 통해 끊임없이 유입되는 정보와 자극으로부터 우리 자신을 보호하고 작업의 흐름이 끊기지 않도록 자제심을 발휘해야 한다. 심리학자 게르트 기거렌처^{Gerd Gigerenzer}는 "내 컴퓨터 스크린에 쉴새없이 팝업창이 뜬다면 제대로 생각할 수 없는 것은 당연하다"면서 "난 하루에 한 번만 이메일을 확인하고 전화를 걸지 않을 때는 휴대전화도 꺼놓는다"고 했다.

가장 중요한 것은, 멀티태스킹 때문에 삶에서 진정 중요한 것을 놓치는 상황을 경계하는 일이다. 하루에 한 번 정도 확인하면 될 이메일이나 SNS 메시지를 수시로 확인하느라 정작 같이 있는 가족이나 동료에게 관심을 기울이지 않고 대화를 하지 않는다면 정말 인생에서 중요한 것을 놓치는 셈이다. 허핑턴 포스트의 창업자 아리아나 허핑턴은 자신의 어머니의 일화를 소개하며 멀티태스킹의 문제를 지적한다.

"엄마가 내게 마지막으로 화를 낸 것은 내가 아이들과 대화를 나누면서 편지 봉투를 뜯고 있을 때였다. 엄마는 동시에 여러 가지 일을 하는 행동을 경멸했다. 엄마는 그것이 한순간에 자신의 100퍼센트를 바칠 때만 받을 수 있는 선물, 즉 인생을 놓치는 일이라고 생각했다."[12]

괴테는 말했다. "여러분, 우리의 영혼에 비해 삶은 너무 짧습니다." 멀티태스킹은 시간을 절약해주는 것처럼 보이지만, 사실은 짧고 소중한 삶을 낭비하게 하는 바이러스가 될 수 있다.

고통스러운 선택이 없는 미사여구는
전략이 아니다

그렇다면 기업 차원의 단순함은 왜 필요할까? 앞서 설명했듯 모든 것이 넘쳐나는 과잉의 시대이기 때문이다. '반복맹'을 유발할 정도로 제품과 서비스, 메시지가 넘쳐나는 이 시대 기업의 처지는 19세기 중엽 사진술이 발명됐을 때 화가의 처지와 비슷하다.

그때까지의 그림은 주된 목적이 사물이나 사람을 재현하는 것이었다. 그러나 사진술의 발전은 미술가들을 도전과 모험의 길로 내몰았다. 기계가 '더 훌륭하고 값싸게' 해낼 수 있는 일을 회화가 수행할 필요는 없었다. 화가들은 사진술이 쫓아올 수 없는 영역을 모색하지 않으면 안 되었다. 이를 계기로 20세기 미술에서는 엄청난 혁신이 일어났다.[13] 고갱은 오브제의 재현이 아니라 대상의 이미지를 살리는 데 초점을 맞췄고, 마티스는 인체를 마음대로 변형했으며, 뭉크의 〈절규〉는 사실주의에서의 해방, 즉 표현주의를 대표하게 되었고, 막스 에른스트의 〈셀레베스〉는 초현실주의를 낳았다.[14] 사진술의 발명이라는 충격이 없었다면 현대 미술은 없었을 것이다.

오늘날의 공급 과잉은 과거의 사진술과 같다. 사진 때문에 '재현'이 너무 흔해진 것처럼, 공급 과잉 때문에 물건이 너무 흔해졌다. 우리는 풍족한 세상에 살고 있다. 뒤집어 말하면 모든 제품, 모든 브랜드가 대체 가능하다는 것이다. 물건이 넘쳐나는 지금, 소비자의 '마음의 공간mind space'을 점유하려면 탐색과 실험이 필요하다. 소비자들은 온갖 제품과 정보의 홍수 속에 살고 있다. 나쁘게 표현하면, 시달리고 있다.

프랑스 소설가 미셸 투르니에는 수필집 『짧은 글 긴 침묵』에서 이같은 상황을 실감나게 묘사한다.

"온갖 영상들의 급속한 인플레이션이 진행되고 있다. 잡지, 영화, 텔레비전이 눈만 포식하게 하고 인간의 그 나머지 감각들은 무용지물로 만든다. 오늘날의 인간은 입마개 쓰고 팔 잘린 채 신기루들이 가득 찬 궁전 속을 어슬렁거리고 있다."[15]

현대 인간의 감각은 매초 1100만 가지 정보를 받아들인다. 하지만 우리의 의식적인 두뇌는 많아야 1초에 40가지의 정보만을 처리할 수 있다.[16] 제품과 정보가 범람하면서 반대로 소비자의 마음의 공간은 갈수록 희소해지는 이유가 여기에 있다. 모든 제품 카테고리에 브랜드가 범람하고 기존 브랜드들은 콤팩트디스크처럼 세분화되면서, 소비자의 마음의 공간은 대도시 중심부의 A급 부동산처럼 희소하고 소중해졌다.[17] 날로 희소해지는 마음의 공간을 차지하기 위해서라도 기업은 '더 많이'의 맹목에서 벗어나야 한다. 모든 것이 넘쳐나는 과잉의 시대에 고객은 기업에 더 많은 것을 요구하지 않는다. 오히려 많은 것 중에서 내게 의미 있는 것만 잘 '선택'해주기를 바란다. 다시 말해 고객은 기업이 큐레이터가 되어주기를 바란다.

'더 많이'에서 벗어나는 것은 '더 특별'해지는 길이기도 하다. 사진술이 발명되기 전, 자신의 모습이 담긴 그림은 왕이나 제후, 부자만이 가질 수 있었다. 그러나 사진이 나오면서 사회 지배층이 누렸던 특권은 사라졌다. 원하는 사람은 누구나 자신의 모습을 사진에 담을 수 있게 되었기 때문이다.[18] 풍경화의 의미도 크게 퇴색했다. SNS에 들어가보라. 전 세계의 기막힌 풍광을 담은 사진이 0.1초도 안 되는 순간에도 수 없이 올라오고 있다.

사진술 이전에 그림은 기술이었다. 'art'라는 단어 자체가 원래 기술을 의미하는 것이었고, 지금도 여전히 그런 뜻으로도 쓰인다. 그러나 사진술 이후 그림은 기술에서 예술로 승화했다. 묘사라는 행위가 너무나 흔해진 데 대한 반작용이었다. 이제 경영도 '더 많이'라는 기술에서 예술로 승화할 것인가, 아니면 누에고치 속에 그대로 머물 것인가, 선택의 기로에 서 있다.

"당신이 경영자로 일하는 유일한 이유는 차별화된 선택을 하기 위해서다"

이 시대의 진정한 혁신은 단순함을 만드는 것이다. 현명한 기업인들은 단순함의 미덕을 잘 알고 있다. 미국의 새로운 벤처 신화로 떠오른 사진 공유 사이트 인스타그램의 창업자 케빈 시스트롬Kevin Systrom은 "단순함이야말로 절대적으로 중요한 성공 요인이있다"고 말했다.[19] 2012년 4월 페이스북은 인스타그램을 약 10억 달러에 인수한다고 발표했다. 대형 인수합병M&A이 잦은 실리콘밸리에서도 깜짝 놀랄 만한 소식이었다. 인스타그램은 당시 3000만 명에 달하는 사용자를 자랑하고 있었지만, 설립 2년밖에 안 된 스타트업이었고, 직원 수는 12명에 불과했다.

인스타그램은 스마트폰으로 찍은 사진을 친구들과 공유하는 서비스로 1983년생인 케빈 시스트롬이 2010년 10월 출시했다. 각종 필터를 통해 사진에 색깔과 효과를 쉽게 덧입힐 수 있는 것이 특징이다. 2013년 기준 인스타그램에는 모두 160억 장의 사진이 올라왔고 매일 4500만장씩 추가됐다. 사용자 수는 1억 3000만 명에 달했다. 시스트롬은 페이스북에 주식을 매각해 4억 달러의 돈방석에 앉은 것으로 알려졌다. 그는 매각 뒤에도 CEO로 남아 회사를 경영하고 있다. 시스트롬은 12명의 직원으로 벤처 신화를 이룬 결정적인 비결이 '집중'이라고 말했다.

"인스타그램은 여러 가지를 잘하려고 하기보다 아주 중요한 몇 가지에만 엄청나게 집중했습니다. 예를 들어 '사진 올리는 시간을 최대한 단축하기' '누구나 쉽게 조작할 수 있도록 하기' 등입니다. 덕분에 정말 작은 팀이 엄청난 성과를 낼 수 있었습니다."

그는 인스타그램 이용자가 느끼는 단순함 속에는 '보이지 않는 노력'이 엄청나게 들어 있다고 강조했다. 예를 들어 인스타그램 첫 버전을 만드는 데는 8주가량이 소요됐지만, 스크롤을 얼마나 빠르게 할지를 결정하고 최적화하는 데만 무려 3주를 보냈다고 한다. 사용자가 원하는 대로 스크롤하고 멈추고 반응하게 만들기 위해 오랜 고민과 노력이 필요했던 것이다.

"비디오 인스타그램(동영상 공유 서비스)도 마찬가지입니다. 사용자들이 손끝 하나로 앱을 움직이고, 스스로 정말 자연스럽다고 느끼며, 실제로 앱을 통제한다는 느낌을 받을 때까지 우리 엔지니어들이 얼마나 많은 노력을 기울였는지 모릅니다."

그는 자신의 개발철학은 단순함simplicity과 신속fast, 미beauty 세 가지라고 밝히면서, "많은 것을 '오케이' 수준으로 만들기보다 이 세 가지를 '완벽하게' 이루기 위해 정말 노력하고 집중한다"고 설명했다.

그렇다면 우리는 왜 단순해지지 못하는 걸까? 왜 설렁탕집에서 돈가스에 칼국수까지 팔아야 하고, 은행의 상품설명서는 왜 그렇게 복잡해야만 하는 것일까? 그 이유는 사람들이 선택을 싫어하기 때문이다. P&G의 회장이자 CEO인 A. G. 래플리는 이렇게 꼬집었다.

"40년 이상 사업을 하면서 나는 대부분의 리더들이 선택하는 것을 좋아하지 않는다는 것을 알았다. 그들은 오히려 여러 선택지를 열어두기를 원한다. 선택은 경영자에게 특정한 행동을 강요하고, 꼼짝 못하게 하고, 위험을 만들어내기 때문이다."[20]

설렁탕집에 온 손님이 돈가스를 먹고 싶어할지도 모르고, 그런 손님을 놓치는 것은 리스크이기 때문에 돈가스를 만든다는 것이다. 은행의 상품설명서에도 나중에 혹시라도 '왜 설명해주지 않았느냐?'는 추궁을 피할 수 있기 때문에 온갖 설명을 다 집어넣는다. 다시 말해 책임지지 않기 위해서 선택을 피하고, 그러다보니 세상이 복잡해진다. 세상의 수많은 복잡함의 이면에는 '어떻게 하면 책임을 피할까' 하는 마음이 숨어 있다.

그러니 선택을 포기하는 것은 경영자로서는 직무 유기다. 경영자의 직무란 바로 선택을 하는 것이기 때문이다. 잭 웰치 전 GE 회장은 경영은 '차별화'와 똑같은 단어라고 강조했다. 그는 "연구개발비를 어디에 얼마를 쏟아붓고, 마케팅 예산을 얼마를 쓰고, 어떤 직원이 가장 유능하고 누가 중간이고 누가 가장 못하는지 차별하는 것, 그것이 차별화"라면서 "당신이 경영자로 일하는 유일한 이유는 차별화된 선택을 하기 위해서"라고 말했다.

즉 단순함이란 선택의 동의어다. 1997년 스티브 잡스가 '애플 세계 개발자 회의WWDC'에서 한 연설은 이를 설득력 있게 설명한다.

"집중이란 그 밖의 다른 좋은 아이디어들에 대해 '아니요'라고 말하는 것을 뜻합니다. 신중하게 선택해야 합니다. 저는 실제로 우리가 한 일 못지않게 하지 않은 일도 자랑스럽게 여깁니다. 수많은 것들에 '아니요'라고 말하는 것, 그것이 혁신입니다."

애플의 현 CEO인 팀 쿡Tim Cook은 잡스의 정신을 그대로 이어받고 있다. "우리는 복잡함보다 단순함을 믿습니다. 우리는 수천 개의 프로젝트에 대해 '아니요'라고 말합니다. 그것은 매우 중요하고 의미 있는 것에만 집중하기 위해서입니다." 패션잡지 『보그』의 전 편집장 다이애나 브릴랜드Diana Vreeland도 이런 말을 즐겨 했다.

"우아함은 거절에서 비롯된다Elegance is refusal."

아무리 좋더라도 '가장 좋은 것'이 아니라면 '아니요'라고 말할 수 있는 신중함과 고집, 중요하지 않은 일을 거절할 수 있는 결단, 이것은 기업을 단순화해서 결국 차별화를 가능케 하는 요소들이다.

'생략에 대한 공포'가 성공의 발목을 잡는다

운전면허증에 사진이 두 개가 있다는 사실을 얼마 전 처음 알았다. 둘 중 작은 사진 아래에 숫자 네 개와 알파벳 두 글자가 적혀 있다는 것도 처음 알았다. 카드사 직원이 그 숫자와 알파벳을 불러달라고 하기 전까지는 몰랐던 사실이다. 신용카드의 교통카드 기능이 제대로 작동하지 않아 카드를 교체하러 은행에 갔더니, 카드사가 신원을 확인해야 하므로 고객이 직접 카드사에 전화를 걸어야 한단다. 그 자리에서 전화를 거니 주소와 면허증 번호를 묻고, 그것으로도 모자라 작은 사진 아래 숫자와 알파벳까지 불러달라는 것이다. 본인이 직접 은행에 와서 직원과 얼굴을 마주보고 있다. 그것보다 더 확실한 신원 확인도 없을 것이다. 그런데도 이렇게 복잡하게 일을 처리해야 하는 이유는 무엇인가.

그 복잡함의 이면에는 책임 회피의 심리가 숨어 있을 것이다. '나중에 무엇이든 우리가 책임질 일이 있어서는 안 돼.'(은행과 카드사) '사고가 터지면 규제가 없어서 문제가 되지, 규제가 많아서 문제가 되는 경우는 없어.'(금융 당국)

그런데 이것이 비단 은행만의 일일까? 인류는 지상에 존재한 10만여 년 중 99퍼센트는 수렵 채집민 상태로 살았다. 언제나 공격 대상이 될 수 있기 때문에 가능한 한 모든 방어책을 갖춰둬야 한다고 느끼게 됐다. 현대 사회에서 이런 본능은 자신의 앞길에 무엇이 꼬투리가 될지 모르기 때문에 아무것도 생략할 수 없다는 심리로 바뀌어 나타난다. 심리학자 카린 모그^{Karin Mogg}의 표현을 빌리자면, '생략에 대한 공포'다. 아이디어가 하나뿐일 때는 그것이 실패하면 안전망이 사라지기 때문에 아이디어의 수가 적은 것을 두려워한다는 것이다.

문제는 '성공하기 위해서는 생략하면 안 된다는 공포'가 오히려 성공의 발목을 잡는다는 점이다. '어떻게 하면 책임을 피할까' 하는 마음으로는 중간은 할 수 있을지 모른다. 아니, 요즘 세상이 돌아가는 형국을 보면 중간조차 할 수 없는 경우가 많다. 책임 회피 심리를 극복할 수 있어야 비로소 일류가 될 수 있다. 경영 전략 전문가인 리처드 루멜트 Richard P. Rumelt UCLA 앤더슨 경영대학원 교수의 표현처럼 "고통스러운 선택이 없는 미사여구는 전략이 아니기" 때문이다.

책『심플』은 법률제도가 생략에 대한 공포를 증폭시킨다고 꼬집는다. 사회를 복잡하게 만드는 대표적 원인이 법률제도라는 것이다. 저자들은 "은행을 비롯한 모든 대기업과 정부에 영향을 미치고 있는 이 문제 속에는 변호사들의 강박관념, 즉 모든 경우의 수에 대비하려면 복잡한 말과 용어를 사용할 수밖에 없다는 생각이 들어 있다"[21]고 주장한다.

생략에 대한 공포는 아주 드물게 일어나는 몇 개의 사건으로 극대화된다. 몇 년 전 미국에서 물에 젖은 고양이를 전자레인지에 넣어 말리려고 하다가 고양이가 죽어버렸다는 괴담이 돌았다. '애완동물을 넣으면 위험하다'라는 주의사항이 전자레인지 매뉴얼에 적혀 있지 않았다고 고양이 주인이 전자레인지 제조업체를 고소하는 일이 벌어졌다는 내용이었다. 이는 미국의 한 로스쿨 교수가 제조물책임법[PL]을 설명하기 위해 가상으로 만든 사례였지만, 실제로도 충분히 벌어질 수 있는 일이다.

동부대우전자는 몇 년 전 냉장고 제품설명서에 '김치냉장고에 학술 재료(의약, 화학약품)를 넣지 마세요!'라는 경고문을 추가했다. 먹던 약, 쓰던 화장품, 실험실 시약 등을 냉장고에 넣는 사람들 때문이다. 동부대우전자 관계자는 "2년 전 논문 재료로 쓸 식자재를 김치냉장고에 넣었는데 변질되었다며 배상을 요구하는 고객이 찾아오기도 했다"며 "이 경고문을 미리 넣어둔 덕분에 책임을 면할 수 있었다"고 설명했다.[22] 이렇듯 예상치 못한 상황으로 재판에서 거액의 배상금을 내놓고 싶지 않은 회사들은 무엇이든 매뉴얼에 써넣게 되었다.

"뜨거운 다리미를 만지면 화상을 입을 우려가 있습니다."
"드라이어에서는 뜨거운 바람이 나오므로 주의하십시오."
"절대로 떨어지는 칼을 잡으려고 하지 마십시오."(부엌칼)

"항해에 이용하지 마시오."(지도가 그려진 칵테일용 냅킨)

"이 옷을 입고 날 수 없습니다."(슈퍼맨 코스튬)

어쩌면 앞으로 "숨을 멈추지 마십시오. 질식해서 죽을 우려가 있습니다"라는 경고문이 등장할지도 모를 일이다.[23] 문제는 이처럼 모든 경우의 수에 대비하는 커뮤니케이션 방식이 오히려 커뮤니케이션 자체를 없애버린다는 점이다. 한 회사의 냉장고 사용설명서는 55쪽으로 웬만한 소책자 분량에 버금가고, 3D TV 설명서는 197쪽으로 소설책에 맞먹는다. 이런 설명서의 목적은 책임 회피지, 결코 고객과의 커뮤니케이션이 아니다.

보험에 가입하면서 약관을 한 줄이라도 읽어본 적이 있는가? 약병에 적혀 있는 깨알 같은 안내문을 한 번이라도 살펴본 적이 있는가? 자동차 사용설명서를 유쾌한 기분으로 읽어본 적이 있는가? 약관, 안내문, 사용설명서는 모두 이름을 바꿔야 한다. '책임 회피 보고서'라고.

2012년 조선일보는 '당신의 연금은 안녕하십니까'라는 기획 시리즈를 연재한 적이 있다. 그 취재 과정에서 금융회사의 복잡성의 실태가 드러났다. 그 복잡성은 소비자에 대한 공감 능력의 심각한 결핍에서 비롯되며, 때로는 의도적이라는 강한 심증을 갖게 됐다. 보험사의 상품설명서는 일반 소비자는 도무지 알 수 없는 암호문이라고 해도 과언이 아니다. 그것은 마치 "절대로 읽지 마세요"라고 외치는 듯하다. 예를 들어 설명서의 맨 뒷장 하단에는 '계약자가 낸 보험료는 보험회사 운영에 필요한 경비 등으로 사용되기 때문에 중도에 해지하면 그때까지 낸 돈보다 적게 받거나 아예 돌려받지 못할 수 있다'고 적혀 있다. 중요한 내용인데 2밀리미터 크기의 아주 작은 글씨로 쓰여 있어, 고객이 안 보도록 하려는 게 아닌가 하는 의심이 들 정도다.[24] 몇 년 전 보험사를 인수한 어느 금융회사 CEO 역시 보험용어가 어려운 것은 의도적인 것 같다는 의문을 제기했다.

"금융업에 오래 종사한 나도 보험상품의 복잡한 구조를 이해하기 어렵다. 상품설명서가 어려운 것은 그래야 설계사 도움 없이는 가입할 엄두가 안 나게 만들어 수수료를 받을 수 있기 때문 아니겠는가."

책임 회피 심리는 비단 법률제도와 금융 관행의 문제에만 그치지 않는다. 기업이 고객의 니즈를 반영한다면서 온갖 기능이 주렁주렁 매달린 제품을 내놓는 데도 책임 회피 심리가 숨어 있다. 사장이 "이런 기능은 왜 없어?"라고 물어보면, "여기 있는데요"라며 변명할 장치를 마련하고 싶은 것이다. 사용자경험UX 컨설팅기업인 시엑스파트너스 CXpartners의 전무이사 자일즈 콜본은 다음과 같이 지적한다.

"'위원회식 디자인'을 한 번이라도 경험했다면 어떤 것이 불필요하다고 주장하기란 불가능하다는 사실을 알 것이다. 기능을 없애자는 취지로 제안하더라도 '하지만 사용자가 ~하려고 하면?'이라는 말로 모든 기능이 하나씩 정당화된다."[25]

기업이 단순해지기 위해서는 '만약에'라는 두려움을 버려야 한다. 실제로 벌어질지 아닐지 모를 일 때문에 불필요하게 더 많은 것을 준비하는 비효율에서 벗어나야 한다. 기업의 단순함이란 결국 위험을 감수하고라도 책임을 지겠다는 각오와 선택이다.

"우리 회사 제품을 사지 마세요"
어느 기업의 이상한 광고

: 이본 슈나르 파타고니아 회장의 '대의의 경영'

자기 회사 제품을 사지 말라고 광고하는 회사가 있을까?

있다. 미국의 아웃도어 의류업체 파타고니아Patagonia다. 이 회사는 2011년 뉴욕타임스에 "이 재킷을 사지 마라Don't buy this jacket"라는 광고를 게재해 화제를 모았다. 환경 피해를 줄이기 위해서는 불필요한 소비를 줄여야 한다는 이유에서다. 파타고니아는 헌옷을 수선해 입으라는 캠페인을 벌이기도 한다.

1973년 설립된 이 회사는 '환경'을 최고의 기업 이념으로 내세운다. 모든 면직 의류는 100퍼센트 유기농법으로 재배한 면으로만 만들고, 모든 카탈로그는 재생용지로 만들며, 새로운 매장 공사에는 친환경 페인트와 재활용 벽면 소재를 사용하는 등 '강박적'이라고 느껴질 만큼 '환경'에 내달린다. 또 매년 매출의 1퍼센트를 환경단체에 기부한다. 이익의 1퍼센트가 아닌 매출의 1퍼센트니 상당한 금액이다.

한마디로 파타고니아는 '더 많이'의 성장신화에 역행하는 회사다. 자사 제품을 사지 말라고 권하는 별난 회사인데도, 2013년 8월 미국 아웃도어 의류시장에서 노스페이스The North Face에 이어 점유율 2위(12.7퍼센트)를 기록했다. 이런 회사가 존재하고 또 소비자에게 사랑받고 있으니 위안이 된다. 참을 수 없는 복잡함의 시대에 기업이 나아가야 할 방향을 제시하는 롤모델의 하나로 주목할 만하다. 이 회사의 창업자 겸 회장인 이본 슈나르Yvon Chouinard는 위클리비즈와의 인터뷰에서 2011년 뉴욕타임스 광고에 대해 설명했다. 이윤 추구라는 기업의 기본 목적을 포기한 것인지 아니면 일종의 마케팅인지를 묻는 질문에 그는 이렇게 대답했다.[26]

"따지고 보면 친환경적인 제품은 없습니다. 물건을 생산하고 소비하는 과정 자체가 지구에 나쁜 영향을 줍니다. 인간은 유한한 자원을 낭비하는, 지구상에서 가장 유해한 종種입니다. 위험에 빠진 지구를 구하려면 어떻게 해야 할까요. 제품 자체를 생산하지 말아야 합니다. 그게 안 된다면, 적게 쓰는 것이 답입니다. 우리는 별로 필요도 없는데 물건을 삽니다. 재미로, 심심하니까, 혹은 유명한 테니스 선수가 입어서 물건을 사는 경우가 얼마나 많습니까?"

슈나르 회장에 따르면, 파타고니아의 사명은 '과소비가 쿨하지 않게uncool 느껴지도록 하는 것'이다. 그는 "앞으로 낡고 너덜너덜해진 바지를 입는 것이 더 쿨해 보이는 시대가 올 것"이라고 강조한다. 그의 경영철학은 반反성장적이고 반아메리카드림적이다. 그는 "환경 문제의 근원은 기업이 끝없이 성장을 추구하는 데 있다"고 주장한다.

"주식시장에 상장한 기업은 매년 전년 동기 대비 15퍼센트씩 성장해야 합니다. 그래서 기업은 필요하지도 않은 수요를 자극해 성장을 도모하지요. 모든 사람이 성장은 좋은 것이라고 생각하지만, 건강하게 성장하는 것과 뚱뚱하게 성장하는 것에는 큰 차이가 있습니다. 상장회사의 초점은 '성장'뿐입니다. 논리적으로 가능한 범위를 넘어 성장을 추구합니다. 그런데 비즈니스에선 빨리 성장할수록 빨리 죽습니다. 장기적 계획에 집중하지 못하기 때문입니다."

그가 환경 문제에 천착하게 된 계기는 파타고니아 설립 이전 등산

장비를 생산하던 시절로 거슬러올라간다. 그는 자신이 생산하는 암벽 등반용 강철 피톤이 암벽을 망가뜨리는 것을 보고 대체 장비인 알루미늄 쐐기를 개발했다. 이후 그는 자연을 훼손하지 않는 등반 방법인 '클린 클라이밍'의 중요성을 알리는 전도사가 됐고 알루미늄 쐐기 판매는 급증했다. 환경에 대한 이러한 관심은 약 20년 뒤 파타고니아의 독특한 사명선언문으로 표현됐다.

'우리는 필요한 제품을 최고의 품질로 만들고, 제품 생산으로 환경 피해를 주지 않으며, 환경 위기 극복을 위한 해법을 찾아 널리 알리고 실천한다.'

이런 회사가 존재하고, 각광받는 것의 의미는 크게 세 가지 각도에서 찾을 수 있다.

첫째, 시대의 변화다. 앞서 말했듯 대량생산·대량소비의 시대가 한계에 부딪히면서 새로운 경제 패러다임, 나아가 새로운 삶의 방식과 철학이 요구되고 있다. 글로벌 금융위기는 그 필요성을 질실히 보여주었다. 슈나르 회장은 "현재 세계는 포스트 컨슈머리스트post-consumerist 사회, 즉 소비지상주의를 반대하는 사회로 넘어가는 과도기에 있다"고 분석했다. 무조건 많이 만들어, 많이 팔고, 많이 소비하는 시스템을 소비자 스스로 싫어하게 된다는 것이다.

둘째, 스토리마케팅의 힘이다. 김연아를 모델로 쓴 광고가 수십 편인데 사람들은 어떤 제품 광고였는지 잘 기억하지 못한다. 이런 메시지의 홍수 속에서 환경을 강조하는 파타고니아의 차별화 포인트처럼 이타심과 공익성이 부각되는 것이다. 소비자의 마음속에 숨어 있는 '매슬로의 욕구 5단계' 중 가장 높은 단계인 '자아실현의 욕구'를 건드리는 것이다. 슈나르 회장은 "젊은 세대는 광고를 믿지 않고 TV도 보지 않으며 또래와 SNS로 직접 소통한다"고 강조했다.

셋째, 직원의 동기부여다. 슈나르 회장은 "파타고니아 직원들이 열심히 일하는 이유는 일을 사랑할 뿐 아니라 그 일을 통해 세상에 기여할 수 있기 때문"이라며 "이 두 가지가 결합되면 인간의 우수성을 이끌어내면서도 큰 사업적 성과를 거둔다는 두 가지 목표를 다 이룰 수 있다"고 설명했다. 일반적인 기업의 사회책임활동CSR은 1순위가 경제적 이윤 창출이고, 2순위가 남은 이익의 사회 환원이다. 그러나 파타고니아의 경우 기업활동의 1순위가 공공가치이고, 2순위가 경제적 이윤 추구라는 점이 다르다.

여러분의 회사는 과연 무엇을 위해 존재하는가? 휴렛패커드의 공동창업자 중 한 사람인 데이비드 패커드는 기업의 존재 이유에 대해 설파한 적이 있다.

"나는 많은 사람들이 기업이란 단순히 돈을 벌기 위해 존재한다는 잘못된 가정을 하고 있다고 생각한다. 이익 추구가 기업의 중요한 존재 이유이긴 하지만, 우리는 더 깊고 진정한 존재의 의미를 살펴보아야 한다."

더 깊고 진정한 존재의 의미를 고민하는 것, 그것은 기업이 단순해지기 위해 거쳐야 할 필수적인 과정이다.

세계 경제는 '스톨 스피드'로 비행하고 있다

그러나 내가 단순함이 필요하다고 생각하는 더욱 중요한 이유가 있다. 그것은 지구적 차원의 난순함이다. 몇몇 전문가는 지금의 세계 경제를 '스톨 스피드stall speed(중력을 이기며 공중에 떠 있기 위한 최소한의 속도)'로 비행하는 비행기에 비유한다. 조금만 속도가 떨어져도 추락 위험이 커지는 임계점, 다시 말해 벼랑 끝에 서 있다는 이야기다. 이는 앞서 언급했듯 단지 경기 사이클의 문제가 아니라 훨씬 더 구조적인 문제 때문일 수 있다. 대량생산·대량소비의 자본주의 시스템은 유효수요, 즉 구매력 있는 소비자에게 의존한다. 그런데 세계에서 유효수요가 실종됐다. 한국은 물론 미국, 유럽, 중국 모두 수출을 외친다. 자기 나라에 유효수요가 없으니 해외에서 찾으려고 한다. 문제는 어디에도 유효수요가 없다는 것이다.

'공급이 수요를 창출한다'는 '세이의 법칙Say's law'이 1930년대 대공황으로 거짓임이 드러났을 때 케인스가 등장해 민간 대신 정부가 유효수요를 창출하는 처방을 내세웠다. 이번 글로벌 금융위기 때 케인스의 처방이 다시 등장했고, 각국 정부가 빚더미에 빠진 민간 대신 재정을 투입해 유효수요를 창출했다. 그런데 그 처방마저 한계에 부딪혔다. 유럽 여러 나라와 심지어 미국조차 과도한 빚을 지고 있다는 이유로 시장의 신뢰가 추락하며 재정위기를 겪었다. 중국에서는 텅 빈 고속도로와 짓다 만 공항이 보여주는 것처럼 정부 재정에 의한 인위적인 투자 창출이 한계에 부딪혔다.

그럼 돈을 찍는 것은 어떨까? 인플레이션을 감수하고라도 통화를 뿌려 수요를 창출하고 실질적인 빚 부담을 줄여주는 것이다. 이런 처방은 이미 미국과 유럽, 일본에서 전례 없는 규모로 실시됐지만('양적 완화'라는 이름으로), 그 효과는 그리 뚜렷하지 않다. 경제에 불확실성이 높을 때는 과거 일본에서 그랬듯 돈을 풀어도 사람들이 좀처럼 지갑을 열지 않는다. 더구나 이런 정책은 또다른 버블을 잉태하고, 자산 가격을 올려 빈부격차를 확대시키는 등 큰 부작용을 낳을 수 있다. 세계적인 인구 고령화도 수요 측면에서는 대형 악재이다.

문제를 정리해보자. 세상엔 이미 상품이 넘쳐나는데도 공장을 돌리고 고용을 유지하기 위해서는 상품을 계속 만들어야 한다. 그런데 그것을 사줄 유효수요가 없다면 어떻게 될까? 래리 서머스Larry Summers 하버드대 교수 등은 각국 정부가 빚을 좀더 지더라도 재정을 다시 풀어야 한다고 주장한다. 그러나 그것이 가능할지(특히 각국 정치의 신뢰도와 능력이 바닥을 치고 있음을 감안할 때), 그리고 그것이 또 어떤 부작용을 낳을지는 미지수다.

지탱하기 힘든 제도라면 우리의 삶의 방식과 철학을 바꿔야 할지 모른다. 우리는 소비자이면서 생산자다. 소비자로서의 우리는 소비를 줄일 수 있다. 고통스럽지만 덜 벌면 좀 덜 쓰면 된다. 우리는 이미 대형마트의 진열대에 놓인 많은 상품들에 현기증을 느끼고 있다. 선택지가 줄어들면 오히려 더 행복해질지도 모른다. 하지만 문제는 소비가 줄어들면 공장이 문을 닫아 일자리가 없어진다는 점이다. 일자리가 없는 세상이 얼마나 끔찍한지 우리는 이미 IMF 외환위기 때 뼈저리게 경험한 바 있다.

요컨대 '소비하지 않으면 안 되는 시스템'과 '늘어나지 않는 유효수요'가 빚어내는 모순이 임계점에 도달했다. 그 모순을 해결하는 새로운 패러다임에 대한 연구가 필요한 때다. 소비와 노동, 소득 분배에 대한 태도를 근본적으로 재검토할 필요가 있다. 예를 들어 잡셰어링$^{job sharing}$으로 모두가 일을 좀 적게 하고 일자리를 나누는 방법, 소득 분배를 개선해 저소득층과 빈곤국의 구매력을 높여줌으로써 새로운 유효수요를 창출하는 방법 등을 검토해야 한다. 경제학자들과 정책 당국자들은 글로벌 금융위기와 유럽 재정위기를 막는 데 실패했다. 이제 그들은 유효수요 실종의 시대에 자본주의의 모순을 해소하여 세계 경제를 지속 가능하게 만드는 데 지혜를 모아야 한다.

공급 과잉의 시대

유효수요의 부족이 동전의 앞면이라면, 동전의 뒷면은 공급 과잉이라 할 수 있다. 투자은행 웨스트우드캐피털의 대니얼 앨퍼트는『공급과잉의 시대』에서 현재 글로벌 경제가 직면한 핵심적인 문제는 공급 과잉이라고 주장한다. 수요에 비해 노동, 생산설비, 자본의 공급이 과잉이라는 것이다.[27] 이처럼 값싼 자본이 지천으로 널려 있는 시대에 양적완화로 돈을 푸는 것은 도움이 안 되며, 노동과 생산설비가 엄청나게 과잉 공급된 시대에 성장을 자극하려는 정책 역시 별 도움이 안 된다는 주장이다.

그는 공급 과잉 문제의 근원으로 중국을 비롯한 신흥 국가들의 부상을 지목한다. 앨퍼트에 따르면 세계 경제사의 분수령은 1978년 중국 공산당 11기 3중전회다. 덩샤오핑이 '개혁 개방 노선'을 공식화한 것이다. 12월 18일부터 22일까지 닷새간 벌어진 일이었다. 같은 해 소련에선 미하일 고르바초프가 농업부 장관으로 임명됐다. 그로부터 7년 후 그는 공산당 총서기가 되면서 소련과 동유럽에서 공산당 통치하에 있던 4억 명의 인구를 글로벌 시장경제로 편입시킨다. 인도의 변화는 중국이나 소련보다 꽤 늦은 1991년에 시작됐으며, 역시 5억 명에 가까운 성인 노동력을 세계 경제에 유입시켰다.

매킨지에 따르면, 1980년부터 2010년 사이 세계 노동시장에 17억 명의 신규 노동력이 공급됐으며, 그 대부분이 개도국의 '농장에서 공장으로'의 전환 과정에서 공급됐다. 현재 세계에는 30억 명이 넘는 노동력이 존재하는데 그 절반 정도가 중국, 인도, 구소련에 거주한다. 이들 중 상당수가 선진국 노동자들이 일하는 다양한 분야의 일자리에서 직접적으로 경쟁한다. 이 방대한 노동력의 바다를 염두에 두지 않고는 왜 청년들의 일자리 구하기가 하늘의 별 따기이고 직장 생활이 날이 갈수록 팍팍해지며 기업들이 투자를 망설이는지 설명할 수 없다는 것이 앨퍼트의 주장이다.

이런 신흥국들은 대체로 사회안전망이나 연금제도가 미비하다. 그래서 이런 나라의 노동자는 선진국 노동자보다 소득의 더 많은 비율을 저축한다. 이것이 의미하는 것은, 세계 경제 무대에 새로 등장한 약 17억 명의 신규 노동력이 물건을 사는 수요의 측면에서 기대에 훨씬 못 미친다는 사실이다. 결국 수요에 비해 공급이 일방적으로 크게 늘어나는 불균형 상황이다. 선진국에서 재화와 서비스 수요는 정체돼 있다. 그래서 가장 돈을 잘 버는 기업들조차 새로운 설비에 투자하거나 새로운 직원들을 고용하려 하지 않는다.

또하나 주목해야 할 것은, 이같은 노동력의 폭발이 자본의 과잉 공급을 초래했다는 사실이다. 수억 명의 인구가 농부에서 임금노동자로 변신하며 소득의 일부를 저축하기 시작했기 때문이다. 신흥국엔 부가 쌓여갔다. 중국의 외환보유고는 2000년엔 2500억 달러에 불과했다. 그러나 2008년엔 2조 달러를 넘었고 2013년에는 3조 달러를 돌파했다. 전체 신흥국의 외환보유고는 2000년에 7000억 달러 수준이던 것이 2012년엔 7조 달러에 육박했다. 짧은 시간 동안 이렇게 많은 돈이 축적된 적은 역사상 없었다.

금융위기 이후 6년이 지나도록 세계의 지도자들은 진짜 문제가 무엇인지 모르고 있다고 앨퍼트는 비판한다. 그들은 성장 엔진을 재가동하는 데 가장 큰 장애가 공급 과잉임을 깨닫지 못하고 있다. 17억 명의 노동력과 6조가량의 달러가 지구상에 새로 등장했음에도, 대부분의 정책 입안자들은 이런 변화의 경천동지할 위력을 부인한다. '소 잡는 칼로 닭을 잡는다'는 말이 있지만 '닭 잡는 칼로 소를 잡는 것'은 더 큰 문제를 낳는다. 구조적 문제를 해묵은 경기 사이클의 관점으로 해결하려다가는 비슷한 잘못을 범할 수 있다. 고통스럽디라도 구조적 해결책을 내놓는 데 지혜를 모아야 한다. 그리고 그 구조적 해결책의 키워드는 '단순함'이다. 이제 우리는 '더 많이' 대신 '더 적게'를 외쳐야 한다.

버려지기 위해 만들어지는 물건들

30억 명의 노동력이 뭔가를 끊임없이 만들어낸다는 것은 지구 환경 측면에서도 지속 가능하지 않다. 지구는 파도 파도 끝이 없는 우물이 아니다. 이대로 가다간 곧 바닥을 드러낼 것이다. 『자연자본주의』라는 책에 따르면, 반도체 칩 하나를 만들 때 생기는 쓰레기는 칩 무게의

10만 배, 노트북 컴퓨터는 4000배쯤 된다고 한다. 오렌지주스 1리터를 만드는 데는 휘발유 2리터와 물 1000리터가 들고, 종이 1톤을 생산하는 데는 갖가지 자원이 98톤이나 필요하다고 한다. 책은 "온 세상 사람들이 북미 사람들처럼 살려면, 지구가 두 개 더 필요하다. 인구가 현재의 두 배로 증가한다면, 지구가 세 개 더 필요하다"고 주장한다.[28]

사실 대부분의 사람은 새로운 물건이 그렇게 절실히 필요하지는 않다. 성장에 중독된 우리의 경제 시스템이 그것을 강요하고 세뇌할 뿐이다. 프랑스 경제학자 세르주 라투슈가 쓴 『낭비사회를 넘어서』란 책은 이 문제를 깊이 있게 다룬다. 이 책의 부제는 '계획적 진부화라는 광기에 관한 보고서'다.

'계획적 진부화'란 새로운 소비를 자극하기 위해 인위적으로 공산품의 수명을 단축시키는 일을 말한다.[29] 다시 말해 '버리기 위해 만드는 것'이다. 이를테면 어떤 기업들은 마모되지 않는 면도날에 대한 특허를 가지고 있으면서도 생산을 포기했다. "그 제품이 지니게 될 불멸성이 생산의 종말을 초래할 것이기 때문"이다. 다시 말해 생산이 계속되기 위해서는 제품이 죽어야 한다.

라투슈는 성장에 중독된 우리의 생산 시스템이 계획적 진부화의 출발점이라고 일갈한다. 앞서 지적했듯 우리는 원하든 원하지 않든 끊임없이 더 많이 생산하고 소비하도록 강요받는다. 고용을 늘리고 연금을 지급하고 공공지출을 유지하려면 국내총생산GDP이 지속적으로 증가해야 한다. 분명한 필요를 위해 성장하는 것이 아니라 성장하기 위해 성장하는 것이다. 생산을 무제한적으로 확대하기 위해서는 소비를 무제한적으로 부추겨야 하며, 새로운 욕망을 무제한적으로 불러일으켜야 한다. 자연은 그 후유증을 고스란히 떠안으며 무자비하게 착취된다.

　라투슈는 계획적 진부화 시대의 서막을 알린 사건으로 이른바 '1000시간 위원회'의 예를 든다. 1880년대에 에디슨이 만든 최초의 전구는 수명이 1500시간이었고, 1920년대엔 2500시간으로 늘어났다. GE 같은 대기업은 이렇게 수명이 긴 제품을 용납할 수 없었다. 1924년 GE를 포함한 전구 제조업체 관계자들은 제네바에서 전구 수명을 1000시간 이하로 제한하자는 목표를 정했고 '1000시간 위원회'를 만들었다. 위원회의 감시활동에 힘입어 그 목표는 1940년대에 달성됐다.

　마케팅이라는 이름의 신화는 계획적 진부화의 오른팔이다. 은밀한 설득, 즉 광고와 유행에 의해 우리의 '마음의 공간'에서 제품을 구식으로 인식하게 만들기 때문이다. 1928년 광고인 저스터스 조지 프레더릭은 광고 관련 잡지에 실은 글에서 이 문제를 아주 솔직히 시인했다.

　"우리는 소비자들이 사용하기 위해서라기보다 되팔거나 금세 내다 버리기 위해서 구입하도록 만들어야 한다."

　20세기 중반까지만 해도 대부분의 사람들에게 경제란 무엇보다 절약하는 행위를 의미했다. 그러나 케인스가 '저축의 역설'을 이야기한 뒤 절약과 저축은 갑자기 죄악으로 변했다. 그렇다면 우리의 대안은 무엇인가? '더 많이'의 신화에서 벗어나 새로운 패러다임을 만드는 것이다. 무엇이 해답인지는 아직 뚜렷하지 않다. 하지만 팔짱 끼고 기다리고만 있어서는 안 된다는 것은 확실하다.

　독일의 저명한 화학사이자 산업생태학 이론가인 미하엘 브라운가르트가 제시하는 대안은 생산과 소비 과정을 자연의 순환과 비슷한 선순환으로 만드는 것이다.[30] 다시 말해 '순환 경제'를 발명하는 것이다.

자연은 쓰레기를 만들어내지 않으며 모든 것을 재활용한다. 덴마크의 칼룬보르 산업단지는 이를 모방한다. 거기에서는 어느 기업이 내보내는 부산물이나 폐기물이 다른 기업에 원료 구실을 한다. 생산하고 소비하는 방식뿐 아니라 생각하는 방식까지 급진적으로 변화시켜야 한다. 에피쿠로스는 "적은 것에 만족하지 못하는 인간은 어느 것에도 만족하지 못한다"고 했다.

물건이 넘치고, 정보가 쏟아지며, 공급이 과잉되는 세상의 문제점은 정작 필요한 것, 중요한 것을 발견하고 지키기가 어렵다는 사실이다. 우리는 영양가 없는 정보의 홍수 속에서 허우적대고, 의미 없는 일에 너무 많은 시간을 뺏기고 있다. '빨리빨리'의 속도에 매몰돼 정작 완성도와 질은 포기하는 처지다. 이것이 지금 이 시대에 단순함이 요구되는 이유다.

단순함이란 그저 적은 것, 간단한 것이 아니다. 무의미한 것들 사이에서 유의미한 것을 발견할 줄 아는 선구안이며, 중요한 것은 어떻게든 지켜내는 의지이다. 모두가 무책임하게 '예'라고 말할 때 과감히 '아니요'라고 반기를 들 수 있는 용기이며, 세월이 아무리 흘러도 낡지 않는 나만의 가치를 세우는 우직함이다.

당신은 단순해질 각오가 돼 있는가?

'건강하게' 성장하는 것과
'뚱뚱하게' 성장하는 것은 다르다

미켈란젤로가 다비드상을 완성했을 때 교황이 물었다.

"어떻게 그런 훌륭한 작품을 만들 수 있었습니까?"

미겔란젤로기 대답했다.

"간단합니다. 다비드와 관련 없는 것은 다 버렸습니다."

이 짧은 대화는 이 책이 말하려는 바를 압축적으로 보여준다. 조각도 삶도 경영도 불필요한 것을 버리고 버려 우리 내면의 진실과 정수를 드러내는 일이다. 미켈란젤로는 '조각이란 떼어내면서 만드는 것'이란 점에서 회화나 테라코타terra cotta와 다르다고 보았다. 그에게 조각이란 끌과 망치를 들고 대리석에서 불필요한 부분을 제거하는 일을 의미했다. 그는 한 연애시에 그런 생각을 담은 적이 있다.

여인이여, 나는 그저 깎아낼 것이오
높은 산을
그 속에 살아 있는 형상을
돌이 작아질수록 그 모습은 더욱 커지리

다비드상을 조각할 때 미켈란젤로는 다듬어지지 않은 5.5미터 높이의 '산속의 단단한 돌'과 홀로 마주하면서 비밀을 끌어내기 위해 3년을 싸웠다. 그는 그 비밀이 대리석 속에 이미 들어 있다고 믿었다. "나는 대리석 안에서 천사를 봤고, 천사가 자유로워질 때까지 깎아냈다."

그가 한 일은 천사를 가두고 있던 담장들을 걷어내 자신이 보는 그대로의 다비드를 다른 사람들도 볼 수 있게 한 것이었다. 다시 말해 미켈란젤로는 미리 준비해둔 개념을 돌이라는 재료에 덮어씌우는 대신 돌에서부터 개념을 깎아냈다. 돌 속에는 신플라톤주의가 '순수 개념concetto'이라고 칭한, 영혼이라 부를 만한 것이 내재한다. 조각가는 돌을 깎아내는 작업을 통해 돌 속에 갇힌 영혼을 조금씩 드러낸다. 이런 생각의 원류는 그리스 철학에서 찾을 수 있다. 신플라톤주의 교시를 담은 여러 저술을 남긴 한 그리스 철학자는 이렇게 말했다. "살아 있는 듯한 모습을 조각하는 사람들의 예술은, 잠재된 형태를 확실히 보지 못하게 하는 모든 것을 재료에서 제거하고 불필요한 것을 없애 숨겨진 아름다움을 드러냄으로써 완성된다."

미켈란젤로는 죽어 있는 것에 생명을 불어넣는 기적을 만들어냈다. 그것은 대리석에서 불필요한 것을 마지막 한 덩어리까지 '버리고', 대리석에 내재된 순수 개념을 찾아내 뚜렷이 '세우고', 그것을 3년 동안 흔들리지 않고 '지킴으로써' 얻어낸 위대한 승리였다.

물론 우리는 단순함과 조악함을 구분해야 한다. 조악함은 처음부터 가진 게 부족한 것이고, 단순함은 가진 게 많은데도 버리고 버려 핵심만 남기는 것이다. 아인슈타인은 "보다 간단하게, 보다 간단하게 만들라. 하지만 너무 간단하게는 하지 말라"라고 했다. 다시 말해 우리는 심플하고 명확하고 효율적이어야 하지만, 멍청해선 안 된다. 단순함에도 전략이 필요하다. 어떤 전략이 필요할까? 나는 그것을 '버리고, 세우고, 지킨다'는 단의 공식으로 정리한다.

가장 소중한 것을
죽이고, 죽이고, 또 죽여라

버리고 세우고 지킨다는 단의 공식을 내가 평생 해온 기자의 일을 예로 들어 설명해본다. 기자에게도 이 세 가지 덕목이 가장 중요하기 때문이다.

기자는 기사를 어떻게 쓰는가? 우선 현장에 가서 취재를 한다. 팩트를 모으고 취재원을 만나 질문을 던진다. 훌륭한 기자는 취재의 달인이다. 기자가 취재현장을 헤매며 헉헉대는 숨소리가 크게 들릴수록 독자의 몰입도가 높아진다. 취재의 질은 기사의 수준을 결정한다. 하지만 이것은 기본 중의 기본이다. 이 책에서 말하려는 것은 이 기본을 전제한 뒤의 그 무엇이다.

현장을 발로 뛰면서 땀으로 취재를 했다고 하자. 그럼 자동적으로 좋은 기사가 나올까? 여러 기자가 같은 취재원을 한 시간씩 열심히 취재한다고 신문에 실리는 기사의 질이 똑같을까? 결코 그렇지 않다. 취재를 통해 얻은 많은 정보 중에서 의미 있는 메시지를 추려내 흡인력 있는 스토리로 엮어내고 제목을 달아야 한다. 이같은 과정을 (광의의) 편집이라고 한다. 보통 신문사에서 편집은 데스크라고 부르는 시니어 기자(부장, 차장, 팀장)와 별도 부서(편집부)가 하는 것이라고만 생각하는데, 사실은 취재기자 스스로 하는 '자가 편집'이 매우 중요하다.

나는 신문사 취재기자를 거쳐 데스크로 오래 일하면서 많은 후배 기자들의 기사를 데스킹해왔다. 인터뷰 기사를 예로 들어보자. 한 시간 정도 밀도 있는 인터뷰를 해서 녹음을 풀면 200자 원고지 기준 50~100매가 나온다. 그런데 정작 신문에 게재되는 것은 짧게는 10매, 길어야 30매 정도다. 나머지는 버려야 한다. 인터뷰이가 한 많은 말 중에서 독자에게 꼭 전달하고 싶은 메시지, 그만의 독특한 체취가 묻어 있는 이야기, 다른 사람은 할 수 없는 이야기를 추린다. 그리고 나머지는 과감하게 버린다. 버릴 건 버리고 더할 건 더함으로써 주제, 배경, 줄거리, 인물에 생명력을 부여한다.

버리는 과정은 고통을 수반한다. 어렵게 취재한 내용이라 버리기가 아깝기 때문이다. 심하게 표현하면 팔다리를 잘라내는 느낌이다. 그래도 버려야 한다. 버리지 않고 모두 담으려 하면, 결국 무엇도 담기지 않은 이야기가 된다. 팩트가 많다고 좋은 기사가 아니다. 통계가 많다고 좋은 경제기사가 아니다. 추리고 세우지 않으면 의미 없는 나열일 뿐이다. 모든 것을 말했다고 생각하지만, 아무것도 전달되지 않는 실패작이 나오는 이유다. 핵심 없이 사실만 나열된 기사는 수많은 단어의 건초 더미 속에서 의미가 담긴 바늘을 찾아내라고 독자에게 강요하는 것과 마찬가지다.

제대로, 잘 버리기 위해서는 뼈를 깎는 고통을 각오해야 한다. 소설가 스티븐 킹은 이를 심장을 도려내는 아픔에 비유했다. "가장 소중하다 여기는 것들을 죽이고, 죽이고, 또 죽여야 한다. 심장을 도려내는 것처럼 아프더라도 말이다."

〈스타워즈〉 시리즈의 제작자 조지 루카스는 "두 시간이라는 정해진 시간 내에 이야기를 끼워 맞추기 위해 가장 중요한 것은 필름을 미친듯이 잘라내는 것"이라고 말했다. 그는 어떤 장면이 아무리 멋지게 촬영되었더라도 스토리에 실제로 기여하는지를 장면마다 면밀히 검토했다. 그래서 스토리 전달에 꼭 필요한 장면이 아니라는 판단이 들면 잘라내거나 길이를 다듬었다. 1981년 이후 아카데미상 최우수 작품상을 수상한 작품들은 모두 편집상을 수상했거나 편집상 후보로 선정됐던 작품들이다. 또 아카데미상 전체 역사를 보더라도 최우수 작품상의 3분의 2는 편집상 후보작들에서 나왔다.[31] 그만큼 편집이 중요하다.

모든 것을 담기는 쉽다. 그러나 적게 담는 건 어렵다. 복잡하게 만들고 중언부언하기는 쉽다. 그러나 절제는 어렵다. 언젠가 마크 트웨인이 출판사에서 '이틀 내에 두 쪽짜리 단편 필요'라는 전보를 받았다. 트웨인은 이렇게 회신했다.

'이틀 내에 두 쪽짜리는 불가. 30쪽짜리는 가능. 두 쪽짜리는 30일 필요.'

정보가 범람하는 이 시대에 편집의 중요성은 더욱 커지고 있다. 수

많은 매체가 수많은 뉴스를 발신하고, 기자가 아니라도 누구나 인터넷과 SNS를 통해 정보를 발신하는 시대에 많은 정보 그 자체는 미덕이 될 수 없다. 세상에 넘쳐나는 팩트를 컨텍스트로, 스토리로 엮어내지 못하면 팩트는 실종된다. 진정 요구되는 것은 정보를 종합하고 그 정보에 문맥과 관점을 부여하는 것, 복잡한 문제 속에 내재된 뉘앙스와 단순한 원리를 끄집어내는 것, 이전에 보지 못했던 새로운 연관성을 보여주는 것이다.

물론 팩트는 중요하다. 거의 모든 언론사는 사실 보도를 중시한다. 이를테면 CNN의 슬로건은 '여러분께 사실을 제공합니다'이다. 그런데 이 '사실'이 지닌 문제는, 알랭 드 보통이 『뉴스의 시대』에서 재치 있게 지적했듯 오늘날 신뢰할 만한 사실 보도를 찾는 데 전혀 어려움이 없다는 것이다. "정작 문제는 우리가 더 많은 사실을 알아야 한다는 데 있는 게 아니라, 우리가 접한 그 사실들을 어떻게 받아들여야 할지 모른다는 데 있다." 그런 사실들이 진정 의미하는 바는 무엇일까? 이 사실들은 우리 삶의 핵심적 질문들과 어떻게 연결되는 걸까? 바로 여기서 편집의 필요성이 제기된다. 20년 이상 편집기자로 일해온 김용길은 『편집의 힘』에서 이렇게 설명한다.

"문제 해결의 첫 단추는 벌어진 사태를 차분히 응시하면서 본질을 찾는 것이다. 본질과 핵심만 남기고, 헛것을 추려내고 거품을 꺼뜨려야 한다. 편집력은 불필요한 말과 생각, 넘치는 물건과 공간, 흐트러진 일과 관계를 단순하게 만들어 가장 본질에 가까운 핵심만 남기는 지혜다."[32]

『지식의 편집知の編集術』을 쓴 마쓰오카 세이고松岡正剛는 편집의 의미

를 확장해 생명체 활동의 본질 자체가 편집이라고 주장한다.[33] 우리 삶의 모든 시간이 편집의 순간이라는 것이다. 일기를 쓰는 것도, 회사를 경영하는 것도, 저녁 식단을 짜는 것도, 축구를 하는 것도 모두 편집이다. 버리고 버려서 핵심을 남긴다는 본질에서는 마찬가지다.

편집이란 '심플'이라는 약을 제조하는 일

단순함을 거듭 강조하고 있지만, 그렇다고 미니멀리스트가 되자고 주장하는 것은 결코 아니다. 미니멀리스트를 어떻게 정의하느냐에 따라 달라지겠지만, 나는 사실 사람들이 미니멀리즘적이라고 말하는 인테리어나 가구, 건축에 불편함을 느낀 경우가 많다.

이를테면 엘리베이터 앞에 올라감, 내려감 버튼이 없고 숫자 버튼만 있는 경우엔 어리둥절하다. 숫자만 누르면 알아서 한다지만 올라가고 내려가는 버튼을 직접 눌러 확인하는 것이 더 편하다. 어느 이름 있는 골프장 클럽하우스에 들어가니 인테리어가 화려하고 깔끔했지만, 어디가 화장실이고 어디가 옷장이며 어디가 목욕탕인지 표시가 없어 불편했다.

카피라이터 윤준호는 "요즘 '심플'이란 물건은 짝퉁이 너무 많다"며 한 예로 최근 결혼식 청첩장을 든다. 심플한 것은 좋은데 동서남북조차 가리기 어려워 난감하다는 것이다.[34] 예를 들면 4차선 도로를 길고 짧은 직선 몇 개로 그어놓고 그 아래위로 점 몇 개를 콕콕 찍어 건물을 표시하거나, 붓으로 굵은 선 하나를 그려놓고 그 안에 깨알 같은 글씨로 길 이름, 건물 이름 서너 개 적어놓은 것이 전부다. 보기에는 멋있고, 세련미가 넘치지만 정작 커뮤니케이션에는 실패한다는 주장이다.

"커뮤니케이션의 명약 '심플'의 주성분은 '명료明瞭'입니다. '간단簡單'은 흔한데 '간단 명료'는 드뭅니다. 간단하기만 하다면 가짜입니다. '심플'이 알약이라면 '간단'은 그저 '명료'라는 성분을 감싸는 캡슐이거나 당의糖衣일 뿐입니다. '심플'이라는 약을 제조하는 일, 그것은 편집입니다."

스스로 미니멀리스트라고 말하는 독일 건축가 크리스틴 파이라이스도 비슷한 생각을 하는 것 같다. 그는 이렇게 말했다.

"우리는 미니멀리스트다. 하지만 우리는 미니멀리스트 운동의 두 방향을 구분할 줄 안다. 우리는 형식적으로 미니멀한 건축을 만들고 싶어하지 않는다. 그것은 매우 엄격하고 딱딱할 수 있기 때문이다. 다시 말해서 우리는 우리가 짓는 건물들이 매우 단순하고 정직한 것이 되도록 노력한다. 하지만 우리에게 가장 중요한 것은 사람들이 우리가 창조하는 공간들을 즐기는 것이다."[35]

진정한 하이라이트는 눈과 귀 뒤편에 있다

다시 기사 쓰기로 돌아가보자. 버리기 다음은 '세우기'다. 버리는 작업은 궁극적으로 세우기 위함이다. 취재한 내용 중에서 독자에게 전달하려는, 나만의 스토리를 세우기 위함이다. 그 스토리를 중심으로 추리고 추린 팩트들을 유기적으로 조합한다. 그 스토리를 신문사에서는 속어로 '야마'라고 한다. 야마는 일본어 '야마やま'에서 유래한 것인데

'산山' 외에 '절정'이라는 의미도 있으며, 우리나라 언론계에서는 기사의 주제나 핵심을 뜻하는 용어다. 언론인 박창섭은 야마를 "기자가 되는 날부터 그만두는 그날까지 운명처럼 짊어지고 가야 할 것"이라고 표현한다.[36]

취재기자가 기사 초고를 작성해 보내면 데스크가 가장 자주 하는 말이 있다. "이 기사 야마가 뭐니?" 기사의 초점이 애매하면 "야마가 없다"는 핀잔을 듣기 일쑤다.

야마를 확대 해석해 기사의 논조나 이데올로기적 편향을 포함하기도 하는데, 여기서 말하려는 것은 그런 것은 아니다. 기사가 말하려는 주제, 논점이 뚜렷해야 한다는 것이다. 억지로 야마를 만들어야 한다는 것도 아니다. 취재의 결과로 캐낸 디테일들을 재료로 고민하고 또 고민해 그것들을 관통하는 더 큰 이야기를 찾아내라는 것이다. '구슬이 서 말이라도 꿰어야 보배'라는 말이 있는데 기사도 그렇다. 취재한 내용이 원고지 100매에 이르더라도 그중 중요하지 않고 관련성이 낮은 것들을 버리고 요점을 추려야 좋은 기사다. 독자를 위한답시고 갖가지 팩트를 나열했지만 야마가 없는 기사가 있다. 그런 기사를 쓴 후배에게 나는 아래의 비유를 자주 든다.

"세상의 온갖 미술 작품을 한방에 몰아넣는다고 좋은 미술관이 되는 건 아니다. 그건 미술관이 아니라 창고다. 미술관이 진정 위대한 미술관이 되느냐는 전시실에 걸리지 않은 작품이 무엇인가에 의해 결정된다."

『미래의 저널리스트에게』를 쓴 새뮤얼 프리드먼은 기자의 사명을 '인간 행위의 주기율표를 탐구하는 행위'라고 표현한다.

1장. 단순해질 각오가 돼 있는가

"국회를 취재하건 소도시 시의회를 취재하건, 메이저리그를 취재하건 리틀야구단을 보도하건 기자들이 하는 행위는 본질적으로 하나다. 즉 어떤 본질적인 요소를 드러내기, 그것이 우리의 임무다. 그건 학교 과학시간에 배웠던 원소 주기율표와도 같다. 세상에 존재하는 모든 것은 탄소, 질소, 나트륨 등 주기율표에 들어 있는 원소들 사이의 조합인데, 기자는 사건 사고나 인간 행위에 들어 있는 본질적인 원소를 밝혀내야 한다. 즉 '인간 행위의 주기율표'를 탐구하는 것이다. 뛰어난 기자는 사람들이 이전에 보지 못했던 새로운 연관성을 보여준다. 새로운 패턴을 발견해내고 복잡한 문제 속에 내재된 뉘앙스와 단순한 원리를 끄집어낸다. 눈앞의 사실만이 세상 드라마의 전부가 아니다. 진정한 하이라이트는 따로 있다. 눈과 귀 뒤편에 있다."[37]

그렇다. '세운다'는 것은 눈과 귀 뒤편에 있는 하이라이트를 찾아내는 일이다. 일상의 영역에 대입하자면, 내가 삶에서 추구하고 싶은 가치를 발견하는 일이며, 내가 일을 통해 얻고자 하는 목표를 찾아 집중하는 것이다.

'미생'에서 '완생'으로 가는 첫걸음은
나에 대한 고민에서 출발한다

우리는 남과 다른 것을 두려워한다. 그러나 지구상에 우리와 완전히 똑같은 사람은 단 한 명도 없다. 우리의 존재 의미는 바로 그 다름에 있고, 우리의 소명은 자신만의 다름, 다시 말해 정체성을 찾아내 세우고 만개시키는 것이다. 베스트셀러 작가 로버트 그린은 『마스터리의 법칙』에서 이를 이렇게 설명한다.

"당신이 세상에 태어남과 동시에 씨앗 하나가 심어진다. 그 씨앗은 바로 당신만의 독특한 고유성이다. 그 씨앗은 자라고, 스스로의 모양을 바꾸고, 최대한 아름다운 모습으로 피어나기를 원한다. 씨앗은 그 안에 본래적이고 적극적인 에너지를 품고 있다. 당신 인생의 과업은 그 씨앗을 피워 꽃을 피우는 것, 일을 통해 당신만의 고유성을 표현하는 것이다. 당신은 잠재력을 발휘하고 꽃을 피워낼 운명을 갖고 있다."[38]

『서양미술사』를 쓴 곰브리치는 미술가의 혼에 대해 다음과 같이 말했는데, 이 역시 로버트 그린의 주장과 일맥상통한다.

"훌륭한 진주가 만들어지기 위해서는 진주조개 속에 작은 핵이 필요하다. 모래알맹이라든가 작은 뼛조각을 둘러싸고 그 위에 진주가 형성되는 것이다. 그러한 단단한 핵이 없으면 진주가 제대로 모양을 갖추지 못한다. 만약 형태와 색채에 대한 미술가의 감각이 완벽한 작품 속에 결정되려면 그 역시 견고한 핵을 필요로 한다."[39]

이때의 핵이 바로 우리가 '세워야' 할 그 무엇이다. 사실 세운다기보다는 원래 있었던 것을 찾아낸다는 표현이 더 적합할지 모른다. 우리 안에 늘 존재하는 진면목이기 때문이다. 우리는 이미 자신만의 스타일과 목소리를 가지고 있다. 스타일과 목소리는 우리의 개성을 이루는 타고난 요소이기에 이미 몸과 세포 안에 새겨져 있다.『오즈의 마법사』에서 겁쟁이 사자는 자기에게 용기를 달라고 징징대고, 허수아비는 자기에게 뇌를 선물해달라 말하고, 양철 나무꾼은 뜨거운 가슴을 갖고 싶다고 투정 부린다. 그때 마법사는 말한다.

"너희가 이미 그걸 모두 갖고 있는데, 또 무얼 달라는 거지?"

하지만 우리는 우리 안에 이미 존재하고 있는 씨앗을 알지 못한다.

1장. 단순해질 각오가 돼 있는가

삼성전자 간부들이 창의 경영 노하우를 배우기 위해 미국의 명문 디자인스쿨인 로드아일랜드 디자인스쿨을 방문한 적이 있다. 방문단은 충분히 견학을 하고 설명을 들었다. 방문단 중 한 사람이 존 마에다^{John Maeda} 총장에게 "이 학교에 한국인 학생이 많으냐"고 물었다. "많다"는 대답이었다. 그래서 "한국인 학생들이 잘하고 있느냐"고 물었더니 마에다 총장은 고개를 저었다고 한다. 뭔가 정해진 걸 그리고 엮는 건 잘하는데, 남들과 다른 새로운 것을 생각해내는 데는 서툴다는 것이었다. 자신 안에 새겨진 씨앗, 고유성을 찾아내고 표현하지 못한다는 것이다.

〈미생〉〈이끼〉로 유명한 만화가 윤태호도 로드아일랜드 디자인스쿨 학생들과 비슷한 어려움을 겪은 적이 있다. 하지만 스스로 그 문제점을 깨닫고 자신의 '씨앗'을 발견해 만개시킴으로써 대성할 수 있었다. 그는 처음에 스토리는 그림을 잘 그리면 따라온다고 생각했다. 소설책만 열심히 읽으면 저절로 나오는 것이라 생각했다. '그림을 잘 그려야지 스토리는 뭐……' 그런데 그게 오산이었다.⁴⁰ 가슴을 두근거리며 데뷔작이 담긴 잡지를 보다가 페이지를 넘기면서 얼굴이 화끈거렸다. 그림에는 신경을 썼으나 내용이 술자리 농담 수준이었다. 그는 자신이 그림만 잘 그리는 철없는 아이에 불과하다는 사실을 깨달았고 책을 찢어버렸다. 그래서 어떻게 보면 더없이 소중한 데뷔작을 지금 갖고 있지 않다고 한다. 나중에 겨우 복사본 하나만 구해 보관하고 있다.

그는 그때부터 스토리를 위해 노력하는 삶을 살기 시작했다. 처음엔 난감했다. 초등학교 4학년 때부터 미술부 생활을 하면서 20년가량 그림만 그렸다. 갑자기 글을 쓰려니 머리가 아팠다. 익숙하지 않아서였다. 습관을 고치는 게 힘들었다. 그가 우선 시도한 일은 일기를 쓰는 것이었다. 자신에 대해서, 그리고 성장기에 큰 영향을 주었던 아버지에 대해서 썼다. '미생未生'에서 '완생完生'으로 가는 첫걸음은 자기 자신에 대한 고민에서 출발했다고 윤작가는 회고한다. 스토리를 공부하기 위해 좋은 글을 필사하기도 했다. 당시 유행했던 드라마 〈모래시계〉의 대본을 구해 전체를 필사했다. 그는 여러 번 실패를 겪고 나서 스토리가 있는 만화, 독자에게 던지는 메시지가 있는 만화가 결국 살아남는다는 걸 깨달았다.

"만화가가 단지 그림쟁이가 아니라 작가라면 '내 생각은 이런데 당신은 어때'라는 질문을 던질 수 있는 용기가 있어야 한다. 이런 건 좋은 책을 본다고 나오는 게 아니다. 내가 보는 우주의 이야기를 쓸 줄 알아야 한다. 자기의 세계에 대해 아무리 유치하더라도 말할 수 있어야 한다."

그의 경우엔 내면의 소리를 듣고 자신에 대한 고민을 문장으로 풀어낸 게 스토리를 향한 초석이었다. 즉 다른 사람의 의견이나 시선이 아니라 오직 자기 자신의 뜻과 의지에 집중했던 것이다. 고은 시인의 강연을 들은 적이 있다. 그 역시 그 누구도 아닌 '나'의 중요성을 강조했다.

"나는 트렌드를 증오한다. 쟤가 입는 옷을 내가 입어야 하나. 누가 마신다고 나도 그걸 마셔야 하나. 삶은 살아가는 동안 사기가 사는 것이다. 어떤 자에 의해, 그의 규범이나 교훈, 진리에 의해 노예처럼 살아서는 안 된다. 나는 내 아버지의 자식이 아니고 할머니의 손자가 아니다. 나는 나다. 고독한 우주에서 유일한 별빛이다. 나로서 살라. 내가 태초이자 시작이고 빅뱅이다. 내가 인생을 시작하고 살다가 패배하고 그렇게 사는 것이다. 누가 가르친 대로 살지 마라. 내 실존의 지대한 존 엄성에 대해 이 세계의 어떤 먼지도 모독할 수 없다."

자신이 아버지의 자식이 아니라고 하는 대목에서 전율이 느껴졌 다. 깨우침을 주기 위한 다소 과장된 비유겠지만, 인간이 저마다 다르 게 태어난다는 것의 가치가 얼마나 큰지 깨달을 수 있었다. 니체는 "세 상에서 가장 위대한 예술가는 너희 자신"이라고 말했다. 가장 위대한 예술 작품은 바로 삶 그 자체이기 때문이다. 그러니 우리는 남과 다른, 자신만의 정체성에 대해 좀더 자신감을 가질 필요가 있다. 자신만의 정 체성에 대해 자신감을 갖고 나만의 가치를 고수하는 것, 그것이 바로 '세움'이다.

우리가 '기계와의 경쟁'에서 살아남으려면…

우리가 자신만의 가치, 새로운 가치를 세워야 하는 또다른 이유 가 있다. 『기계와의 경쟁Race Against the Machine』의 에릭 브린욜프슨Erik Brynjolfson 교수의 표현을 빌리자면, '어떻게 하면 더 빨리, 더 많이 만들 것인가'를 고민하면 기계가 인간 노동력을 대체할 수밖에 없다. 신神과 같은 스피드로 발전하는 기술을 인간이 어떻게 당할 것인가? 그는 위 클리비즈와의 인터뷰에서 이렇게 말했다.

"가방끈이 짧거나 월급이 적은 사람들에 대한 사회의 수요는 계속 줄어들고 있습니다. 왜 그럴까요? 기계가 그들의 일을 대신할 수 있기 때문입니다. 이 때문에 대부분의 나라에서 빈부격차가 발생하며, 노동 인구가 줄어드는 겁니다."[41]

그의 주장은 직관적으로 매우 설득력이 있다. 이를테면 우리는 은

행직원을 통하지 않고 ATM에서 현금을 인출하고, 카운터 직원의 도움 없이도 공항 무인발권기에서 항공권 출력과 좌석 배정을 한꺼번에 끝낸다. 몇 년 전만 해도 돈을 내고 역무원에게 표를 사서 지하철을 탔는데, 지금은 전부 무인발권기에서 구입한다. 아마존은 '드론'이라는 소형 무인 비행체를 통해 택배 업무를 시작할 거라 하고, 구글에서는 무인차를 개발해 상용화만 남아 있다. 사람은 기계와의 경쟁에서 패했다.

그렇다면 우리에겐 희망이 없는 것일까? 그렇지 않다. 새로운 일자리 창출로 러다이트^{Luddite} 운동이 기우가 된 것처럼, 우리의 노력 여하에 따라 새로운 일자리를 만들고 미래를 바꿀 수 있다고 브린욜프슨 교수는 주장한다. 그의 주장은 역설적이게도 '기계와의 공존을 모색하라'는 것이다.

"어떻게 하면 새로운 가치를 만들어낼 수 있을까를 고민하면, 기계가 인간을 도와 과거에는 없던 새로운 기술력, 새로운 제품, 새로운 방법론을 만들어낼 수 있을 것입니다. 이렇게 된다면, 기업은 전보다 더 많은 생산성과 이윤을 내면서 동시에 노동자들의 할 일을 줄이지 않을 수 있습니다. 부의 분배도 훨씬 평등하게 이뤄집니다. 기계로 인간 노동력을 대체하면 기업의 전체 생산성과 부는 확실하게 늘어납니다. 그러나 기계와 함께 경주한다면 생산성과 부를 늘리는 동시에 일자리도 늘어나면서 과실을 더 많은 사람들과 나눌 수 있다는 겁니다."

'더 빨리, 더 많이'에서 벗어나 '기계가 대체할 수 없는 일'에 '집중'하자는 점에서 그의 메시지는 우리가 말하는 단순함의 연장선상에 있다. 그렇다면 기계와의 경쟁에서 생존할 수 있는 인재는 어떤 모습이어야 할까? 또 기업은 앞으로 어떤 인재를 키워내야 할까? 브린욜프슨 교수는 개인 차원에서도 '더 많이'의 패러다임에서 벗어나야 한다고 대답했다. 그의 말을 자세히 들어보자.

"직원 교육에는 반드시 명심해야 할 두 가지가 있습니다. 첫째는 창의성을 길러 새로운 가치를 창출하는 한편, 단순 업무를 반복하지 않도록 가르치는 것입니다. 많은 구식 회사들은 '(회사와 관련된) 모든 것을 하나하나 기억하고 단순 업무를 반복'하는 직원을 성실하다고 평가하지만, 생각해보세요, 이런 건 모두 기계로 대체할 수 있습니다. 절대로 좋은 교육법이 아닙니다. 둘째는 인간과 인간 사이의 소통 능력을 개발하고 교육하는 겁니다. 예컨대 리더십, 팀워크, 협상법, 공감 능력, 가르치는 능력은 앞으로 점점 더 중요해질 겁니다. 기계는 이런 부분에서는 발전이 더디며 능숙하지 못하기 때문입니다. 앞으로 환자를 간호하거나, 사람들을 가르치거나, 노약자를 돌보는 직업의 수요는 늘어날 것이며, 회사에서도 이런 능력을 갖춘 직원을 키우기 위해 최선을 다해야 할 겁니다."

버티지 않으면, 죽도 밥도 아니게 된다
: '명품'이 된 '폐품 가방' 프라이탁의 스토리마케팅

그럼 마지막으로 '지키기'란 무엇인가? 신문 지면도 하나의 상품이다. 그렇다면 다른 상품과 구별되는 정체성이 뚜렷해야 하고, 어떤 유혹과 위기, 시련에도 불구하고 그것을 지켜내야 한다.

내가 몸담고 있는 조선일보의 주말 경영섹션 위클리비즈는 나름

정체성을 지키려고 노력하고 있다. 타깃 독자는 경영자, 기업체 간부, 경제경영 전문가, 지식인으로 좁게 잡는다. 목표는 이렇다. '타깃 독자들이 세계 경영의 첨단 흐름을 접하고 경영 판단에 도움을 얻을 수 있는 기사를 제공해 현명한 경영 판단을 내리게 한다.' 그 방법은 이렇다. '세계적 기업의 최고경영진과 경제경영 대가들을 직접 만나고, 화제의 경영현장을 직접 취재한다.'

이런 방침을 잡기란 쉽지만, 유지하기는 쉽지 않다. 우선 타깃 독자를 좁게 잡기에 갖은 유혹이 밀려온다. "좀더 대중적인 기사로 가독성을 높여 더 많은 독자가 읽게 하면 어떠냐"는 말을 많이 듣는다. 그러나 그때마다 중심을 잡고 버텨야 한다. 그러지 않으면 죽도 밥도 아니게 된다. '모든 사람을 위한 기사' '모든 사람을 위한 제품'은 구호로는 좋지만 마케팅 전략으로는 빵점이다. 쇠를 뚫으려면 다이아몬드처럼 단단하고 날카로워야 한다. 공급 과잉 시대의 브랜드는 "노"라고 말하는 용기를 가져야 한다. 모든 고객을 만족시키려다보면 고유한 정체성이 사라지게 된다. 그러다가 고객들을 잃는다. '변했다'고 느끼기 때문이다. 이 시대는 '변하지 않는 것'이 더욱 중요한 시대이다.

정체성이란 다른 표현으로는 '편집 방향'이라고 하는데, 흔히 '편파' '편향'이란 말과 결부돼 쓰인다. 그러나 앞서 말했듯 진정한 뉴스가 팩트에서 맥락을 찾아내는 작업이라면, 편향은 불가피한 일이기도 하다. 알랭 드 보통은 이 점을 설득력 있게 설명한다.

"우리는 어쩌면 편향에 대해 좀더 관대해져야 할지도 모른다. 순수한 의미에서 편향은 사건을 평가하는 방법을 뜻할 뿐이다. 그리고 이는 인간의 기능과 활동에 관한 일관되면서도 근본적인 논지에 의해 인도된다. 편향은 현실 위를 미끄러져들어감으로써 더 명확하게 사건을 들여다보는 것을 목적으로 하는 한 쌍의 렌즈다. 편향은 사건이 의미하는 바를 설명하려 분투하고 개념이나 사건을 판단할 수 있는 가치의 척도를 제시한다. (⋯) 삐걱거리는 몇몇 우파와 좌파 집단들이 편향이라는 개념에 관한 우리의 인식을 장악했을지언정, 궁극적으로는 삶에 대한 시각만큼이나 수많은 편향이 존재한다."[42]

비슷한 맥락에서 큐레이터 김성원은 "큐레이터에겐 편견이 중요한데, 큐레이터의 색깔은 현대 미술에 대한 자기만의 선택과 입장을 표출하면서 만들어지기 때문"이라고 말한다. 그는 "큐레이터에겐 '지독한 편견쟁이'란 말이 곧 칭찬이다. 물론 이 편견이 자기 이익을 위한 것이 아닐 경우에 그렇다. 온전히 미술 그 자체를 향한 편견이 있어야 저자 정신을 유지할 수 있으며 그 편견으로 자기 전시의 저자가 될 때 비로소 현대 미술에 대한 나의 주장이 힘을 얻게 된다"고 부연 설명한다.[43]

즉 지킨다는 것은 주변의 시선이나 의견으로부터 나의 생각과 의지를 고수하는 일이다. 우리는 '지킴'으로써 당당히 내 삶의 주인이 될 수 있다. 지킨다는 것의 의미를 잘 보여주는 사례를 하나 살펴보자.

가방에 코를 대보니 화학약품 냄새가 풀풀 난다. 알고 보니 가방 천은 트럭 위에 씌우는 방수포를 떼어내 만들었고, 어깨끈은 폐차에서 뜯어낸 안전벨트로 만들었으며, 접합부에는 자전거 바퀴의 고무 튜브를 떼어내 붙였다. 쉽게 말해 쓰레기를 뜯어 모아 만든 가방이다. 오물과 먼지를 씻어내기 위해 세제를 많이 쓰기 때문에 가방에서 냄새도 꽤

난다. 그런데 가격은 50만원 전후. 쓰레기를 모아둔 것치고는 터무니 없이 비싸다. 스위스산 가방 브랜드 '프라이탁Freitag' 이야기다.

쓰레기를 가지고 이런 배짱을 부리는데도 홍대, 이태원 등 젊은이들이 모이는 길거리를 돌아다니다 보면 적어도 한두 명은 꼭 이 가방을 들고 다닌다. 가장 싼 것도 약 15만원, 비싼 것은 60만원을 넘는 이 가방이 매년 전 세계에서 20만 개가량 팔린다. 왜 사람들은 쓰레기 가방을 수십만원이나 주고 사는 걸까. 우리는 이 회사에서 고객에게 제공하고자 하는 핵심가치를 구현하기 위한 집요하고도 철저한 노력, 다시 말해 진정성을 배울 수 있다. 지킨다는 것은 곧 진정성을 유지하는 일이다.

위클리비즈가 프라이탁을 직접 찾아갔을 때 이 회사의 창업자 형제 중 형이자 크리에이티브 디렉터인 마르쿠스 프라이탁Markus Freitag은 "20년 전 사업을 처음 시작했을 때 사람들로부터 '괜찮아 보이긴 하지만, 재활용품이고, 더러워 보이고, 그런데 왜 이렇게 비싸지?'와 같은 질문을 엄청나게 많이 받았다"며 웃었다.[44]

그는 사람들이 재활용품을 명품으로 받아들이게 된 첫째 이유로 희소성을 꼽았다. 프라이탁 가방의 주재료인 트럭 방수포는 절대로 새 것을 쓰지 않는다. 실제로 트럭에서 5년 정도 사용된 것을 쓴다. 그러니 같은 소재, 같은 디자인의 방수포라도 저마다 낡은 정도, 묻은 때가 다르다. 이미 사용한 천을 수거하여 그중 일부분을 떼어내 만든 프라이탁은 태생 자체가 세상에서 유일하다. 프라이탁은 1993년 설립 이후 20년 동안 300만 개 이상의 가방을 만들었는데, 그 가운데 똑같은 것은 단 하나도 없다. 똑같은 제품이 하나도 없으니 고객이 매장을 돌아다니

1장. 단순해질 각오가 돼 있는가

며 마음에 드는 색과 디자인을 찾아야 하는데, 이 점이 사람들을 끌어당기는 매력으로 작용한다.

이 회사는 직원 4명이 전 세계를 돌아다니며 트럭 운송업체를 찾아가 가방 제작에 사용할 수 있는 방수포를 구한다. 그 양이 매년 400톤 정도다. 폐방수포로 만든 가방이 이렇게 대박을 터뜨릴 줄은 창업자 형제도 전혀 몰랐다고 한다.

"솔직히 최초에 '재활용품'을 쓰게 된 것은 우연이었습니다. 처음 가방을 만들 당시 우리집은 고속도로 옆에 붙어 있었어요. 원래는 방수 가방을 만들려고 했는데, 방수가 되면서도 튼튼한 옷감이 뭘까 고민하다가 고속도로를 달리는 트럭을 보면서 '저걸로 하면 되겠다'는 생각이 들었습니다. 원단 공급업자들에게 문의할 수도 있었지만, 디자이너로서 새로운 재료를 찾아보고 싶은 욕심이 더 컸어요. 운송회사에 찾아가 트럭의 폐방수포를 받아갈 수 있겠느냐고 물어봤고, 그걸로 최초의 가방을 만들었습니다. 가방은 우리가 생각했던 기능성에 딱 들어맞았습니다. 단단하고 방수가 되면서 질기니까요. 우리는 처음부터 '재활용품만 쓰겠어. 이걸로 마케팅을 할 거야' 같은 생각을 했던 게 아니었습니다. 기능성을 찾던 중 우연히 눈에 띈 재료가 재활용품이었던 겁니다."

'재활용'이라는 핵심가치에 대한 집착은 프라이탁 본사 건물에서도 드러난다. 본사 공장은 모두 재생 콘크리트로 지어졌고, 사무실에서 사용하는 가구는 폐건축물의 철근을 가져와 직접 만들었다. 건물 옥상에는 자갈을 깔아둔 정원이 있는데 비가 내리면 자갈과 모래라는 '자연 필터'를 거쳐 지하 1층 수조로 모인다. 이 물로 폐방수포를 세탁한다. 잘라내고 버리는 부분은 재생이 가능한 것과 불가능한 것으로 나눈 뒤 프랑스의 재생 전문업체에 돈을 주고 맡겨서 처리한다.

그런데 폐방수포 가방이 이렇게 잘 팔린다면 이런 생각이 들 법도 하다. 마음에 드는 폐방수포가 없으면 만들면 되지 않을까? 트럭 방수포를 만드는 원단업체에 원하는 원단을 주문 생산한 뒤 이를 염색하거나 프린트해서 더 예쁜 조합을 만들 수도 있다. 심지어 이 방법이 비용도 더 적게 든다. 그런데 왜 그러지 않았을까? 프라이탁 본사 매장에 전시된 가방들을 보니 핑크색은 전혀 없고 검은색도 극히 드물었다. 마르쿠스는 그 이유를 '스토리'와 '정체성'을 '지키기' 위해서라고 설명했다.

"우리는 첫 시제품부터 실제로 사용됐던 트럭 방수포를 이용해서 만들었습니다. 다른 회사라면 시제품을 개선한다는 등의 명목으로 새 천을 이용할 수도 있겠지만, 우리는 그러지 않았죠. 우리가 만든 제품의 본질originality을 지켜야 한다고 생각했습니다. 그래서 아예 새 천을 납품받거나 다른 새료를 사용하지 않았던 겁니다. 여기에서 우리 제품의 스토리가 태어납니다. 트럭 방수포가 최근 5년간 어디에서 어떤 일을 했는지가 고객들에게 '역사'로 전달됩니다. 그리고 고객이 가방을 사용하면서 제품에 새로운 이야기를 덧붙여가는 겁니다. 재활용이란 제품의 '두번째 인생'입니다. 다른 회사라면 새 제품을 만든 다음 마케팅팀 같은 데서 제품을 설명하는 최적의 이야깃거리를 만들어냈겠지만 우리는 억지로 만든 스토리는 의미가 없다고 생각했습니다. 진짜 스토리가 있어야 한다고 생각했고 지금도 생산 라인 모든 부분에서 그런 룰이 지켜지고 있어요. 그게 다른 회사와 우리의 큰 차이점입니다.

솔직히 말해서 때때로 우리도 핑크색이나 검은색 같은 스페셜한 색을 사용하고 싶어요. 색이 다양하면 더 근사한 제품이 나올 수도 있죠. 더 다양한 고객을 끌어들일 수 있고, 고객들도 좋아할 거라고 생각합니다. 그러나 실제로 어딘가에서 사용됐던 폐방수포를 쓰는 것은 우리 스토리의 핵심이에요. 새 천을 받아오면 우리 스토리를 스스로 훼손하는 겁니다. 그것은 프라이탁이라고 할 수 없죠. 그래서 쓰고 싶은 생각이 들다가도 금세 포기합니다. 원칙을 폐기해선 안 되잖아요."

프라이탁은 '버리고' '세우고' '지키는' 세 가지 단의 공식 모두에서 모범적인 사례라 할 수 있다.

① 버린다, 고정관념과 비교를

'버린다'의 관점에서 프라이탁은 무엇을 버렸을까? 일단 폐방수포를 활용한다는 것 자체가 진정한 버림의 자세를 보여준다. 버림의 극치는 썩는 것이다. 프라이탁은 폐품을 재활용하여 제품을 만듦으로써 썩어가는 과정에 동참하고 그 과정에서 새로운 가치를 창출하는, 어렵고도 의미 있는 과제를 잘 수행하고 있다.

프라이탁은 남과의 비교, 고정관념도 버렸다. 프라이탁은 다른 명품들의 공식을 정면으로 거슬렀다. 명품 가방의 재료가 폐방수포라니…… 보통 '더러움'과 '명품'은 상극의 개념이다. 그러나 프라이탁 가방은 때가 묻고 냄새가 지독한데도 소비자의 사랑을 받는다. 일반적으로 제품에 생긴 흠집은 '불량'으로 간주되지만, 5년 이상 길거리를 누빈 트럭의 방수포로 만든 프라이탁 가방의 흠집은 '스토리'가 돼 고객에게 전달된다. 흔히 친환경 제품을 만드는 업체는 '착해야 한다'는 강박관념에 빠진다. 그러나 프라이탁은 친환경 제품을 만들면서도 정교한 비즈니스 모델을 구축해 경제적인 성공을 이어오고 있다.

② 세운다, 뚜렷한 정체성을

그렇다면 '세운다'의 관점에서 프라이탁은 무엇을 세웠을까? 그것은 뚜렷한 정체성이다. 브랜드 가치의 본질은 희소성에 있다. 한정판 제품이 가격을 몇 배씩 높여 불러도 없어서 못 파는 것은 희소성에 대한 소비자의 욕망 때문이다. 프라이탁은 똑같은 제품이 단 하나도 없다.

이창양 KAIST 경영대 교수는 "일반적으로 경영 전략의 두 축은 제품 차별화와 비용 절감인데, 프라이탁은 제품 차별화 정도가 매우 높다. 경쟁사 제품과 차별화되는 것은 물론 회사 내에서 생산되는 제품들도 각자 차별화되기 때문"이라고 말했다. 특히 가방 등 패션 제품은 고객의 '자기표현 욕구'를 자극하는데, 프라이탁의 경우 세상에 하나밖에 없다는 극단적인 차별성 때문에 소비자가 가격에 덜 민감해진다.

재활용과 업사이클링이란 이 회사의 정체성은 많은 광팬을 유지하는 동력이 된다. 프라이탁 가방을 사랑하는 소비자들은 온라인 커뮤니티에서 각자의 가방 사진을 찍어 서로 자랑하거나 제품의 사용 후기를 올리고, 중고품 거래도 하는 등 활발하게 활동하고 있다. 프라이탁 애호가는 세계 곳곳에 3만 명, 한국에만 3000명이 넘는 것으로 추정된다. 광팬을 끌어들이는 요소 중 하나는 재활용이라는 친환경 개념이다. 컨설팅회사 올리버와이만 코리아의 신우석 상무는 "제품의 진정성에 공감하는 고객은 높은 수준의 제품 충성도를 가지고 오랜 기간 제품을 사용하는 특성을 보인다"고 설명했다.

③ 지킨다, 진정성을

마지막으로 '지킨다'의 관점이다. '스토리브랜딩'의 핵심은 '진정성'이다. 프라이탁은 재활용으로 새로운 가치를 창출한다는 철학을 지키기 위해 비용을 감수하면서 폐방수포만 쓰고 있다. 신우석 상무는 "진정성이란 고객에게 제공하고자 하는 핵심가치를 구현하기 위한 집요하고도 철저한 노력의 총합"이라고 말했다. 그러나 진정성을 유지하기란 쉽지 않다. 번거로울 뿐 아니라 그것을 포기했을 때 도리어 수익과 매출이 늘어나는 등 이득이 늘기 때문이다. 홍성태 한양대 경영대 교수는 "그럼에도 기업이 진정성을 지켜야 장기적으로 성장하면서 명품을 만들 수 있다"며 "세계적 브랜드들의 유일한 공통점은 한번 정한 브랜드 콘셉트를 계속 끌고 나간다는 것"이라고 말했다.

프라이탁은 그 어떤 유혹과 고민에도 흔들리지 않고 자신들이 생각한 가치와 정체성을 유지했고, 그로써 '폐품'을 '명품'으로 탈바꿈시킬 수 있었다. 버리고, 세우고, 지키는 단순함의 공식이 얼마나 큰 위력을 발휘하는지를 보여주는 사례다.

잡스는 잘 버리고, 뚜렷이 세우고, 악착같이 지켰다
: 크리에이티브 디렉터 켄 시걸의 '미친듯이 심플' 전략

스티브 잡스는 경영에 새로운 역사를 썼다. 그는 여러 단어로 묘사되지만, 나는 그를 '편집의 마스터'라고 부르고 싶다. 잘 '버리고' 뚜렷이 '세우고' 악착같이 '지켰기' 때문이다. 17년간 스티브 잡스와 함께 일했던 광고 전문가 켄 시걸이 위클리비즈와 인터뷰한 적이 있다.[45] 그는 잡스가 1997년 애플에 복귀했을 때 '다르게 생각하라Think Different' 캠페

인을 기획했고, '아이팟' '아이폰' '아이패드'로 이어지는 아이ⁱ 시리즈의 시초 격인 '아이맥iMac'의 이름을 지은 인물이다. 시걸은 자신의 책『미친듯이 심플』에서 잡스가 왜 그렇게 단순함에 집착했으며, 어떻게 복잡함과 싸웠는지 자신이 직접 보고 겪은 일화와 함께 생생히 전한다.

"잡스가 거둔 최대의 업적은 맥이나 아이팟, 아이폰, 아이패드가 아니다. 그는 일찍이 누구도 생각지 못한 무언가를 성취했는데, 그건 바로 단순함이다. 잡스에게 단순함은 종교였고, 그리고 무기였다."[46]

잡스가 버린 것

본론으로 들어가보자. 잡스가 '버린 것'은 무엇이었을까? 그는 먼저 관료주의를 버렸다. 잡스는 2010년 한 콘퍼런스에서 애플 조직구조의 한 단면을 소개했다. "애플에 위원회가 몇 개나 있는지 아십니까? 하나도 없습니다. 우리는 창업회사처럼 조직돼 있습니다. 이 지구에서 가장 큰 창업회사지요." 그는 "위원회를 만드는 이유는 책임을 나누기 위한 것이지만 우리는 그렇게 하지 않는다"며 "애플에서는 누가 그 일의 책임자인지 명확하게 알 수 있다"고도 했다.

시걸은 잡스와의 일화 하나를 소개했다. 당시 어느 광고회사 팀장이던 시걸은 잡스와의 미팅에 세 가지 광고 시안을 들고 들어갔다. 시안들을 관례에 따라 뒤집어 올려놓은 뒤 직당한 시점에 하나씩 보어줄 생각이었다. 그런데 몇 마디도 꺼내지 않았을 때 잡스가 갑자기 외쳤다.

"그냥 광고를 보여주세요!"

잡스는 "아침에 월스트리트저널에서나 읽을 만한 내용을 설명하려고 내 옆에 앉은 거냐"고 하더니 시안 세 개를 한꺼번에 뒤집었다. 그리고 잠시 들여다보더니 내용을 금세 이해했다. 그는 형식적인 프레젠테이션을 원하지 않았다. 잡스는 이렇게 말했다. "제발 광고회사 사람들 티 내지 말고 그냥 본론부터 얘기하세요."

관례나 관행 등은 잡스에게 전혀 중요한 요소가 아니었다. 그는 그저 빠르고 정확하게 의견을 나누고 판단하고 실행하기를 원했을 뿐이다. 이를 잘 보여주는 일화가 또 있다. 잡스가 넥스트를 경영하던 시절의 일이다. IBM이 넥스트와의 소프트웨어 협력을 위해 사절단을 보냈다. 그들은 100쪽이 넘는 계약서를 들고 왔다. 잡스는 악수를 하고 계약서를 훑어본 뒤 그것을 쓰레기통에 던져버렸다. 잡스는 5, 6쪽 정도의 간결한 계약서를 원했다. 길어도 10쪽을 넘어서는 안 되었다. 결국 IBM과 넥스트는 간결한 계약서에 사인했다.[47] 시걸은 잡스가 이토록 관료주의를 혐오한 이유를 다음과 같이 설명했다.

"잡스가 애플에 복귀한 1997년 당시, 애플은 덩치가 크고, 무디고, 썩 뛰어나지 않은 회사였습니다. 그 상황은 지금 많은 대기업의 CEO가 마주친 상황과 별다를 바가 없습니다. 그는 조직의 관료주의를 걷어내고, 층층이 쌓여 있는 의사결정 체계를 간소화해야 할 필요가 있었습니다."

잡스가 복귀했을 당시 애플은 광고 예산을 16개 부문에서 별도로 집행하고 있었다. 그는 이런 관행을 즉각 폐지하고 광고 예산을 하나로 통합했으며, 이제부터 각 부문은 예산을 따내기 위해 경쟁해야 한다고 선언했다. 그러나 지금도 수많은 회사가 관료주의라는 뱀파이어에게 에너지를 빼앗겨 질식사할 위기에 처해 있다. 이같은 상황을 두고 시걸은 안타까움을 금치 못했다.

"많은 회사가 어떤 프로젝트를 시작할 때 보면 하급 의사결정권자, 중간 의사결정권자의 승인을 받고 여러 단계를 거치고 난 뒤에야 최종 의사결정권자에게 아이디어가 올라갑니다. 그때까지 몇 달씩 걸리기도 하지요. 마침내 실무자가 최종 의사결정권자에게 프레젠테이션을 하면 최종 의사결정권자는 이렇게 말하기 일쑤입니다. '왜 그런 식으로 만들었지? 다시 하게.' 대부분의 기업에선 최고 의사결정권자에게 아이디어가 전달되기까지 얼마나 빙빙 둘러가는지 모릅니다. 그것은 직원들의 사기를 꺾어놓고, 결국엔 조직 자체를 해칩니다."

시걸은 인텔의 예를 들었다. 그는 인텔의 회의가 애플의 회의와 가장 달랐던 것은, 한 번의 회의를 끝낸 것이 그저 다음 회의에서 윗사람들에게 보고할 자격을 얻은 것에 불과했다는 점이라고 꼬집었다. 이런 조직에서는 하급자가 지나치게 준비를 많이 해야 하는 경향이 있다. 잡스는 반대로 아이디어를 늘 최우선에 두었다. 잡스의 승인을 얻어 한창 광고를 제작하다가 촬영이나 편집 단계에서 더 좋은 아이니어를 떠올렸다고 해보자. 다른 클라이언트라면 뒤늦은 제안을 묵살하거나 질책하겠지만 잡스는 오히려 환영했다고 한다. '더 좋은' 아이디어였기 때문이다. 실제로 잡스는 1985년 한 인터뷰에서 이렇게 말한 적이 있다.

"회사를 운영하는 사람들과 그 안에서 실무를 처리하는 사람들 사이에 너무나 많은 중간관리자가 있습니다. 열정적이고 창의적인 사람들이 자기가 옳다고 생각하는 일을 하기 위해 5단계의 경영층을 설득해야 하는 상황에 놓인 겁니다."

잡스는 제품의 가짓수가 많을수록 좋다는 생각도 버렸다. 1997년 잡스가 애플에 막 복귀했을 때였다. 당시 애플은 10여 종의 매킨토시를 비롯해 수많은 컴퓨터와 주변기기를 만들어내고 있었다. 몇 주 동안 제품을 검토하다 더이상 참을 수 없는 지경에 이른 잡스가 소리를 질렀다. "이제 그만! 이건 미친 짓이야." 잡스는 화이트보드에 2×2 매트릭스를 그린 후 가로줄에는 '일반인용' '전문가용', 세로줄에는 '데스크톱' '휴대용'이라고 적었다. 그리고 팀원들에게 각 사분면에 해당하는 제품을 하나씩 결정해 총 4개의 제품만 남기고 나머지를 모두 없애라고 말했다.

컴퓨터회사 델은 소비자, 정부, 학교 등 판매처에 따라 상품을 41개 모델로 세분화했다. 이름 또한 길고 어려웠다. 인스피론, 보스트로, 엑스피에스, 옵티플렉스 등 전혀 다른 세상에서 온 것 같은 이름들은 고객에게 감흥을 불러일으키지 못했다. 하지만 애플은 단 6개 모델만 내놨다. 이름은 맥북에어, 맥북프로, 맥북프로 레티나 단 세 가지였다. 나머지는 모니터 크기(11, 13인치 등)로 구별했다. 시걸은 "그럼에도 애플 매장에 와서 '선택권이 없다'고 느끼고 간 고객은 없었을 것"이라며 "오히려 고객을 배려한 심플함에 만족하고 갔을 것"이라고 설명했다.

잡스는 제품 디자인에서도 버리고, 또 버렸다. 그는 바우하우스 운동이 주창한, '표현 정신을 담으면서도 단순한' 디자인을 중시했다. '적은 게 많은 것'이라는 금언의 가장 맹렬한 신봉자가 잡스였다. 아이폰은 단순함의 결정판이었다. 기술을 기반으로 탄생했지만, 아이폰이 사람들에게 사랑받을 수 있었던 이유는 바로 단순함에 있었다. 아이폰은 출시되자마자 기술 애호가뿐 아니라 일반인의 절대적 지지를 받았다. 손에 넣기도 전에 사용법을 쉽게 알 수 있었던 디자인의 단순함도 중요한 이유였을 것이다.

애플은 제품을 표현할 때도 극도의 단순함을 추구했다. 제품에 적용된 기술은 매우 복잡하지만, 애플은 이를 단 두세 단어로 표현할 뿐이었다. 예를 들어 애플은 1세대 아이팟을 출시했을 때 '5기가바이트 드라이브에 파이어와이어firewire 포트 기술이 적용되어 있다' 같은 말은 한마디도 하지 않았다. 단지 '당신 주머니 속의 노래 1000곡'이라고 했다.

쉬운 이야기를 어렵게 하기는 쉽다. 어려운 이야기를 어렵게 하는 것은 중간이다. 어려운 이야기를 쉽게 하는 것이 진정한 고수다. 잡스의 애플이 바로 그랬다. 최선의 소비자 커뮤니케이션은 표현하려는 것을 사람들이 매일 사용하는 언어로 말하는 것이다. 잡스는 새로운 제품을 소개할 때 흔히 쓰이고 잘 알려진 대상에 비교하는 경우가 많았다. '애플 TV는 21세기의 DVD 플레이어와 같다' '아이팟 셔플은 껌 한 통보다 작고 가볍다' 같은 식이다.

애플은 또한 소수의 제품을 집중적으로 홍보하는 전략을 폈다. 일단 한 가지가 성공하면 선순환적인 후광효과가 따랐다. 이를테면 아이팟에 대한 대대적인 홍보에 이끌려 매장을 방문한 고객들은 매장에서 매킨토시 컴퓨터를 발견했다. 결국 아이팟 광고는 매킨토시 컴퓨터 판매를 촉진시켰다.

잡스가 세운 것

그렇다면 잡스가 '세운 것'은 무엇이었을까? 그것은 아주 크고도 구체적인 꿈이었다. 컴퓨터를 가지고 세상을 바꿔보겠다는 꿈. 그는 이 새로운 기계가 산업혁명과 같은 새로운 혁명을 가져올 거라고 확신했고, 애플이 그 시대를 앞당길 거라고 생각했다. 심지어 자신의 꿈은 "우주에 영향을 미치는 것"이라고 확언했을 정도다.

잡스의 위대한 점은, 그 꿈을 모든 직원과 공유하고 꿈을 향한 직원들의 마음에 열정의 불길을 유지시켰다는 점이다. 시걸은 광고 담당자로서 애플과 일하기가 어려우면서도 한편으로 쉬웠는데, 그 이유는 애플이 광고를 통해 표현하려는 핵심가치가 뚜렷했기 때문이라고 말했다. 잡스는 애플에 복귀한 뒤 '다르게 생각하라'는 마케팅 캠페인을 대대적으로 펼쳤다. 이 말은 애플의 정신을 반영하는 모토나 마찬가지였다.

"'다르게 생각하라'는 말은 나만이 만들 수 있는 독창적인 것을 만들라는 것입니다. 애플을 표현하기에 가장 적합한 말이죠. 잡스와 워즈니악이 차고에서 애플 컴퓨터를 처음 만들었던 당시부터 그것은 애플의 신념이었습니다."

그러나 다른 회사들은 반대로 광고회사에 이렇게 묻는다고 한다. "우리가 되고 싶어하는 건 뭐지?" 자신들이 무엇을 하는지도 모르고 광고회사 사람이 뭔가 그럴듯한 것을 대신 만들어주길 원한다는 것이다. 자신이 되고 싶은 것을 아는 것과 모르는 것, 그 차이는 기업의 명운을 좌우할 정도로 중차대하다. 물론 애플의 단순한 경영은 잡스와 같은 독재자가 있었기에 가능하다고 보는 시각도 있다. 이에 대해 시걸은 이렇게 설명한다.

"잡스는 독재적인 리더였지만, 자신의 생각을 남들이 그대로 따라하도록 다른 사람의 생각의 틀을 제한하지는 않았습니다. 그는 뛰어나고 창의적인 사람들을 불러모았고, 그들이 애플에서 창의적이고 뛰어나게 일할 수 있는 여지를 만들어주었습니다."

잡스가 지킨 것

마지막으로 잡스가 '지킨 것'은 무엇이었을까? 위에 언급한 모든 것을 그는 그 어떤 경우에도 지켰다. 『스티브 잡스의 프레젠테이션』이란 책에 따르면 잡스는 거의 모든 제품에 대해 한 줄짜리 헤드라인을 만들었다. 이 헤드라인은 프레젠테이션, 보도자료, 마케팅 방안을 준비하기 훨씬 전에 기획 단계에서 만들어진다. 가장 중요한 점은 한번 만들어진 헤드라인을 계속 활용한다는 것이다. 맥북에어가 출시되고 나서 '세상에서 가장 얇은 노트북'이라는 헤드라인은 프레젠테이션, 홈페이지, 인터뷰, 광고, 옥외 광고, 포스터를 비롯한 모든 커뮤니케이션 채널에서 그대로 사용됐다.

지킨다는 것은 일관성을 유지한다는 뜻이기도 하다. 유행이나 트렌드에 휩쓸리지 않고, 자신의 정체성을 올곧게 밀고 나가는 것이다. 그런데 잡스가 떠났는데도 애플이 계속 핵심가치를 지켜나갈 수 있을까? 이 질문에 시걸은 이렇게 답했다.

"잡스처럼 위대한 리더가 떠나 뒤 조직이 지속적으로 성장하는 것은 부모가 아이를 키워서 떠나보내는 것과 비슷합니다. 부모는 아이에게 훌륭한 교육을 베풀고 가치관을 심어줍니다. 하지만 그 결과는 아무도 알 수 없는 거예요. 제 생각에 잡스는 애플에 자신의 가치를 대단히 성공적으로 주입했다고 생각합니다. 현재 애플의 경영진에 잡스가 주입한 가치는 그다지 훼손되지 않은 채 남아 있습니다.

디즈니도 한때 비슷한 경험을 했습니다. 처음에 사람들은 월트가 없는 디즈니를 상상하지 못했죠. 하지만 얼마간 굴곡을 겪은 뒤 지금의 디즈니는 처음 디즈니의 철학대로 회사를 운영하고 있습니다. 물론 앞으로 애플은 과거와 완전히 같을 수는 없습니다. 잡스는 정말 대단히 독특한 인물이었으니까요. 하지만 저는 애플의 미래를 낙관합니다. 그래서 아직도 애플의 주식을 팔지 않고 있습니다."

잡스는 2006년 『뉴스위크』 인터뷰에서 이렇게 말한 적이 있다.

"어떤 문제를 해결하려고 마음먹었을 때 내놓는 첫번째 해결책은 지나치게 복잡한 경우가 많습니다. 그래서 대부분 여기서 포기하지요. 하지만 계속 문제를 고민하여 양파 껍질을 벗기다보면 아주 고상하고 단순한 해결책에 이르는 경우가 많습니다."

그는 버리고, 세우고, 지킴으로써 결국 단순해졌고 이를 통해 자신의 궁극의 가치를 애플의 DNA로 심을 수 있었던 것이다. 그렇다면 우리는 무엇을, 어떻게 버리고, 세우고, 지켜야 할까? 그 구체적인 방법에 대해 살펴보도록 하자.

버려라

인생은 '단 하나의 의자'만을 허락한다

　한 소년이 있었다. 노래에 뛰어난 재능을 갖고 있던 아이는 심각한 고민에 빠졌다. 계속 실력을 갈고닦아 성악가가 되고 싶기도 했지만, 학업에 정진해 교사가 되고 싶기도 했다. 아직 어렸던 소년은 '일단 두 가지를 병행하면서 천천히 꿈을 찾는 것이 어떨까'라는 마음도 들었다. 어차피 시간은 많이 남았으니 둘 중 하나를 선택하는 일은 천천히 해도 된다는 생각이었다. 그 이야기를 가만히 듣던 소년의 아버지가 말했다.

　"만약 네가 의자 두 개에 한꺼번에 앉으려고 한다면 어떻게 될까? 아마 그 사이로 떨어지고 말걸? 인생은 항상 네게 하나의 의자만을 선택하라고 한단다."

　아버지의 조언을 들은 소년은 결국 음악에 매진하기로 마음먹었다. 이후 아이는 7년 동안 한눈팔지 않고 실력을 연마한 끝에 세계적인 성악가가 될 수 있었다.

루치아노 파바로티의 어린 시절 이야기다. 파바로티는 자신이 성공할 수 있었던 비결을 "성악이라는 하나의 의자를 선택해 앉았기 때문"이라고 설명하곤 했다. 단의 첫번째 공식이 '버려라'인 연유도 여기에 있다. 선택은 필연적으로 버림을 동반한다. 선택한 것 외의 나머지는 포기해야 한다. 선택이 어려운 이유다. 하지만 포기하는 것들에 대한 미련으로 주저하다간 결국 아무것도 손에 넣을 수 없다.

'버리고, 세우고, 지킨다'라는 단의 공식에서 첫번째는 버림이다. 복잡함의 굴레에서 벗어나려면 일단 버려야 한다. 버리고, 버리고, 또 버려야 한다. 그렇게 버리다보면 저절로 진면목이 드러난다. 물 밑에 잠겨 있던 그것, 변함없이 늘 우뚝 서 있었던 그것이 드러난다. 창조 작업의 진수도 '버림'에 있다. 그런 점에서 창조는 청소와 비슷하다. 청소란 행위는 일단 필요 없는 것을 버리는 데서 출발한다. 그리고 나서 서로 관계되는 형태끼리 모아 질서정연하게 만든다.[1] 버린다는 것은 본질을 추구하기 위해 나머지 것들을 포기하는 결단이다. 다시 말해 버림이란 선택이라고 할 수 있다.

설레지 않는다면, 필요 없는 것이다
: 마크 콘스탄틴 러쉬 창업주의 '벌거벗기' 전략

백화점 화장품 코너에 가면 수많은 화장품이 저마다 화려한 포장으로 사람들의 시선을 사로잡으려 기를 쓰는 것 같다. 그런데 포장을 의도적으로 '버린' 회사가 있다. 바로 러쉬^{LUSH}다. 이 회사는 대부분의 제품을 아예 포장하지 않는다. 비누나 입욕제를 날것 그대로 바구니에 담아 진열한다. 심지어 샴푸도 고체 상태로 만들어 판다. 화장품은 플라스틱 용기에 담지만, 다른 화장품처럼 종이박스에 비닐까지 씌우는 이중 삼중의 포장 없이 그냥 용기째 판다. 자연주의라는 콘셉트를 극단으로 밀고 나간 경우다. 이 회사는 포장 없는 제품을 '벌거벗었다^{naked}'고 표현한다.

러쉬는 버리고 벌거벗음으로써 얻는 게 많다. 제품을 포장하지 않으니 제품 본연의 물성이 드러난다. 향기도 그중 하나다. 보통은 포장을 다 벗겨야만 제품의 향기를 맡을 수 있지만, 이 회사의 제품은 향을 그대로 맡을 수 있다. 러쉬의 제품은 향과 색이 강렬하기로 유명하다. 향이 워낙 강해서 매장이 백화점 7층에 있다면 5층에서부터 알아차릴 정도다. 더욱이 모든 제품을 천연 재료로만 만들기에 그 향은 자연의 향이라고 할 수 있다. 이와 관련하여 1995년 이 회사를 창립한 마크 콘스탄틴^{Mark Constantine}은 다음과 같이 설명한다.[2]

"일부러 향이 좋은 제품을 만들었는데, 포장 재질로 꽁꽁 싸매놓으면 매장에 온 고객이 그 냄새를 맡아보기 어렵잖아요? 저희 매장에서는 '냄새'도 일종의 사용자경험이거든요. 재미있잖아요."

또 제품을 포장하지 않고 덩어리째 바구니에 내놓으니 재래시장에서 느끼는 활기를 경험할 수 있다. 포장에 들어가는 제조 원가도 절약할 수 있다.

"근사하게 포장을 하려면 돈이 많이 들어요. 다른 브랜드의 화장품 가운데는 호화롭게 포장한 제품이 있어요. 두껍고 묵직한데 막상 뚜껑을 열어보면 생각보다 용량은 크지 않은, 그런 경험을 해본 적이 있죠? 포장이 호화로울수록 소비자가 지불하는 돈의 상당 부분이 포장에 들어간 거라고 생각하진 않으세요? 저는 이건 아니라고 생각해요. 포장재 같은 데 투자하기보다 제품 자체에 투자해야 하는 것 아닐까요? 우리는 포장할 돈을 아껴서 더 좋은 내용물을 만들고자 합니다. 기대 이상으로 대중이 이 방식에 호응해줬어요. 이제는 모든 포장지회사가 도산하기를 손꼽아 기다리고 있습니다."

러쉬는 제품 포장만 버린 것이 아니다. 제임스 H. 길모어의 『진정성의 힘』은 러쉬를 영어의 접두사 'un'에 집중하는 회사, 다시 말해 뭐든 '버리는' 회사로 표현한다. "러쉬에서 판매되는 모든 것들은 그대로 드러나 있고unwrapped, 병에 담기지 않으며unbottled, 구매자가 특정한 제품을 원하는 양만큼 선택할 때까지 포장하지 않고unpackaged, 코팅되지 않은uncoated 봉투를 사용한다. 자르지 않은uncut 비누 조각들은 나무 테이블에 놓여 있다. 매장 디자인은 마감되지 않은unfinished 것처럼 보인다. 벽은 페인트칠도 안 되어 있고unpainted, 손질도 안 된untreated 채 그대로 노출되어 있다. 나무 선반과 바구니도 화장판을 붙이지 않거나unveneered 부자연스럽게 보이게 할 만한 요소들을 모두 제거한다un-anything else. 콘크리트 바닥에는 카펫도 깔지 않고uncarpeted, 타일도 깔지 않는다untiled. 게시물은 광택 소재에 인쇄되지 않고 칠판에 직접 손으로 작성한 듯하며 특별히 꾸미지도 않고unadorned 고정되지도 않는다unfixed."3

러쉬는 이토록 많은 것을 버림으로써 고객의 관심을 얻는 데 성공했다. 소비자가 비누나 화장품이라는 카테고리에서 기대하는 것과는 전혀 다른 종류의 고객 체험을 제공한 것이 깜짝 스파크unexpected spark를 불러일으킨 것이다. 이 회사의 깜짝 스파크는 도처에서 튀어나온다. 주력 제품 중 하나인 '발리스틱'이라는 형형색색의 입욕제는 욕조에 집어넣으면 마치 샴페인처럼 뽀글뽀글한 기포를 뿜어내면서 욕조 물을 분홍색이나 보라색 등 화려한 색깔로 물들인다. 해외 출장을 다니는 젊은 여성들 사이에서 대인기인데, 마치 하루의 끝자락에 샴페인 한 잔을 마시는 것처럼 목욕하면서 하루의 노고를 풀게 해준다.

자연주의와 친환경을 표방한 것도 소비자의 우호적 감정을 유발했다. 러쉬의 비누는 빨간색, 초록색, 파란색 등 강렬한 색상이 많은데, 자연 원료의 색 그대로다. 러쉬는 백화점에 많이 입점해 있지만 화장품이 아닌 생활, 주방용품 매장에 위치하는 경우가 많다. 콘스탄틴은 자연주의를 표방한 회사를 만든 이유를 '차별화'라고 설명한다. 그는 원래 조향사였다. 자연에서 향을 추출하는 일을 하면서 자연에서 얻은 재료로 화장품을 만드는 데도 관심이 많았다. 물론 과거에도 '자연주의'를 표방하는 화장품은 있었지만, 실제 천연 재료를 쓰지 않는 회사도 많다는 걸 알고 실망했다고 한다. 그래서 기존의 회사들과 반대로 해야겠다고 생각했다는 것이다.

"천연 재료를 고집하겠다, 광고를 하지 않겠다, 포장을 세련되게 꾸미지 않겠다, 이 세 가지 차별화 포인트가 결과적으로 우리에게 경쟁 우위를 가져다줬습니다."

러쉬는 포장을 버렸다. 이로써 이전과는 전혀 다른 고객 체험을 제공하고 '친환경, 자연주의'라는 이미지를 얻었다. 단순해지기 위해 버려야 한다고 해서 무조건 마구잡이로 버리라는 의미는 아니다. '무엇을 버릴 것인가'를 결정하기에 앞서 '무엇을 얻을 것인가'를 고민해야 한다. 버리는 것은 정말 중요한 것을 남기기 위함이다. 그렇다면 무엇을 남기고 무엇을 버릴 것인가. 이 질문에 대한 대답으로는 앞에서 잠시 언급한 '정리의 여왕' 곤도 마리에의 말이 가장 마음에 든다.[4]

"물건을 고르는 기준에 대해 내가 내린 결론은 이렇다. 그것은 '만졌을 때 설레는가'이다."

물건을 만졌을 때 가슴이 설레면 남기고 그렇지 않으면 버린다는 것이다. 그녀는 "남겨야 할 물건은 만졌을 때 몸에서 기쁨의 반응이 온다. 남겨야 할 것과 버릴 것 사이에 명확한 차이가 느껴진다"고 말했다. 그런데 이런 기준을 세운 이유는 무엇일까? 지금 안 쓰더라도 나중에 중요하게 쓸 수 있지 않을까? 이런 의문에 대해 곤도 마리에는 이렇게 설명한다.

"인생은 살아가는 이 순간이 무엇보다 소중하고, 지금 당신을 빛나게 하기 위해선 당신 주변을 빛나는 물건으로 채워야 하기 때문이다. 버림으로써 현재 삶을 더 즐길 수 있게 된다."

물론 설렘의 기준은 지극히 주관적일 수밖에 없다. 사람이 어떤 환경에서 설레고 행복할지는 본인 말고는 알 수 없다. 하지만 그 설렘이야말로 우리가 존재하는 이유이며 다른 사람과 구별되는 원천이다. 어떤 경우에 내 가슴이 설레는지 잘 알면 어떤 것을 버리고 어떤 것을 남겨야 할지도 뚜렷해진다. 곤도 마리에 역시 남길 것과 버릴 것을 선택하는 일은 자신을 이해하는 가장 좋은 방법이라고 설명했다.

"정리를 하면 삶을 대하는 방식이 달라집니다. 정리를 통해 과거를 처리하기 때문입니다. 그런 작업을 통해 인생에서 정말 무엇이 필요하고 무엇이 필요하지 않은지, 무엇을 해야 하고 무엇을 그만둬야 하는지를 확실히 알게 됩니다. 현대인은 가슴이 두근거리지 않는 것들에 둘러싸여 너무 많은 에너지를 쏟아요. 주변을 찬찬히 살펴보고 자신을 두근거리게 하는 물건들만 골라 남김으로써, 자신이 정말 하고 싶은 일에만 집중하는 게 가능해집니다. 진짜 인생은 정리를 한 뒤에 시작됩니다."

티셔츠를 100벌 가진 사람이 7벌만 가진 사람보다 행복할까? 그 반대다. 100벌을 가진 사람은 드레스룸에 들어가기조차 싫을 수도 있다. 너무 복잡해 머리가 아프니까. 그래서 대충 하나를 집어들고 나온다. 반면 7벌만 가진 사람은 그 7벌의 특징과 장단점을 잘 알고 있다. 그래서 옷을 더 잘 입는다. 현명한 소비자는 청바지나 티셔츠의 개수 한도를 정해놓고, 새것을 사서 그 한도를 넘으면 헌것을 하나 버린다. 자신에게 꼭 필요한 것만 가지고 있는 것이다. 곤도 마리에가 권하는 정리의 원칙은 다음과 같다.

'정리의 여왕'이 말하는 정리의 5가지 원칙

1. 단기간에, 단숨에, 완벽하게 버려라.
단번에 자신의 주변이 아주 깨끗해지는 것을 경험하면, 예전 상황으로 돌아가고 싶지 않다고 생각한다. 그런 심리 상태를 만드는 것이 매우 중요하다.

2. 수납이 아니라 버리기가 중요하다.
필요 없는 물건을 가지고 있으면 그 물건들이 자리를 차지하고 정작 주인은 자신의 공간에서 밀려나기 마련이다.

> **3. 장소별이 아니라 물건별로 정리하라.**
> 버리는 순서는 의류, 책, 서류, 소품, 추억의 물건 순이 좋다.
>
> **4. 버리기는 결국 소중한 것을 남기기 위한 작업이다.**
> '만졌을 때 설레는가'가 남길 것의 판단 기준이다.
>
> **5. 남긴 것의 제 위치를 찾아줘라.**
> 하지만 버리기가 우선이다.

'본전 생각'을 버려라, 매몰비용의 오류

우리가 잘 버리지 못하고, 그로써 단순해지지 못하는 중요한 이유 중 하나는 '본전 생각'이다. 기존 제품의 기능을 없앨 때 꼭 반대하는 사람이 있다. 그들이 늘 하는 주장은 이것이다.

"그걸 만들려고 얼마나 많은 시간과 노력을 투입했는데요? 그게 다 무용지물이 되잖아요?"

경제학자들은 이를 '매몰비용의 오류sunk cost fallacy'라고 부른다. 사람이 일단 어떤 행동 코스를 선택하면 그것이 만족스럽지 못하더라도 이전에 투자한 것이 아깝거나 그것을 정당화하기 위해 더욱 깊이 개입해가는 심리적 메커니즘을 말한다. 여기서 '매몰비용'이란 이미 발생해 회수가 불가능한 비용이다. 다시 말해 돌이킬 수 없는 비용이며, 하수구에 빨려들어간 돈이다. 따라서 우리가 오늘 투자 여부를 결정할 때 그런 돈은 무시해야 한다. 그럼에도 우리는 '아까워서 어떡하지'라는 '본전 생각' 때문에 합리적 판단을 하지 못한다.

어느 공연을 보러 갔는데, 기대와는 달리 공연이 아주 재미없고 지루하다고 느끼면서도 입장료가 아까워서 공연을 계속 보는 사람이 있다. 그러나 이는 합리적인 의사결정이 전혀 아니다. 매몰비용을 무시하고 판단한 결정이 아니기 때문이다. 입장료는 공연을 끝까지 보든 중간에 나오든 이미 지불된 비용이다. 따라서 남은 공연 시간을 지루함을 참아내며 곤욕스럽게 보내기보다는 차라리 그 시간에 공연장을 나와서 다른 재미있는 일을 찾아내는 것이 훨씬 개인의 만족을 높이는 행위가 될 수 있다.[5]

초음속 여객기인 콩코드는 개발과 제작에 막대한 비용이 들었고, 운영비도 지나치게 많이 들었다. 그러나 영국과 프랑스 정부는 이미 많은 비용을 투입했기에 포기할 수 없었다. 그리고 엄청난 손실을 보았다. 피터 드러커는 조직체의 혁신에 가장 큰 장애물이 바로 이 매몰비용적 사고라고 수없이 강조했다.[6] 어제의 성공을 기꺼이 포기하지 않는 것, 결과에 더이상 기여하지 않는 자원을 포기하기를 주저하는 것이 혁신에 걸림돌이 된다는 것이다. 그는 성과가 시원찮은데도 기업이 집착하는 제품과 사업을 일컬어 "경영적인 자기 아집에 투자하는 것"이라고 했다.

피터 드러커는 그 해결책이 '체계적인 포기'의 훈련이라고 말한다. 그는 경영자들에게 이런 질문을 던졌다. "여러분이 현재 그 사업을 하지 않고 있다고 가정해보라. 그런데도 오늘 그 사업에 진출할 것인가?" 만일 대답이 '아니요'라면 '그 사업에 대해 무엇을 할 것인가?'를 자문해야 할 것이다. 오늘날은 과거 어느 때보다 경쟁 속도가 빨라지고 있기 때문에 사업을 하려면 어느 때보다 포기하는 훈련이 중요하다. 그러지 않으면 내일을 위해 축적해야 할 자원을 허투루 낭비하게 될 것이다.

버리지 못하는 또하나의 큰 이유는 후회에 대한 두려움^{fear of regret}

버리지 못하는 또하나의 큰 이유는 후회에 대한 두려움[fear of regret] 때문이다. 미래에 후회하지 않기 위해 보수적으로 행동하는 것이다. 읽지도 않는 책을 산더미처럼 쌓아두고 사는 사람이 적지 않다. 책을 버리지 못하는 이유를 물어보면 "언젠가 읽을지 몰라서"라고 한다. 나중에 갑자기 그 책이 필요해졌을 때 버린 걸 후회하게 될까봐 두려운 것이다. 하지만 그 '언젠가'는 영원히 오지 않을 가능성이 크다. 후회에 대한 두려움은 선택도 기피하게 한다. '이걸 덜컥 선택했다가 나중에 후회하면 어쩌지?'라고 생각하는 것이다. 그러나 앞서 여러 차례 언급했듯 선택의 기피는 단순함의 포기를 의미한다.

선택하기 두렵다면 이렇게 생각해보면 어떨까. '인생에서 정말 중요한 선택은 많지 않다. 대부분은 사소한 선택이다. 정말 중요한 선택을 위해 나의 지성과 판단력을 아껴두자. 사소한 선택에 목숨 걸지 말자. 그건 직관에 맡기자.' 이렇게도 생각해보자. '사람이 신이 아닌 이상 항상 성공적인 결정만 내릴 수는 없다. 잘못 결정해 후회할 수도 있다. 하지만 그런 오판과 후회의 경험 덕분에 미래에는 더 나은 선택을 할 수 있다.'

선택은 피할 수 없는 인생의 한 단면이다. 그렇다면 『쉬나의 선택 실험실』을 쓴 심리학자 시나 아이엔거의 말처럼 우리는 "X만큼의 선택, Y만큼의 우연, Z만큼의 운명을 가지고 삶의 궤도를 설명하는 개별적인 방정식을 각자 만들어가야 한다".

2장. 버려라

'피곤한 삶'이 '높은 연봉'을 가져다주진 않는다
: '창업의 신' 마틴 베레가드의 '스마트한 성공법'

인생에서 가장 중요한 것을 분별할 수 있는 지혜는 죽음의 환기에서 온다. 본인이나 가족이 병마와 싸우면서 죽음의 그림자를 엿본 사람들은 삶에서 진정 중요한 것이 지위나 명예나 부가 아니라는 사실을 깨닫는다.

잘나가던 매킨지 컨설턴트 마틴 베레가드Martin Bjergegaard도 죽음의 문턱을 경험한 뒤 인생 궤도를 수정한 경우다. 그는 회사에서 능력을 인정받아 코펜하겐, 스톡홀름, 쿠웨이트를 오가며 여러 프로젝트를 도맡았다. 성과를 내면 낼수록 쉬는 시간은 줄어갔다. 하루에 세 시간밖에 자지 못했다. 결국 몸이 고장났다. 호텔 복도를 걷다가 쓰러져 다섯 시간 동안 의식을 잃었다. 쓰러지고 난 뒤 그의 머릿속엔 이런 생각들이 떠올랐다.

'나는 노예가 아니야. 나는 내가 원하는 일을 할 권리가 있어. 나는 행복해지고 싶고, 나의 행복을 선택할 수 있어. 미래의 행복을 위해서 지금의 행복을 미룰 필요는 없어.'

베레가드는 그길로 회사를 관뒀다. 그리고 자신이 하고 싶은 일을 찾아 떠났다. 그는 2006년 세 명의 친구와 자칭 '회사 공장Company Factory'이란 걸 차렸다. 참신한 아이디어를 토대로 벤처기업을 창업해 2, 3년 동안 키운 뒤 다른 사람에게 팔고, 또 새로운 벤처를 창업하는 사업이었다. 베레가드의 사업 목표는 '완벽한 승리'를 거두는 것이다. 기업은 성공적이어야 하지만, 그렇다고 주 35시간 이상 일해선 안 되고 1년에

8주는 휴가를 가야 한다. 일 때문에 건강과 가족, 친구, 인생을 희생해서는 안 된다. 그는 위클리비즈와의 인터뷰에서 "행복한 삶과 일의 성공이 양립 불가능하다는 생각은 잘못됐다"고 지적했다.[7]

"아버지는 제게 성공을 원한다면 반드시 '희생'이 필요하다고 말했습니다. 개인적인 행복을 포기하라는 겁니다. 아버지는 희생이 사회에 대한 '의무'라고 말했죠. 저는 '무언가 잘못돼 있다'고 느꼈습니다."

베레가드는 샘 월튼Sam Walton 월마트 창업주의 사례를 들었다. 그는 7년 연속 미국 최고의 부자로 꼽혔다. 그만큼 사회적으로 성공한 인물이었고, 다른 사람이 보기엔 무엇도 아쉬울 게 없는 사람이었다. 하지만 월튼은 죽기 직전 마지막으로 이렇게 말했다고 한다. "나는 인생을 잘못 살았다. 나는 내 삶의 우선순위를 잘못 정했다." 자식들에 대해 아는 것이 거의 없었고, 손자들 이름은 절반도 외우지 못했으며, 친구라 부를 수 있는 사람도 남아 있지 않은 자신의 삶에 대한 후회와 반성이었다. 베레가드는 "세계에서 가장 성공한 사람으로 꼽혔던 그는 알고 보면 마음은 참 가난했다. 나는 이렇게 살고 싶지 않았다"고 고백했다.

"흔히 '지금 돈을 잔뜩 벌면, 나중에 그 돈으로 행복하게 살 수 있을 것'이라고 말합니다. 저는 아니라고 생각합니다. 나중이란 미래는 도대체 언제 찾아올지 모르거든요. 얼마나 오래 살지 알지도 못하면서 말입니다."

베레가드는 삶을 희생하지 않고도 성공한 사람들이 많다는 것을 보여주고 싶었다. 그래서 그런 인물 25명을 인터뷰해 책을 펴냈다. 『스마트한 성공들Winning Without Losing』이 그것이다. 이 책은 2013년 영국 국립도서관 선정 '2013~2014 올해의 책' 다섯 권 중 한 권으로 뽑혔다.

희생하지 않고도 성공한 25명의 공통점은 무엇이었냐는 질문에 그는 이렇게 대답했다.

"자기가 생각하는 삶을 밀어붙일 수 있는 용기입니다. '나는 일도 하고 싶고, 개인적인 취미 생활도 즐길 것이며, 가족과 친구도 만날 것이다'라는 신념을 꺾지 않았어요. 주변의 많은 사람이 계속 참견했습니다. '지금처럼 하면 절대로 성공할 수 없을 거야'라고 말이죠. 그러나 그들은 개의치 않았어요. 그들은 하고 싶은 일을 하면서 사는 것이 오히려 일의 생산성을 높인다는 사실을 일찍부터 알고 있었던 것 같아요. 몹시 어려운 문제를 회사에 오래 앉아 있는다고 풀 수 있을 거라고 생각하세요? 아닙니다. 새로운 시각이 필요할 때는 새로운 접근법을 시도해야죠. 하고 싶은 걸 해야 합니다. 온종일 책상 앞에서 고민하는 건 문제를 푸는 방법이 아닙니다."

사람들은 피곤한 삶이 높은 연봉을 가져다준다고 생각하지만, 사실은 그렇지 않다고 베레가드는 주장한다. 진짜 돈을 버는 법은 자신이 가진 잠재력을 폭발시키는 것뿐이라는 주장이다. 그리고 자신이 하고 싶은 일을 하면 잠재력을 폭발시킬 수 있다고 강조한다. 그것이 사회에 이득이 된다면, 도움을 받은 사람이 돈을 지불할 것이므로 돈 버는 일은 너무 염려하지 않아도 된다는 것이 베레가드의 설명이다.

무엇보다 그는 일에 들이는 시간보다 일에 투여하는 집중력이 중요하다고 강조한다. 6시간 일한다고 목표를 달성하지 못하는 것도 아니고, 12시간 일한다고 두 배의 성과를 얻는 것도 아니라는 것이다. 그런데 여전히 많은 사람들은 50시간이 아니라 70시간을 일할 때 더 많은 일을 해낸다고 믿는다며 베레가드는 안타까워했다.

"저는 제가 일하는 시간의 '흐름flow'을 극대화하고자 항상 최선을 다합니다. 흐름이란 '제대로 집중해서' 일하는 시간과 주기를 뜻합니다. 어떤 일에 완전히 몰입하면, 시간과 공간을 잊고 일에만 집중하게 됩니다. 일하는 시간은 짧아도 일의 결과물은 아주 좋습니다. 물론 연속으로 8, 9시간 일할 수 있어요. 그러나 사실은 자기 스스로 '일하고 있다'고 느끼는 것일 뿐, 정말 집중한 상태로 일하는 건 아니죠. 하루에 12시간? 생산성은 바닥날 겁니다. 저는 오히려 8시간을 집중해서 일하는 사람이 12시간 일한 사람보다 더 뛰어난 무언가를 만들어낼 수 있다고 생각해요."

그는 새롭게 선택한 인생 경로에서 성공을 거둠으로써 새로운 삶과 일의 방식이 유효하다는 것을 몸소 입증했다. 그는 창업 8년 만에 18개 스타트업을 성공적으로 궤도에 올려놓았고, 그 가운데는 덴마크에서 시장을 선도하는 회사 세 곳도 포함돼 있다. 그는 다른 사람들의 창업을 지원하는 일도 하는데 160여 개 스타트업을 키워냈다.

일도 삶도 행복도, 무엇 하나 포기히지 않고 거머쥘 수 있다는 베레가드의 주장이 '버려라'라는 단의 공식과 대립한다고 생각할 수도 있다. 하지만 그렇지 않다. 베레가드와 그가 인터뷰한 사람들은 인생에서 진정 중요한 것, 즉 건강과 가족, 친구, 그리고 자신이 하고 싶은 일을 하는 기쁨을 우선순위에 두고 나머지를 버렸다. 예컨대 성공에 대한 집착을 버리고, 피곤한 삶이 성공을 가져온다는 고정관념을 버렸다. 그리고 주변 사람들의 우려에도 불구하고 그 선택을 밀어붙였기에 성공할 수 있었다. 또한 그들은 '미래의 행복'보다는 '현재의 행복'을 선택했다. '버림'의 방점은 '포기'가 아니라 '선택'에 찍힌다.

인생은 포트폴리오가 아니다

선택으로서의 버림은 우선순위나 핵심을 정하는 일이기도 하지만, 자신만의 강점이 무엇인지를 파악하고 집중하는 일이기도 하다. 사진작가 배병우를 만난 적이 있다. 그에게 골프를 치지 않느냐고 물었더니 "잡기를 좋아하지만, 다 끊었다"고 했다. 사진 하나도 "제대로 못하는데" 골프니 바둑이니 하다보면 더 못할 것 같다는 것이다. 잘하는 일에 선택과 집중을 한 셈이다.

나도 마찬가지다. 나는 20년 이상 골프를 쳤지만, 아직도 잘 못 친다. 잘 못 치는 골프를 조금 잘 치려면 많은 시간과 노력을 투입해야 한다. 그래서 요즘은 마음을 비웠다. 공기 좋은 데 가서 좋은 분들과 재미있는 놀이를 한다고 생각한다. 나는 골프 같은 운동을 업으로 택하지 않은 것을 정말 다행으로 생각한다.

'달걀을 한 바구니에 담지 말라'는 얘기가 있다. 그러나 이것은 뭐든 많이 하면 좋다는 의미가 결코 아니다. 페이팔Paypal의 창업자 피터 틸이 쓴 『제로 투 원』이란 책에 따르면 "인생은 포트폴리오가 아니기" 때문이다.

"인생은 결코 포트폴리오가 아니다. 이런 사실은 신생 기업의 창업자에게도, 그 어느 일반인에게도 마찬가지다. 기업가가 동시에 수십 개의 회사를 경영하면서 그중 하나가 성공하기를 바랄 수는 없다. 일반인들 역시 만약을 대비해 수십 개의 커리어를 쌓아놓고 자신의 삶을 다각화할 수는 없다. '무엇을 하는지'가 중요하다. 우리는 한눈팔지 않고 오로지 '잘하는 것'에 집중해야 한다. 가장 중요한 것들은 오직 하나씩 뿐이다. 하나의 시장이 다른 모든 시장보다 더 나을 것이다. 하나의 유통 전략은 다른 모든 유통 전략을 압도한다. 어느 한 순간은 다른 모든 순간보다 중요하다."[8]

　잘하는 것에 집중하자고 주장하는 대가는 피터 틸만이 아니다. 피터 드러커는 "자신이 못하는 일을 평균 수준으로 향상시키는 것보다, 자신이 잘하는 일을 탁월한 수준으로 향상시키는 것이 더 쉽다"고 했다. 우리는 어떤 분야에서 매우 뛰어난 재능과 기술을 갖지 못하는 것은 물론, 심지어 보통 수준도 되기 힘든 경우가 있다. 이런 분야의 일은 (특히 지식 근로자의 경우) 아예 맡지 않는 것이 지혜롭다. 우리는 잘할 수 있는 가능성이 적은 분야를 향상시키는 데 노력을 낭비하지 말아야 한다. 에너지, 자원, 시간은 오히려 잘하는 것을 더욱 잘하는 데 투입해야 한다.

　긍정심리학의 창시자 중 한 사람인 마틴 셀리그먼 교수는 비슷한 맥락에서 "자신의 약점을 고치려고 시간과 노력을 투자하는 것은 바람직하지 않다"고 말한다.[9] 그는 대신 "인생 최대의 성공과 더없는 만족은 개인의 대표 강점을 연마하고 활용하는 데서 비롯된다"고 말했다. 여기서 '대표 강점'이란 각 개인이 지닌 아주 특별한 강점을 말한다.

　"안락한 삶은 샴페인을 마시거나 고급 승용차로 드라이브를 하면서 누릴 수 있지만, 행복한 삶은 다르다. 행복한 삶은 참된 행복과 큰 만족을 얻기 위해 날마다 자신의 대표적인 강점을 활용하는 것이다."

　이를테면 셀리그먼 교수의 대표 강점은 학문을 연구하고 가르치는 학구열이다. 그는 하루도 빠짐없이 이 대표적인 강점을 연마하려고 노력한다. 그가 가장 기쁠 때는 학생들에게 복잡한 개념을 간단명료하게 정리해서 잘 가르칠 때다. 그런 날이면 기운이 절로 솟고 행복해진다. 그러나 사람들을 조직하는 일은 그에게 너무 힘들다. 회의를 마치고 나면 기운이 솟기는커녕 맥이 탁 풀린다. 그는 "이런 내 약점을 보완하려고 아무리 노력해도 강의를 할 때만큼 큰 보람을 느끼지 못할뿐더러, 회의를 마치고 보고서를 작성하는 일에서도 아무런 의미를 찾지 못한다"고 했다.

나는 세계적인 경영 구루 짐 콜린스를 인터뷰한 적이 있다. 인터뷰가 끝난 뒤 그에게 한 가지 부탁을 했다. 당시 중학생이던 내 딸을 위해 인생의 조언을 한마디 해달라는 것이었다. 그는 잠시 머리를 긁적이더니 종이에 썼다. 그리고 말해주었다. 나는 그 장면을 스마트폰 동영상으로 찍어 딸에게 선물했다. 그는 이렇게 말했다.

"○○야, 너만의 고슴도치를 찾아보렴. 그리고 늘 좋은 사람들과 함께 일하도록 해. 왜냐하면 인생이란 곧 사람이니까."

여기서 '고슴도치'란 고슴도치와 여우의 우화에서 나온 말이다. 여우는 100가지 재주를 가지고 있지만 고슴도치는 한 가지뿐이다. 남이 자신을 공격할 때 몸을 말아 작은 공처럼 변신하는 재주다. 여우가 훨씬 교활하지만 이기는 건 늘 고슴도치다. 콜린스가 고슴도치의 우화를 통해 말하고자 하는 것은, 집중하라는 것이다. 그는 세 가지 조건을 충족하는 것을 찾아 집중하면 누구나 세계 최고가 되고 부자가 될 수 있다고 말한다. 즉 자신이 그 일만큼은 누구보다 잘할 자신이 있고, 그 일을 하는 걸 생각만 해도 기쁘고, 그 일로 돈도 벌 수 있는 그런 일을 찾으라는 것이다. 그런 일을 발견한다면 미친듯이, 무섭게 몰두할 수 있다. 그러면 성공의 가능성도 당연히 높아진다. 더욱 중요한 것은 몰두한다는 것 자체가 행복의 한 조건이라는 점이다.

마틴 셀리그먼 교수는 평생에 걸친 긍정심리학의 연구 성과를 행복의 다섯 가지 조건으로 요약했다. 'PERMA'가 그것이다. 긍정적 정서Positive emotion, 몰입Engagement, 관계Relationship, 의미Meaning, 성취Accomplishment의 머리글자를 딴 것이다. 다섯 가지 조건에 몰입이 포함돼 있음을 주목하라. 또한 몰입한다는 행위는 몰입하는 대상에서 의미를 발견할 때 일어날 가능성이 크고, 몰입하면 성취할 가능성이 커진다는 점에서 행복의 다섯 가지 조건 중 세 가지가 몰입과 직간접적인 관련을 맺고 있다고 할 수 있다.

선택과 집중은 사회적으로도 이롭다. 경제학적으로는 절대우위와 비교우위의 개념으로 설명할 수 있다. 이를테면 빌 게이츠는 다른 사람들보다 소프트웨어를 잘 만들고 사업체를 잘 경영한다. 그래서 세계적인 소프트웨어 사업가가 됐다. 그에게 소프트웨어는 절대우위인 셈이다. 그런데 빌 게이츠는 타자도 잘 친다. 심지어 자신의 비서보다 잘 친다. 그렇다면 빌 게이츠는 소프트웨어도 만들고 타자도 쳐야 할까? 비교우위의 관점에서는 그렇지 않다. 빌 게이츠가 비서보다 타자를 잘 치는 정도보다 소프트웨어를 잘 만드는 정도가 더 크다면, 타이핑은 비서에게 맡기고 자신은 소프트웨어를 만드는 데 전념하는 것이 사회적 후생을 극대화하는 길이다.

미셸 투르니에가 말했듯 카메라의 조리개를 닫으면 렌즈에 들어가는 빛의 양이 감소하지만 반면에 화상의 깊이는 깊어지고, 반대로 조리개의 직경이 늘어나면 밝기는 커지지만 깊이는 줄어든다. 깊이와 밝기가 반비례하고, 한쪽을 가지려면 한쪽을 희생하지 않으면 안 된다는 이 딜레마보다 보편적인 진리는 찾아보기 어렵다고 투르니에는 강조한다.[10] 무엇을 희생하고, 무엇을 얻을 것인가. 현명한 선택만이 삶의 질을 높일 수 있는 가장 효과적인 방법이다.

난독증 CEO들에게 배우는 교훈

레오나르도 다빈치, 아인슈타인, 에디슨, 우드로 윌슨, 리처드 브랜슨, 조너선 아이브, 양현석의 공통점이 무엇일까?

난독증難讀症을 앓았거나 앓고 있다는 점이다. 위클리비즈가 최근 인터뷰한 두 명의 세계적 경영자도 심한 난독증이었다. 세계 최대 인터넷 장비업체 시스코Cisco의 존 체임버스John Chambers 회장과 세계적인 외국어 교육업체 EFEducation First의 창업자이며 스웨덴에서 11번째로 부자인 버틸 헐트Bertil Hult 회장이 그들이다.

그런 대단한 사람들이 앓으니 별것 아닌 병 같지만 그렇지 않다. 존 체임버스 회장은 "지금도 난독증 이야기를 꺼내면 손바닥이 축축하게 젖을 만큼 긴장되고 부끄럽다"고 말했다.[11] 시스코의 CEO를 19년째 역임해 전 세계에 상장된 IT기업 CEO 중 최장수 기록을 갖고 있고, 매출 50조원이 넘는 회사를 일군 거물이 한 말이다. 그도 그럴 것이 체임버스가 초등학생이었을 때 담임선생님은 그가 끝내 대학에 가지 못할 거라고 생각했다. 그러나 그는 대학에서 경영학을 전공하고 MBA 과정까지 마쳤다.

헐트 회장은 초등학교 1학년 과정을 끝낸 뒤 학교에서 가망 없다고 판단해 지적장애인 학교로 보내졌다. 사방이 담으로 둘러싸인 그곳에서 그는 '정말 재미없는' 4년을 보냈다. 그는 "항상 자신에게 실망했고 학교를 중퇴한 것에 대해 악몽을 꾸곤 했다"고 말했다.[12] 그는 부모님의 노력으로 장애인 학교를 뛰쳐나왔고, 검정고시로 고교 과정을 마친 뒤 대학에 진학했다.

두 사람은 지금도 스스로 보고서를 읽지 못한다. 비서가 읽어준다. 예를 들어 다섯 문장을 읽는 데 정상인이 1분 걸린다면 헐트 회장은 족히 5분은 걸린다고 했다. 그런데 그 지독한 핸디캡이 오히려 성공의 발판이 됐다. 그들은 잘 읽을 수 없기에 잘 듣고 잘 기억해야 했다. 헐트 회장은 "숙제를 혼자 할 수 없어 엄마가 언제나 읽어주었기에 매우 집중해서 들어야 했고, 실제로 남들보다 더 잘 들을 수 있었다"고 말했다. 체임버스 회장은 1년 전에 사석에서 들은 통계 수치를 1년 뒤에도 기억한다.

난독증은 그들을 경청의 대가로 만들었다. 그리고 그것은 남다른 경쟁력의 원천이 됐다. 체임버스 회장은 일주일에 평균 30시간을 고객 응대에 투자한다고 한다. 그는 "고객은 항상 기술 이상의 무어가를 요구한다"며 "고객과 끊임없이 이야기를 나누다보면, 어느 순간 고객이 먼저 자신이 원하는 것이 무엇인지 이야기해온다"고 말했다. 그들은 공감력도 뛰어나다. 체임버스 회장은 일생 동안 단 한 번도 다른 사람을 놀려본 적이 없다고 했다. 그는 또 누군가를 처음 만나면 그들에게 "이름을 어떻게 부르면 좋겠느냐"고 물어보고 그대로 부른다. 호칭은 사람과 사람을 감정으로 엮어주는 연결고리라고 생각하기 때문이다. 스스로 크게 아파봤기 때문에 직원이나 고객의 아픔과 곤란함을 잘 이해할 수 있는 것이다.

난독증은 그들에게 세상을 크게 보는 능력도 주었다. 예를 들어 어떤 목적지까지 가는 길을 글로 설명해준다면 그들은 찾아가기 힘들다. 대신 지도에 점을 찍어주면 누구보다 빨리 이해할 수 있다. "큰 그림을 보는 게 더 익숙하기 때문"이다. 예컨대, 다른 사람들이 A, B, C, D, E, F, G…… 이런 식으로 결론인 Z에 도달하는 구조로 생각한다면, 체임버스 회장은 A, B 다음에 Z로 점프한다. 그리고 여러 결론 가운데 타당하지 않은 것을 제거해 옳은 답을 내린다. 그러다보니 오히려 다른 사람들보다 더 빠른 속도로 결론을 내릴 수 있다.

위대해지려면 난독증 환자가 돼야 한다고 주장하는 게 아니다. 약점이 얼마든 강점이 될 수 있고, 약점이 크다 해도 남에게 없는 강점이 있다면 그것을 키움으로써 충분히 훌륭해질 수 있다고 말하려는 것이다. 체임버스 회장이 말한 대로, 삶은 어떤 부분에서 제한이 주어지면 반대급부로 얻을 수 있는 무언가가 있기 마련이다. 다윗이 골리앗을 이길 수 있었던 것 역시 작은 키 때문이었다. 다윗은 당시 싸움의 관행이었던 일대일 근접 결투 대신 노련한 무릿매질로 거인의 이마에 총알 같은 돌을 날렸고 기절한 그에게 달려가 목을 벴다.

경제 전망 보고서는 회색빛 일색이고, 산업 전반에 공급이 과잉인 가운데 경쟁은 더욱 치열해질 것으로 예상된다. 이런 시대의 생존법을 두 난독증 CEO는 잘 보여준다. 내 인생과 일에 제한 요소는 무엇인가? 그것을 저주가 아니라 축복으로 받아들일 수는 없는가?

뇌는 작아질수록 점점 더 영리해진다

인간의 뇌가 태어나서 어떻게 변하는지 알면, 왜 우리가 버리고 버려 핵심만 남겨야 하는지 보다 쉽게 깨달을 수 있다. 컨설턴트이자 저술가인 마커스 버킹엄은 "뇌는 거꾸로 성장하는 것처럼 보이는 불가사의한 기관"이라고 말한다.[13] 뇌는 처음엔 매우 빠른 속도로 성장하다 어느 순간에 이르면 성인이 될 때까지 계속 줄어들기 때문이다. 그런데 이상한 점은 그 크기가 작아질수록 뇌는 점점 더 영리해진다는 사실이다.

이러한 뇌의 비밀은 시냅스에 숨겨져 있다고 버킹엄은 설명한다. 시냅스란 뇌세포(뉴런)들이 의사소통을 하기 위해 연결한 부분을 말한다. 세 살이 될 무렵 1000억 개의 뉴런은 각각 1만 5000개의 연결을 만든다. 하지만 그때 갑자기 이상한 일이 벌어진다. 자연이 실타래처럼 엮인 그 시냅스들을 끊어버리는 것이다. 그래서 세 살부터 열다섯 살까지 엮었던 수십억 개의 시냅스를 잃어버린다. 왜 자연은 시냅스들을 끊는 것일까? 남아 있는 시냅스들을 더 활발하게 이용할 수 있도록 하기 위해서라고 한다. 시냅스가 많다고 좋은 것이 아니다. 반대로 두뇌 발달은 시냅스를 끊어 그중 가장 강력한 연결을 얼마나 잘 이용하느냐에 달려 있다고 비킹엄은 설명한다.

그렇다면 애초에 왜 필요 이상으로 많이 연결한 것일까? 태어난 후 처음 몇 해 동안은 많은 정보를 흡수해야 하기 때문이란다. 그러나 어느 정도 성장하고 난 뒤에도 모든 시냅스가 다 기능한다면 엄청난 양의 신호에 압도되고 말 것이다. "자신의 세계관을 형성하기 위해 이런 소음 중 몇몇은 차단해야 한다. 자연은 10년에 걸쳐 그런 일을 돕는 것이다"라고 버킹엄은 말한다.

미래학자 레이 커즈와일도 뇌 과학을 근거로 선택과 집중의 중요성을 이야기한다. 그는 천재와 일반인의 뇌 용량은 크기 차이가 별로

2장. 버려라

없다고 했다. 또 생각은 뇌의 80퍼센트를 차지하는 신피질neocortex이라는 부분에서 이뤄지며, 신피질은 패턴을 읽고 기억하는 약 3억 개의 모듈로 구성되는데, 천재든 일반인이든 3억 개의 모듈을 모두 활용한다고 했다. 스무 살이 되면 용량이 꽉 차는 것도 마찬가지다.

그럼에도 지능과 기억력의 차이가 생기는 이유는 3억 개의 모듈이 저마다 다른 것을 저장한 게 아니고 같은 것을 중복 저장한 것도 많기 때문이란다. 명석하고 지능이 높은 사람일수록 모듈 간 정보의 중복이나 모순이 적다고 한다. 그는 "뇌를 하나의 사회로 가정한다면 각 모듈은 사회 구성원"이라며 "구성원들이 매번 싸움만 반복하거나, 모두 똑같아서 새로운 능력을 개발할 수 없다면 그 사회에 무슨 발전이 있겠느냐"고 설명했다. 그렇다면 뇌를 최대한 활용하는 방법은 무엇일까. 커즈와일은 다음과 같이 조언한다.

"선택과 집중이 필요합니다. 아직 뇌 용량을 다 채우지 않은 어린이가 어떤 환경, 정보에 노출되는지가 그래서 중요하죠. 어릴 때는 뇌에 주입되는 관념, 개념, 정보가 신피질의 공간을 무섭게 채워가니까요. 어떤 사람은 과학을 잘하고 어떤 사람은 음악에 천재적인 재능을 보이는데, 이는 유한한 모듈을 해당 분야에 대한 정보로 채워넣기 때문입니다. 베토벤은 신피질 모듈의 대부분을 음악으로 채웠고, 아인슈타인은 물리학으로 채웠던 거예요."[14]

복잡성은 소리 없이 조직을 죽인다

현명한 선택을 하기 위해, 그 선택을 밀고 나가기 위해 중요한 한 가지는 '노'라고 외칠 줄 아는 결단과 용기다. 2013년 농림수산식품부에서 발표한 '한국인이 사랑하는 오래된 한식당 100곳'을 보면 대부분 설렁탕, 해장국 등 단일 대표 메뉴로 승부를 본다는 특징이 있다. 이를테면 하동관은 곰탕 하나만 팔고 우래옥은 냉면과 불고기가 주 메뉴이며 진주회관은 손님 대부분이 콩국수를 시킨다.

이런 식당은 내부 운영 역시 단순하다. 주문을 받고 2, 3분 내에 음식이 나올 뿐만 아니라 서빙, 계산, 뒷정리 같은 절차가 매우 빠르게 진행된다. 반면 잘 안 되는 식당일수록 메뉴 가짓수가 많고, 주문이나 예약, 서빙, 계산 같은 일 처리가 늦으며 실수도 많다. 장수 식당의 이런 운영 방식은 손님의 입장에서는 그저 단순해 보이지만, 성공에 이르기까지 수많은 시행착오를 거쳤을 것이다. 그리고 수많은 선택의 기로에서 '노'라고 외쳤을 것이다. 다양한 고객의 입맛을 맞추려면 메뉴를 늘려야 하지 않을까라는 고민에도 '노', 더 많은 이윤을 남기기 위해 지점을 늘려야 하지 않을까라는 유혹에도 '노'라고 외쳤을 것이 분명하다. 글로벌 컨설팅회사 베인앤컴퍼니Bain&Company 코리아의 정지택 대표는 "단순함은 조직의 내공을 보여주는 척도"라고 강조한다.[15]

그럼 우리 회사는 어떻게 하면 이런 식당들처럼 단순하게 경영할 수 있을까? 정지택 대표는 기업의 입장에서 단순해지기 위한 첫번째 단계는 우리 회사가 얼마나 복잡하게 운영되는지 측정하는 것이라고 설명했다. 우리 회사 제품, 서비스, 시장이 얼마나 복잡한지 면밀하게

재평가하는 것이다. 문제는 이것을 측정하기가 어렵다는 데 있다. 경쟁사에 비해 얼마나 '더 힘들고 복잡하게' 일하는지, 이로 인해 얼마만큼 추가 비용이 발생하는지 알아내기가 쉽지 않다. 현실적으로 이런 '복잡성'을 측정할 수 있는 도구가 없기 때문에 복잡하게 돌아가고 있어도 모르는 경우가 태반이다.

또 한 가지 걸림돌은 늘리기는 쉬워도 줄이기는 어려운 조직의 생리다. 많아진 제품 수, 길어진 프로세스에는 필연적으로 더 많은 인력과 부서가 관여하게 된다. 이렇게 커진 몸집은 스스로 잘라내기 쉽지 않다. 기업이 스스로 앞장서서 단순한 경영으로 가겠다는 동기부여가 어려운 이유다. 1955년 영국 학자 노스코트 파킨슨Northcote Parkinson이 『이코노미스트』에 발표한 '파킨슨의 법칙'은 이 문제를 신랄하게 꼬집는다.[16]

파킨슨의 첫번째 법칙은 '부하 배증의 법칙'이다. 공무원의 수는 해야 할 일의 경중이나 유무와 관계없이 일정한 비율로 증가한다는 것이다. 파킨슨은 이를 통계적 사례로 보여준다. 1935년 영국 식민성의 행정직원은 372명이었는데 식민지가 크게 줄어든 1954년에는 1661명으로 늘어났다. 또한 제1차세계대전이 끝난 후 영국 해군의 주력 함정 숫자가 전쟁 때에 비해 3분의 1로 격감했는데도, 해군성 관료의 머릿수는 거의 배로 증가했다.

이런 일은 요즘에도 일어난다. 영국건강보험의 전체 직원은 1999년부터 2009년 사이에 30퍼센트 증가했고, 그중 관리자는 87퍼센트 증가했다. 문제는 사람이 많아진 만큼 성과가 올라가는 것이 아니라는 데 있다. 사람들은 시간적 여유가 생기면 그만큼 일을 천천히, 그리고 비효율적으로 처리한다.

파킨슨의 두번째 법칙은 '업무 배증의 법칙'이다. 일자리가 늘어나면 지시, 보고, 감독 같은 파생적 업무가 생겨나 본질적 업무가 증가되지 않은 경우에도 업무량이 늘어난다는 것이다.

이처럼 복잡성은 스스로 눈덩이처럼 커지는 자기증식적인 것이기 때문에, 복잡성을 줄이기 위해서는 최고경영자가 뼈를 깎는 각오로 전사적이고 다면적으로 단순화를 추진해야 한다. 마찰과 저항도 각오해야 한다. 그 대표적 성공 사례 중 하나가 포드 자동차다. 2006년 CEO가 된 앨런 멀럴리Alan Mulally는 회사가 복잡성의 늪에 빠져 있음을 발견했다. 8개의 브랜드와 40개가 넘는 자동차 플랫폼이 있었다. 너무 많은 협력업체에 의존하고 있었고, 소비자들에게 너무 많은 옵션을 제공하고 있었으며, 2개 이상의 자동차에 공용으로 쓰이는 부품은 10퍼센트가 되지 않았다. 그해 포드는 126억 달러의 순손실을 기록했다.

멀럴리의 사명은 '핵심에 다시 집중하는 것'이었다. 그는 자동차 시장의 모든 분야에서 경쟁한다는 전략을 버리고, 8개의 브랜드 중 6개(애스턴 마틴, 랜드로버, 재규어, 볼보, 마즈다, 머큐리)를 매각했다. 그리고 남은 '포드'와 '링컨'에 회사의 역량을 집결했다. 플랫폼과 모델의 수도 줄였다. 자동차 모델은 2005년 222개에서 2010년 102개로 줄었다. 2개 이상의 차종에 공용으로 쓰이는 부품은 50퍼센트 이상으로 늘어났다. 공급업자의 수는 절반으로 줄어들었다. 2012년 포드는 57억 달러의 순익을 올렸다. 멀럴리는 2010년 영국산업연합회 연설에서 "포드를 극적일 정도로 단순화해야 한다는 것은 절대적으로 자명한 일"이라며 "이를 통해 제품의 유통 전반과 딜러, 부품 공급자와 근로

자, 고객 모두가 자신들의 기대를 정확히 이해할 수 있게 될 것"이라고 말했다.

포드는 복잡성에 맞서 극도의 단순화를 추구함으로써 성공적으로 회생할 수 있었다. 즉 그들은 쉽게 헤어나오기 힘든 복잡성에 과감히 '노'를 외침으로써 이익을 꾀할 수 있었다. 기업이 단순해지기 위해 복잡성은 반드시 해결해야 할 과제다. 베인앤컴퍼니의 제임스 앨런James Allen 글로벌전략부문 대표는 위클리비즈와의 인터뷰에서 "기업의 규모가 커지고 행정적으로 복잡해지면서 의사결정 과정에서 고객 의견이나 일선의 목소리가 제대로 반영되지 않는다. 결국 기업은 점차적으로 사명감을 잃게 되고 성장 과정에서 파생된 복잡성으로 인해 서서히 쇠락한다"고 지적했다.[17]

그는 "성장은 복잡성을 유발하며, 복잡성은 성장의 조용한 암살자"라고 말했다. 복잡성은 소리 없이 조직을 죽인다. 개구리를 솥에 넣고 물 온도를 서서히 올리면 아무런 자각 없이 죽음을 맞게 되는 것과 비슷한 이치다. 앨런 대표는 단순성 이슈는 복잡성 비용을 제대로 이해하는 것에서 시작된다고 설명한다.

"대기업은 성장률이 조금만 높아져도 포트폴리오 복잡성이 크게 늘어난다. 삼성의 경우, 창업 당시와 비교하면 지금은 어마어마하게 다양한 제품, 지역, 채널이 모인 거대한 왕국이다. 이런 복잡성을 해결하려다보면 결국 조직이 복잡해지고, 나아가 정보의 흐름이 복잡해지면서 프로세스도 복잡해진다."

이런 상황은 결국 조직을 좀먹고 동기부여를 막는다. 직원들은 자신의 일에 크게 신경쓰지 않고 고귀한 미션도 사라지게 된다. 이미 거대하고 복잡한 관료주의의 일부가 되었기 때문이다. 베인앤컴퍼니가 17개 산업에 속한 110개 기업을 대상으로 복잡성이 성장률에 미치는 영향을 조사한 적이 있다. 대상 산업에는 화학 같은 B2B뿐 아니라 패스트푸드 음식점과 제약 같은 소비재 산업도 포함됐다. 조사팀은 각 산업에 맞는 복잡성 측정 지표를 고안했다. 예를 들어 패스트푸드 음식점의 경우엔 음식 메뉴 중 주 요리의 수를 지표로 삼았다. 조사 결과, 복잡성이 가장 낮은 회사가 평균 수준의 복잡성을 가진 회사보다 30~50퍼센트 더 빨리 성장하고, 가장 복잡한 회사보다는 80~100퍼센트 더 빨리 성장한 것으로 나타났다. 극단적인 예로 경쟁사의 5분의 1 정도밖에 되지 않는 옵션을 제공한 통신회사가 경쟁사보다 10배 가까이 빨리 성장했다.

그렇다면 이를 개선하는 방법은 뭘까. 앨런 대표는 "리더가 앞장서야 한다"고 충고했다. 가장 높은 위치에 있는 사람이 조직 간소화와 복잡성 해소를 시작하지 않으면 아무도 할 수 없다는 얘기다. 그는 "전략이란 본질적으로 굉장히 '단순한' 개념"이라면서 "핵심에 집중하고, 이 핵심분야에서 최고가 되며, 최고의 경제성을 달성하고, 높은 고객 충성도를 확보하는 게 전략의 본질"이라고 했다. 즉 복잡성 관리가 단의 공식과 결부되는 이유는 '핵심'의 집중이라는 큰 맥락을 같이하기 때문이다. 핵심이 무엇인지 알지 못하면 조직은 필연적으로 복잡해질 수밖에 없다. 그리고 복잡해진 조직은 비효율적이고 비능률적으로 돌아간다. 그러다 곧 쇠락한다.

2장. 버려라

좋은 복잡성과 나쁜 복잡성

물론 복잡성이 무조건 나쁜 것만은 아니다. 기업은 창업 초기 단계에선 제품도 조직도 지나치게 단순하다. 조악하다고 할 수 있다. 조악한 것은 가짜 단순함이다. 급수로 따지면 최하수에 해당한다. 단순함을 논하는 것은 조악함을 극복한 뒤의 일이다.

기업이 처음 태어나면 시간과 노력을 투자해 보다 정교하고 다양한 제품을 만들고, 신시장으로 진출하며, 더 많은 사람을 뽑는다. 또 시스템과 프로세스가 체계적으로 구축되며 조직은 여러 니즈에 맞춰 분화돼간다. 이 단계의 복잡성은 '바람직한 복잡성'이라 할 수 있다. 성과를 향상시켜주기 때문이다.

그러나 복잡성의 정도가 계속 커져 임계점을 넘어서면 어느 순간 조직을 죽이기 시작한다. 소비자는 너무 많은 제품, 너무 많은 기능을 오히려 부담스러워하고, 조직엔 관료주의가 침투해 중요한 결정을 미루고 일 처리가 늦어진다. 결국 비용은 늘어나고 성과가 저하된다. 이 단계의 복잡성은 나쁜 복잡성 혹은 가치 파괴적 복잡성이다. 기업이 지속 가능한 성장을 하기 위해서는 시간과 노력을 투자해 복잡성을 줄이고 진정한 단순함으로 나아가야 한다. 이 원리가 다음 그림의 복잡성 곡선complexity curve에 잘 나타나 있다. 복잡성이 임계점을 넘어서면 성과가 감소한다. 그것도 기하급수적으로 감소한다.

복잡성과 성과 간의 관계를 나타내는, 뒤집어진 'U'자 형태의 이 곡선은 2009년 데이비스J. P. Davis와 아이젠하트K. M. Eisenhardt, 빙엄C. B. Bingham이 처음 제시했다. 그들은 팀 게임에서 규칙이 점점 많이 추가될

수록 성과에 어떤 영향을 미치는지 측정했다. 처음에는 규칙이 증가할수록 성과가 향상됐으나 나중엔 오히려 악화됐다. 단순히 표현하자면, 규칙을 너무 많이 늘리면 팀의 초점을 흐려 성과에 부정적인 영향을 미치는 것이다. 사이먼 콜린슨 버밍엄대 교수는 이 연구를 실제 비즈니스 데이터에 적용해 기업의 복잡성과 이윤 간에 똑같이 뒤집어진 'U'자 형태의 관계가 있음을 입증해냈고, 이를 복잡성 곡선이라 부르기 시작했다.[18]

그는 기업의 복잡성 정도를 측정하기 위해 '글로벌 단순성 지수 Global Simplicity Index'를 고안했다. 대기업의 복잡성을 가져오는 주요 요소 18개를 측정한 지수이다. 그는 이를 측정하기 위해『포천』선정 200대 기업의 2005년부터 2010년까지의 자료를 분석해 1만 8000개의 데이

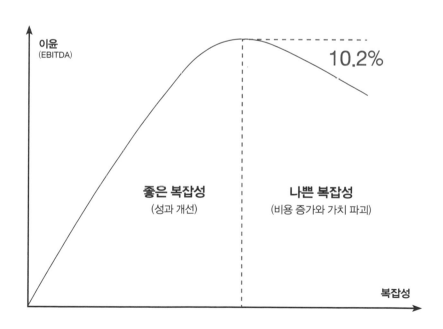

2장. 버려라

터를 추출했다. 콜린슨 교수는 이와 별도로 1000명 이상의 기업 중간 관리자들을 설문조사해 데이터를 수집했다. 그리고 이 데이터들을 이용해 기업 복잡성의 가장 중요한 원인과 그것이 성과에 미치는 영향을 알아내기 위해 다항 회귀 통계 모델 분석을 했다. 그 결과로 얻어진 것이 바로 뒤집어진 'U'자 형태의 복잡성 곡선이다. 그의 분석에 따르면, 모든 기업은 좋은 복잡성과 나쁜 복잡성을 함께 가지고 있으며, 나쁜 복잡성을 제거하면 성과를 향상시킬 수 있는 것으로 나타났다. 『포천』 200대 기업은 나쁜 복잡성의 결과로 이윤EBITDA의 10.2퍼센트를 낭비하는 것으로 나타났다. 나쁜 복잡성을 없애면 그만큼 이윤이 늘어날 수 있다는 의미다. 200개 기업을 합치면 잃어버린 이윤이 2370억 달러에 달하고, 1개 기업당 평균 12억 달러다.

복잡성 곡선의 개념은 이채욱 CJ 부회장이 말하는 '가위바위보' 이론과 비슷하다. 그는 자서전 『백만불짜리 열정』에서 이렇게 말한다.

"먼저 한 가지에 자원과 열정을 투입하는데, 이것이 곧 힘을 집중시킬 수 있는 '바위'에 해당한다. 이를 통해 이익을 낸 다음 관련 제품의 종류를 늘린다. 이것은 주먹을 펴서 만들어내는 '보'에 해당한다. 마지막으로 채산성이 나쁜 제품을 잘라내는 것은 마치 무성한 나뭇가지를 가위로 가지치기하는 것과 같은 원리이므로 '가위'다."[19]

나쁜 복잡성은 어디서 생기나

그렇다면 나쁜 복잡성은 어떻게 생기는 걸까. 콜린슨 교수는 300개 기업의 중간관리자와 고위관리자 500명 이상을 인터뷰, 복잡성이 발생하는 가장 흔한 원인이 무엇인지 조사했다. 그 결과 기업의 복잡성을 초래하는 100가지 이상의 원인을 추릴 수 있었다. 그것은 6가지 범주로 나눌 수 있었다. 즉 외부 환경, 전략, 사람, 조직, 프로세스, 제품과 서비스가 그것이다.

외부 환경이란 정부 규제나 리먼 쇼크 같은 사건, 경기 변동, 경쟁 기업이나, 소비자의 변화 등을 말한다. 전략이란 시장에서 승리하기 위해 어디에 집중할지에 관한 선택을 말한다. 사람이란 조직 구성원의 모든 행동을 말한다. 조직이란 기업의 사명을 달성하기 위해 구성원을 배치하는 방법을 말한다. 프로세스란 기업이 채택한 일 처리 공정을 말한다. 제품과 서비스는 제품의 가짓수, 디자인의 가짓수, 제품 포트폴리오의 구조를 말한다.

콜린슨 교수는 인터뷰를 통해 각각의 복잡성 원천이 성과에 어느 정도 악영향을 미치는지 파악해 수치화했다. '복잡성 충격 점수 Complexity Impact Score'가 그것이다. 그 결과 외부 환경 변수의 영향이 가장 컸지만, 전략 또한 그와 거의 비슷하게 큰 영향을 미치는 것으로 나타났다. 전략이 얼마나 복잡한지, 그리고 그것이 어떻게 변하는지는 사업의 전 부문에 파급되기 때문이다. 복잡성 충격 점수가 그다음으로 높은 것은 사람이었고, 조직, 프로세스, 제품과 서비스는 점수가 비슷했다.

'외부 환경'은 기업의 통제범위 밖에 있으므로 어쩔 수 없다고 생각할 수 있다. 그러나 같은 외부 충격을 받더라도 기업에 따라 반응은 다르게 나타날 수 있다. 어떤 기업은 보다 복잡한 전략과 프로세스, 조직으로 위기에 대응하는 반면, 어떤 기업은 더 단순한 길을 택한다. 즉 외부 복잡성이 내부 복잡성과 일치하는 것은 아니라고 콜린슨 교수는 말한다.

'전략'이 두번째로 큰 복잡성의 원천이라는 점은 아이러니하다. 왜냐하면 전략의 역할은 기업이 승리하기 위해 해야 할 일이 무엇인지에 대해 명확하고 일관성 있는 지침을 제공하는 것이기 때문이다. 콜린슨 교수의 인터뷰에 참가한 관리자 중 상당수는 일단 전략 입안 과정 자체가 너무 길고 복잡하다고 하소연했다. 방대한 기획서를 만드는 것만으로 기진맥진해지는 경우가 많다. 게다가 현장을 무시한 탁상공론인 경우가 많아 막상 현장에서는 일축당하기 일쑤다.

전략의 변화도 복잡성을 초래한다. 변화가 잦거나 변화의 방향이 뚜렷하지 않으면 관리자가 이를 전파하기 힘들고, 최악의 경우 회사에 해로운 일에 열심히 매달리게 하는 결과를 초래한다. 전략적으로 추진하는 프로젝트가 너무 많은 것도 문제다. 이럴 경우 관리자들이 너무 많은 일에 신경을 써야 해 각각의 프로젝트에 깊이 집중하지 못하고 수박 겉핥기식이 되기 쉽다.

이번엔 복잡성 충격 점수가 세번째로 높은 '사람'을 보자. 사람에 의해 초래되는 복잡성이란, 직원들이 마치 일부러 그러는 것처럼 간단한 일도 복잡하게 만드는 것을 말한다. 일 처리 프로세스와 조직구조, 커뮤니케이션, 제품 등 모든 것을 간단하게 처리할 수 있는데, 쓸데없이 복잡하게 만드는 것이다. 복잡성이 저절로 생겨날 리 없다. 우리 자신에 의해 생겨난다. 이런 의미에서 단순함의 기업문화를 심고 유지하는 것이야말로 관리자의 가장 중요한 사명이라 할 수 있다.

이번엔 '조직'의 복잡성에 대해 살펴보자. 조직이 거대해질수록 상층부와 현장의 거리는 멀어진다. 그러다보면 결국 실행력 없는 조직, 머리만 크고 허리와 다리는 약한 조직이 되고 만다. 조직의 복잡성을 초래하는 가장 대표적인 원인은 너무 복잡하고 많은 조직 내 계층layer 구조다. 이는 부서 간 소통을 어렵게 만들고 하부 조직들을 사일로silo 로 만든다. 사일로란 원래 '곡식과 목초를 쌓아두는 굴뚝 모양의 창고' 를 뜻하지만, '조직 내의 부서 간 장벽'이나 '부서 이기주의'를 가리키는 말로도 쓰인다.

조직이 커지다보면, 구성원, 특히 관리자들은 조직이 애초 만들어진 목적(병원이라면 환자 치료)에서 괴리되기 쉽다. 의사나 간호사에게 환자가 종從이 되고, 서류 처리가 주主가 되는 경우다. 실제로 간호사의 활동의 절반은 환자 간호와는 거의 상관없는 일들에 소비된다. 또 영업사원들은 활동 시간 가운데 3분의 1을 고객 방문보다는 보고서 작성에 소비한다. 피터 드러커는 이런 현상을 일컬어 "직무 충실화가 아니라 직무 궁핍화"라고 꼬집었다.

따라서 대규모 조직의 과제는 모든 구성원이 자신이 매일 하는 행위가 고객가치 창조에 어떻게 영향을 미치는지를 뚜렷이 이해하도록 하는 것이다. 요즘 기업 내부에서는 엄청난 경영 정보가 생산되지만, 전혀 사용되지 않거나 불필요한 정보도 많다. 만일 관리자들이 뭔가를 측정하고 보고하는 데 너무 많은 시간을 쏟는다면 경계 신호다.

'프로세스'의 복잡성은 세 가지 큰 원천에서 생겨난다고 콜린슨 교수는 분석했다. 핵심사업 프로세스의 복잡성, 생산 프로세스의 복잡성, 새로운 IT 시스템 도입에 따른 복잡성이 그것이다. '제품과 서비스' 의 복잡성은 새로운 제품과 서비스의 론칭, 관리해야 할 고객의 수, 고객 수요의 다양성에서 초래된다.

복잡성 문제를 줄이기 위한 첫번째 단계는 우리 회사에 어떤 종류의 복잡성이 어느 정도 자리잡고 있는지, 그리고 그중 성과에 가장 큰 영향을 미치는 게 무엇인지 파악하는 것이다. 즉 무엇을 버려야 할지 판단하는 것이 복잡성 관리의 시작이라고 할 수 있다.

최고의 기업들은 무엇을, 어떻게 버렸나
: GE, 도요타, 이케아의 단순화 프로젝트

앞서 GE가 단순화를 화두로 내걸었다고 소개한 바 있다. 여기서는 GE의 단순화 프로젝트가 어떻게 진행됐는지에 대해 소개할까 한다. GE의 단순화 프로젝트 중 가장 눈에 띄는 것은 보고의 단순화다. GE 계열사인 GE캐피털의 경우, 단순화 운동을 통해 보고서 수를 대폭 줄였다. 위험 관리 보고서는 43퍼센트, 영업 보고서는 33퍼센트, 운영 보고서는 67퍼센트를 감축했다. 이메일 없는 날을 지정하기도 했다.

또 GE는 2012년부터 매년 두 차례씩 모든 업무 분야를 대상으로 정성적 평가와 정량적 평가를 통해 조직의 단순화 성과를 지수로 측정하는데, 이멜트 회장은 각 조직장과 세계 각국 현지 CEO에게 매년 10퍼센트씩 점수를 올릴 것을 주문했다. 현지 CEO는 가장 간소화가 필요한 주제 하나를 직접 골라 스스로 개선해가도록 독려하고 있다. 성과급에도 단순화 달성 정도가 연동한다. 조직장이나 현지 CEO가 일정 인원 이상이 참석하는 모임을 가질 때는 반드시 단순화 문제도 거론하도록 한다.

또한 GE는 임직원에게 단순화를 각인시키기 위해 스크린세이버,

포스터, 엘리베이터 내 동영상 등을 통해 단순화의 필요성과 모범 사례를 지속적으로 전파하는 중이다. 웹사이트에 직원 누구나 제안을 올릴 수 있게 하고, 우수 제안자의 얼굴과 이름을 게시한다. GE는 단순화 운동을 효과적으로 실행하기 위해서는 위에서 아래로 전달하는 하향top-down 방식은 구호나 명령에 그칠 수밖에 없다고 보고, 아래로부터 임직원의 의견을 모아 세부 과제를 만들어 실행하는 상향bottom-up 방식을 함께 적용했다.

이같은 노력은 실질적인 업무 개선 효과로 나타나 GE캐피털의 경우 2013년에 측정한 업무 효율성 관련 7개 사내 임직원 설문조사 점수가 전년 대비 3~7점 올랐다. 2013년 GE 가전부문에서 새로 개발한 양문형 냉장고 역시 단순화 운동의 산물이다. 의사결정 단계를 줄여 통상 2년 이상 걸리던 신제품 개발 기간을 1년으로 단축했고, 고객이 진짜 바라는 것을 파악해 반영하면서도 제품을 최대한 단순화했다. 헬스케어부문에서는 환자에게 조직 검사가 필요할 때 용도에 따라 매번 새로 채취하던 관행을 고쳐 한 번 조직을 채취하며 여러 용도로 활용할 수 있는 신기술을 개발했다. 단순화라는 사고에 천착하면서 나온 성과라는 설명이다.

GE는 단순화의 추진력을 잃지 않기 위해서는 그것을 기업문화로 뿌리내려야 한다고 본다. 직원들을 설득하기 위한 논리의 하나가 '파레토 법칙'이다. 20퍼센트의 투입(시간, 자원, 노력)이 80퍼센트의 산출(결과, 보상)을 낳는다는 것이다. 이를테면 전체 제품의 20퍼센트가 매출의 80퍼센트를 차지한다. 그만큼 중요한 것을 선택해 집중하는 단순화가 중요하다는 의미다.

비즈니스 소프트웨어 분야 세계 1위 업체인 SAP의 빌 맥더멋[Bill McDermott] 사장 역시 2014년 6월 미국 플로리다 주 올랜도에서 열린 'SAP 사파이어 나우 2014' 콘퍼런스에서 "미래의 핵심가치는 단순화"라고 선언했다. 그는 "정보의 양이 늘어날수록 산업은 더욱 복잡해지기 마련인데, 누구도 복잡한 서비스를 좋아하지 않는다"며 "우리는 한 번의 클릭으로 모든 것을 할 수 있는 단순한 세계, 단순한 고객경험을 추구할 것"이라고 설명했다. 그는 또 "서비스가 쓰기 쉬울수록 소비자들이 지갑을 쉽게 연다"며 "모든 것이 연결되는 사물인터넷[Internet Of Things] 시대가 열리면 이런 트렌드는 더욱 중요해질 것"이라고 말했다.

SAP의 창업자이며 개인 대주주(지분 8.4퍼센트)인 하소 플래트너[Hasso Plattner] 감독이사회 의장도 비슷한 생각을 갖고 있었다. 그는 2014년 위클리비즈와의 인터뷰에서 "앞으로 SAP가 집중할 분야는 어디인가"라는 질문에 "단순화"라고 답했다. 그의 말을 그대로 옮겨본다.[20]

"나는 언제나 심플하길 원한다. 고객이 새로운 제품을 이해하기 위해 지나치게 에너지를 쏟는 것은 옳지 않다. 예를 들어, 새 차를 샀다고 하자. 차의 기능을 이해하기 위해 200페이지에 달하는 제품매뉴얼을 읽고 싶은 사람이 누가 있겠는가. 차가 와서 직접 말해주면 된다. 이것이 유저 인터페이스[user interface]다."

그는 20년쯤 전 미국에 갔을 때 GE의 전자레인지를 보고 큰 충격을 받았다고 말했다. "그 전자레인지는 '쿡앤드워치' 시스템이었다. 버튼은 하나뿐이다. 음식을 넣고 문을 닫고 버튼을 누르고 있으면 전자레인지가 작동한다. 손을 떼면 멈춘다. 이게 전부다. 그리고 음식이 나오면? 완벽하다. 미국식 디자인의 진수였다. 당시 독일산 전자레인지에는 조리 시간을 분, 초, 심지어 10분의 1초 단위로 설정할 수 있는 기능이 달려 있었다. 사람들이 원하는 건 이런 게 아니다. 그래서 시장에서 외면받았다. 앞으로는 유저 인터페이스의 시대다."

세계적인 자동차기업 도요타는 '종이 한 장 주의'라는 원칙을 갖고 있다. 신차 기획서 등 모든 프레젠테이션 자료를 원칙적으로 '종이 앞 뒷면 한 장'으로 만들도록 한 것이다.[21] 일본의 종합 생활용품 브랜드 무인양품無印良品, MUJI도 종이 한 장 원칙이 있다. 회의 때 제출하는 제안서는 무조건 A4 용지 한 장 이내여야 한다. 신규 출점 같은 대형 안건도 예외가 아니다. 종이 한 장이란 제약이 있기에 역설적으로 꼭 넣어야 할 데이터와 그래프는 무엇인지, 그것을 어떻게 효과적으로 전달할지를 더욱 고민하게 되었고 보고의 질은 더욱 높아졌다. 사실 이 '종이한 장' 원칙은 파워포인트가 보급되기 이전에는 그리 드문 것도 아니었다. 당시엔 워드프로세서와 풀, 복사기를 동원해야 해 자료를 만드는 일이 지금보다 훨씬 번거롭고 어려웠기 때문이다. 그러나 파워포인트가 널리 보급되고, 온갖 사진과 그래프로 화려한 치장을 하는 것이 대세인 요즘도 종이 한 장 원칙을 고수한다는 사실이 중요하다.

아마존도 비슷한 취지의 관습을 갖고 있다.[22] 회의에서 파워포인트나 슬라이드 프레젠테이션은 절대 사용하지 않는다. 그 대신 직원들은 발표할 내용을 여섯 페이지 이내의 산문 형식으로 써야 한다. CEO 제프 베조스Jeff Bezos는 그런 방법을 통해 비판적 사고를 기를 수 있다고 믿는다. 또한 아마존 직원들은 신제품을 개발할 때마다 언론 보도용 기사 스타일로 기획 제안서를 작성한다. 여기에는 고객이 제품을 처음 접할 때 관심을 가질 만한 내용이 담겨야 한다. 첫 신제품 회의는 모든 사람이 이 기획 제안서를 조용히 읽는 것으로 시작해 토론으로 이어진다.

단순화와 관련하여 주목해야 할 또하나의 기업은 이케아^{IKEA}다. 글로벌 가구기업 이케아의 상륙 소식으로 2014년 한국이 떠들썩했다. 이케아는 1943년 스웨덴에서 설립된 세계 최대 가구회사다. 2013년 매출이 한화로 약 40조원에 달했다. 반제품 형태로 재료와 부품을 납작하게 포장해 판매하며 고객들이 직접 조립해야 한다.

창업주 잉바르 캄프라드^{Ingvar Kamprad}는 '지독한 구두쇠 영감'이란 별명을 갖고 있다. 비행기는 이코노미석만 고집하고, 할인 쿠폰을 꼼꼼히 모은다. 여행 도중 목이 말라 호텔 룸 냉장고의 미니바에서 음료수를 마시게 되면 같은 종류의 음료수를 근처 할인점에서 사다 채워넣는다.

구두쇠 정신은 이케아 경영에 그대로 반영된다. 이케아 직원들은 양복을 입지 않는다. 400킬로미터 이내 거리의 출장엔 비행기를 탈 수 없다. 종이 한 장도 양면을 모두 사용한 다음 버려야 한다. 쓰레기도 그냥 버리는 법이 없다. 생산 과정에서 생긴 쓰레기 중 75퍼센트를 재활용한다. 폐타이어까지 직접 재활용해 쓸 정도다. 캄프라드 회장은 자신의 경영철학과 비전을 말하는 데 그치지 않고 책으로 만들었다. 1973년에 낸 『어느 가구상의 유언^{A Furniture Dealer's Testament}』과 1996년에 만든 『작은 이케아 사전^{A Little IKEA Dictionary}』이다. 이케아 사전은 각 항목을 주로 사례를 통해 설명하는 경우가 많다. "좋은 사례보다 더 효과적인 커뮤니케이션 수단은 없다"는 생각에서다. 이케아 사전은 18개의 단어에 대해 이케아만의 정의를 내리는데 항목에 '단순함'이 포함돼 있는 것이 눈에 띈다.

"단순함은 복잡한 단어다. 왜냐하면 사람들이 단순함의 뜻을 오해하는 경향이 있기 때문이다. 그것은 시계를 거꾸로 돌리는 것, 또는 컴퓨터나 현대 기술을 피하는 것과는 전혀 관계가 없다. 그것은 지저분한 옷이나 정돈되지 않은 사무실과도 관계가 없다. (…) 단순함이란 단어 뒤에 숨은 키워드는 효율성, 상식, 그리고 자연스럽게 일하는 것이다. 자연스럽게 일한다면, 복잡한 해결책을 피할 수 있다. 지켜야 할 규칙이 적고 지시사항이 짧을수록, 지키기 쉽고 자연스러워진다. 설명이 단순할수록, 이해하고 실행하기 쉬워진다. 단지 '설명이 전혀 필요하지 않을 만큼 단순한 일은 없다'는 것과, '하려는 일을 적절히 이해하지 않는 한 누구도 일을 즐길 수 없다'는 사실을 잊지 말자."

이케아 사전은 또 단순함의 적인 '관료주의'에 대해서도 설명한다. 관료주의의 원래 뜻은 '책상의 권력'인데, 통제하기 힘든, 지나치게 형식적인 행정 절차를 가리킨다고 한다. 회사가 관료주의에 빠져 있는지 아닌지에 대해, 이케아 사전은 다음과 같은 점검의 질문을 던진다.

"혹시 회의를 하는 데 너무 많은 시간을 쓰지는 않는가? 중요한 결정을 하기 위해 10명 이상이 모이지는 않는가? 15명 이상의 직원들을 직접 관리하고 있는가? 읽지도 않는 일일 보고서를 받아보고 있는가? 중요한 문제를 의논하기 위해 당신을 애타게 찾고 있는 사람들에게 전화할 시간이 없었던 날은 없었는가? 이 질문들에 한 가지라도 '그렇다'고 답한다면 당신은 관료주의 문제의 일부가 된 것이다."

잉바르 캄브라드가 단순함을 이렇게 강조한 것을 보면, 초일류 기업이 되는 데 단순함이란 필수 불가결한 모양이다. 사실 단순함은 조직 운영 차원뿐 아니라 정보 운용 차원에서도 중요하다. 나는 세계 3대 컨설팅회사 중 한 곳인 베인앤컴퍼니의 스티브 엘리스Steve Ellis 전 회장을 인터뷰한 적이 있다. CEO가 스마트하게 일하는 방법이 뭐냐는 질문에 그는 "'정보를 어떻게 걸러낼 것인가'와 늘 씨름하고 있다"고 말했다. 그는 양팔을 넓게 벌리면서 "요즘 세상엔 너무나 많은 정보와 데이터가 난무한다"며 한숨을 쉬었다. 데이터가 온갖 형태로 매일같이 쏟아지며 기하급수적으로 증가하고 있지만, 시간은 한정돼 있기에 이메일을 다 챙길 수도, 책을 다 읽을 수도, 사람들과 필요한 대화를 모두 할 수도 없다는 하소연이었다.

"그렇기 때문에 정보를 어떻게 걸러낼 것인가, 적절한 시기에 적절한 빈도로 적절한 정보를 어떻게 확보할 것인가를 고민해야 합니다. 정보를 위한 정보는 좌절감만 안겨줄 뿐입니다. 정보는 의사결정과 실행으로 연결될 때만 의미를 갖습니다. 그리고 정보는 지식의 단계가 돼야 비로소 의사결정으로 연결됩니다. 그렇기 때문에 정보를 어떻게 체계적으로 정리해 이로부터 지식을 끌어낼 것인가를 고민해야 합니다."

사실 우리는 알고자 하는 내용을 스스로 제한해감으로써 그것을 더욱 잘 음미하는 법을 배울 수 있다. 그래서 우리는 정보 전문가가 아니라 의사결정자가 되어야 한다. 데이터 자체는 아무런 의미를 만들어내지 못하고, 우리 귀에 들어오는 정보의 99퍼센트는 아무 쓸모 없는 노이즈라 해도 과언이 아니기 때문이다. 에디슨 이후 최고의 발명가로 불리는 미래학자 레이 커즈와일은 『특이점이 온다』에서 비슷한 말을 한다.

"정보는 지식이 아니다. 세상에 정보는 넘쳐난다. 그중 유의미한 패턴을 밝혀내고 처리하는 것이 지능의 몫이다. 가령 우리 몸은 초당 수백 메가비트의 정보들을 감각이라는 형태로 받아들인다. 하지만 대부분은 지능적으로 폐기된다. 오직 핵심적인 인식 내용이나 통찰만 간직된다. 지능은 정보를 선택적으로 파괴하여 지식을 엮어낸다."[23]

요즘은 세네갈에 사는 고등학생도 뉴욕에서 일하는 대기업 CEO와 거의 같은 수준의 정보를 접할 수 있는 시대다. 정보는 사방에 널려 있다. 이런 시대에 기업을 차별화하는 요소 중 하나는 천문학적으로 늘어나는 정보를 '어떻게' 이용하느냐이다. 즉 조직이 얼마나 효과적으로 의미 있는 정보를 찾고, 그것을 평가해 새로운 지식으로 전환할 수 있는지, 그리고 정보의 경제적 잠재력을 최대화할 수 있는지가 경쟁력의 관건이 됐다. 99퍼센트의 노이즈 안에서 1퍼센트의 시그널을 찾아낼 수 있는 사람과 기업만이 성공할 수 있다.

정보의 홍수 속에서 '헛똑똑이'가 되지 않는 법

요즘 빅데이터Big Data란 말이 유행하고 있다. 어느 정도가 '빅'이냐에 대한 정의도 계속 상향 조정돼 요즘은 엑사바이트(2의 60승) 정도는 돼야 빅데이터 행세를 할 수 있다.

미국의 사회비평가 닐 포스트먼은 『죽도록 즐기기』라는 책에서 조지 오웰과 올더스 헉슬리의 미래 예언을 비교했다.[24] 두 사람은 서로 다른 각도에서 우울한 미래상을 그렸다. 사람들은 조지 오웰의 『1984』를 더 많이 기억하지만, 그것 못지않게 으스스한 예언이 바로 올더스 헉슬리의 『멋진 신세계』다. 오웰의 1984년은 30년이 지나 박제될 처지에 놓였지만, 헉슬리의 예언은 현실이 되어가고 있다.

오웰은 우리에게서 정보를 박탈할 사람을 두려워했다. 반면 헉슬리는 우리한테 너무 많은 정보가 주어져 우리가 수동적인 존재가 될 것을 두려워했다. 오웰은 진실이 감춰질 것을 두려워했다. 반면 헉슬리는 정보의 홍수 속에서 진실이 익사할까봐 염려했다. 오웰은 우리 문화가 유폐된 문화가 될까봐 두려워했다. 반면 헉슬리는 우리의 문화가 시시하고 사소한 것만 넘치는 하찮은 문화로 전락할까봐 걱정했다.『1984』에서는 고통을 줌으로써 사람들을 통제한다. 반면『멋진 신세계』에서는 즐거움을 제공함으로써 사람들을 통제한다.

헉슬리가 다시 살아나 엑사바이트의 데이터(물론 그 대부분은 시시하고 사소한 것이다)가 빛의 속도로 파급되는 현황을 본다면 땅이 꺼져라 한숨을 내쉴 것이다. 헉슬리는 하찮은 문화의 온상으로 TV를 주목했다. 하지만 그 뒤에 닥친 인터넷의 파괴력은 TV와는 비교도 되지 않는 것이었다. 헉슬리를 안심시키려면 우리는 정보의 홍수 속에서 헛똑똑이가 되는 것을 경계하고, 그 속에서 의미를 찾는 데 촉각을 곤두세워야 한다.

빅데이터 전문가인 수잔 에트링거 알터미터그룹Altimeter Group 산업 애널리스트는 그런 기술을 연마하려면 먼저 인문학과 사회학, 사회과학, 수사학, 철학, 윤리학 같은 데 더 많은 시간을 쏟으라고 충고한다.[25] 그런 것들이야말로 우리의 비판적 사고력을 키워 빅데이터 분석에 그토록 중요한 맥락context을 찾게 하는 열쇠가 되기 때문이다. 또한 그럼으로써 우리는 확증 편향(자신의 신념과 일치하는 정보는 받아들이고 일치하지 않는 정보는 무시하는 경향)과 잘못된 인과관계의 오류(단순 선후관계의 사건을 인과관계로 잘못 해석하는 것)를 피할 수 있다.

비판적 사고력은 이 시대에 더 중요하다. 엑사바이트의 데이터를 광속으로 처리할 수 있는 이 시대에는 잘못된 결정도 과거보다 훨씬 자주 할 수 있으며, 그런 결정이 세상에 미치는 영향도 훨씬 클 것이기 때문이다. 사실 정보의 양으로만 따진다면 2008년 금융위기 같은 사태는 발생하지 않았어야 했다. 주변을 둘러보라. 하루에도 얼마나 많은 경제 보고서가 쏟아지고, 블룸버그엔 얼마나 많은 정보가 쌓여 있으며, 경제학 논문에 등장하는 수학 모델들은 얼마나 정교한가. 하지만 그 무엇도 2008년의 세계 금융위기를 예측하지 못했다.

이기려면 우선 버려야 한다, 바둑에서 배우는 버림의 미학

버림의 중요성과 의미를 가장 잘 배울 수 있는 분야 중 하나가 바둑이다. 위클리비즈가 인터뷰한 해외 경영자 중에 바둑을 좋아하는 사람이 있었다. 인터넷 홈페이지에서 사용하는 검색엔진 '팩트 파인더 FACT-Finder'를 개발한 오미그론Omikron이라는 IT회사의 창업자이자 사장인 카스텐 크라우스Carsten Kraus이다. 그는 22년 전 친구에게 처음 바둑을 배웠고, 한때 유럽 챔피언십 대회에도 나갔다(5급인 그는 예선 탈락했다). 그는 여전히 바둑을 즐기고 종종 회사에서 직원들과도 둔다. 직원 중 3명이 바둑을 둘 줄 알고 독일 챔피언 자리에 올랐던 6단도 있다. 그는 두 가지 면에서 바둑은 경영과 비슷하다고 말했다.

"체스가 처음부터 16개 말을 가지고 시작한다면, 바둑은 아무것도 없이 빈손으로 시작합니다. 이건 꽤 현실적입니다. 우리 모두 가진 것 없이 시작하니까요."[26]

바둑에서 무無의 의미를 발견한 셈이다. 그는 그야말로 빈손으로 회사를 세웠다. 1988년 대학 시절 검색기술 하나만 들고 IT업계에 도전했다. 한때는 회사가 거의 망할 뻔한 위기에 처한 적도 있지만 꾸준히 버티고 살아남아, 지금은 유럽의 온사이트on-site 검색엔진부문에서 80퍼센트의 점유율을 자랑하는 1등 기업이 됐다. 그는 바둑이 경영과 비슷한 두번째 측면으로 '상생'을 꼽았다.

"체스가 상대를 파괴하는 게임이라면, 바둑은 라이벌을 두고 때로는 경쟁, 때로는 협력하면서 자신의 세력을 키우는 것이 더 중요한 게임입니다. 비즈니스도 그렇습니다. 체스처럼 늘 상대보다 좋은 성과를 내려 하고, 상대를 없애버리려고만 한다면 복수가 복수를 낳고 시장은 무너집니다."

크라우스 사장은 바둑과 경영이 비슷하다고 했지만, 바둑은 단순화와도 비슷하다. 바둑 역시 버리는 것이 가장 중요하기 때문이다. 바둑 둘 때 마음에 새겨야 할 10가지 격언을 담은 '위기십결圍棋十訣' 중 버리기에 관한 것이 4가지나 된다.[27] 작가이자 바둑 애호가인 장석주는 『인생의 한 수를 두다』에서 "바둑에서 버리는 것은 정말 중요한 덕목"이라고 말한다.

위기십결 중 첫번째가 '부득탐승不得貪勝'인데, '이기려면 먼저 이기려는 마음을 버려라'라는 의미이다. 치열한 승부의 장인 바둑에서 이기려는 마음을 버리고서 어떻게 이길 수 있을까? 그런데 버려야 한다. 이기는 데만 집착하면 여유가 없어져 마음이 굳고, '지면 어쩌나?' 하는 불안이 커진다. 이는 통찰력의 싹을 잘라버린다. 또한 마음이 흐려져 나아갈 때 과감히 나아가지 못하고 물러설 때 물러나지 못한다. 물론 고수도 대국에 임할 때는 승리가 목적일 수밖에 없다. 하지만 그들은 욕심만으로 결코 이길 수 없다는 사실을 산전수전 다 겪으며 체득한 사람들이다. 그들은 평정심을 유지하면서, 판세를 균형 있게 바라보고, 정확하게 판단하는 것이 승리의 조건이라는 것을 알고 있다. 고수는 상대가 아니라 자신의 마음과 싸운다. 이창호 9단의 돌부처 같은 모습을 떠올려보라. 그는 상대가 누구든 무심하다. 상대를 의식하지도 승부를 탐하지도 않고 마음을 고요한 데 둔다.

고수끼리는 장르를 넘나들며 통하는 모양이다. 2014년 인천아시안게임에서 손연재가 한국인 최초로 리듬체조 금메달을 딸 수 있었던 데에는 하루 8시간의 혹독한 훈련 못지않게 멘털 트레이닝의 힘도 컸다. 멘털 트레이닝을 도와준 조수경 박사에 따르면 손연재는 메달이나 순위, 점수를 궁극적인 목표로 삼지 않는다고 한다.[28] 대신 '행복한 리듬체조 선수가 되는 것'을 목표로 정했다. 그리고 '나만이 가진 아름다움을 표현하면서 스스로 감동하고, 지켜보는 사람들에게도 그 감동을 전하는 것'으로 행복을 정의했다. 결과보다는 만족도를 성공의 기준으로 삼으면서 무거운 부담감도 떨쳐낼 수 있었다는 것이다.

하지만 초일류 프로기사조차 평정심을 유시하기란 쉽지 않다. 대개 프로기전 결승은 다섯 번이나 일곱 번 대국을 해서 승부를 가리는데, 2승이나 3승을 거둔 기사가 그 뒤에 내리 3패나 4패를 하며 지는 경우가 적지 않다. 2승이나 3승을 먼저 거둔 기사는 유리한 고지를 선점했다는 바로 그 사실 때문에 욕심이 생긴다. 그러나 상대방은 마음을 비우고 바둑을 두기에 승부를 뒤집을 수 있는 것이다. 무릇 승부에 임할 때 자만해서는 안 된다. 그러나 이겨야 한다는 생각 때문에 어깨가 굳어서도 곤란하다. 그 미묘한 균형을 『미슐랭 가이드』 최고 점수를 21년째 유지하고 있는 프랑스 요리사 피에르 가니에르Pierre Gagnaire는 이렇게 표현했다.[29] "세계 최고 요리사라는 자의식이 생기는 순간, 끝이다. 자만심으로 이어지기 때문이다. 그래서 평소 늘 '약간' 걱정하면서 산다. 긴장감을 유지하는 데는 약간의 걱정이 필요하다. 자신을 해치지 않는 선에서 걱정을 세심하게 통제할 수 있다면 말이다."

두번째는 '기자쟁선棄子爭先'이다. 작은 것은 버리고 선수先手를 잡으라는 의미다. 바둑에서 이기기 위해 돌 몇 점을 희생시키는 일은 흔하게 일어난다. 하수는 돌에 집착하지만, 고수는 돌을 아끼되 버려야 할 국면에서는 과감하게 버린다. 하수와 고수의 차이는 그 돌이 살릴 가치가 있느냐 없느냐를 정확하게 판단하는 능력에서 나타난다.

스피드가 중요한 현대 경영에서도 선수를 잡는 일은 중요하다. 2014년 말 재계를 깜짝 놀라게 한 삼성그룹과 한화그룹의 2조원대 빅딜은 한화의 오퍼부터 계약까지 3개월밖에 걸리지 않았다. 삼성이 매물로 내놓은 삼성테크윈, 삼성종합화학에 대한 한화측의 실사實査가 본격적으로 시작되지 않은 상태에서 양측은 계약 타결을 선언했다. 두 그룹 모두 격변하는 외부 환경에 휘둘리지 않고 시장에서 선수와 주도권을 잡기 위해 작은 이해관계를 버렸다고 볼 수 있다.

세번째는 '사소취대捨小取大', 즉 작은 것은 버리고 큰 것을 취하라는 뜻이다. 앞에 설명한 '기자쟁선'과도 일맥상통한다. 장석주는 '사소취대'의 의미를 두고 이렇게 말한다.

"눈앞의 이익을 포기한다는 것은 생각만큼 쉬운 일이 아니다. 멀리 내다보는 자만이 눈앞의 이익을 내려놓을 수 있다. 발상의 전환이 있어야 가능한 일이다. 크게 성공하는 사람은 남이 생각하지 않는 것을 상상하고, 남이 가지 않는 길을 간다. 그게 창의의 길이다."

네번째는 '봉위수기逢危須棄'다. '위기에 닥쳤을 때는 과감하게 버려라'라는 뜻이다. 위기에 빠진 작은 돌을 살리려고 끌고 나오다보면 어느덧 덩치가 커져 대마가 되고 바둑이 고달파진다. 곤마를 겨우 살리더라도 결국 지고 만다. 물론 살길이 있으면 살려야 하지만, 도저히 가망이 없거나 살더라도 큰 대가를 치러야 한다면 미련 없이 버리는 것이 상책이다. 하수와 고수의 차이는 결단의 시기에서 갈라진다. 바둑뿐 아니라 인생에서도 그렇다. 무엇을 버리고 무엇을 취할 것인지를 빨리, 제대로 결정하는 사람과 기업만이 승기를 거머쥘 수 있다.

버리지 않으면 버려진다. 단 하나의 목표를 택하지 않으면 자신이 이루고자 하는 꿈으로부터 버려진다. 핵심에 집중하지 못하고 복잡하고 불필요한 것들을 버리지 못한 기업은 고객으로부터 외면받기 십상이다. 생존을 위해 버림은 필수라고 할 수 있는 이유다.

하수는 드러내고
고수는 감춘다

노자의 말 중 '대교약졸大巧若拙'이란 것이 있다. 큰 솜씨는 오히려 서툴게 보인다는 뜻이다. '진짜 약은 놈은 표도 안 낸다'는 말과 통한다. 유홍준 교수는 조선 달항아리의 예를 들어 이를 설명한다. 조선의 달항아리가 가진 아름다움은 "완벽한 원이 아니고 일그러진 것 같지만, 너 그럽고 손맛이 있고, 여백이 있고, 우리를 받아들일 수 있는 대교약졸에 있다"는 것이다.[30]

"불완전성, 그것이 불완전해서 불완전하거나 미숙해서 미숙한 것이 아니라는 것. 완벽한 것에는 오히려 우리가 감정이입할 수 있는 여백이 없는데 어딘가 관객도 같이 호흡할 수 있는 여백까지 주는, 더 높은 차원의 미학이라는 게 있다."

비슷한 맥락에서 노자는 "완전히 이룬 것은 오히려 모자란 듯하고

大成若缺, 완전히 가득찬 것은 빈 듯하며大孕若沖, 완전한 웅변은 눌변처럼 보인다大辯若訥"고 했다. 포르투갈 화가 프란치스코 데 홀란다는 미켈란젤로의 작품에 탄복해 쓴 『회화에 대한 대화 네 가지Quatre dialogues sur la peinture』라는 책에서 대교약졸의 서양 버전을 이야기했다.

"그림을 그릴 때 가장 고심해야 할 것은 엄청난 양의 노동과 땀으로 작품을 완성해야 하지만, 그림이 완성된 뒤에는 매우 손쉽게 그려진 것처럼 보여야 한다는 점이다."

일본의 전통 미의식을 표현하는 '와비사비侘寂'란 말이 있는데, 이 역시 대교약졸에 맞닿아 있다. 와비사비란 불완전, 덧없음, 미완성의 아름다움을 의미한다. 자연에 대한 존중, 자연과의 조화로운 공생이란 의미도 녹아 있다.[31]

와비란 원래 '훌륭한 상태에 대한 열등한 상태'를 뜻하는데, 의미가 바뀌어 간소하거나 소박하다는 뜻을 지니게 되었으며, 소유하지 않고 가난한 상태로 해석되기도 한다. 또한 사회적 지위와 같은 세속적인 것에 얽매이지 않음을 의미한다. 사비는 한적하고 고독함을 뜻하는데, 아무도 없는 해변을 혼자 걸으면서 생각에 빠질 때를 연상하면 된다. 요컨대 와비사비는 결핍과 한적함 속에서 오히려 풍성함을 느끼는 경지를 말한다. '와비사비의 영향을 받은 디자인'이란 표현이 가끔 등장하는데, 번잡함 없이 단순한 모습으로 미를 표현하며 과시적이거나 장식적이지 않은 디자인을 일컫는다. 결핍의 아름다움은 서서히 조금씩 드러난다. 그리고 서서히 드러나기 때문에 더 깊이 다가온다.[32]

버림의 두번째 정의는 대교약졸, 즉 감춤의 정신이다. 버린다는 것은 과시하지 않고 내세우지 않으며 자신의 내공을 갈고닦는 우직함을 뜻한다. '절제'라고도 표현할 수 있다. 정도를 넘어서는 것은 버리고 또 버려 오직 정수만 남기는 것이다.

소비자에게 기술을 자랑하는 것은
하수나 하는 짓이다
: 프리미엄 오디오 브랜드 보스의 '소비자 중심 경영'

사실 대교약졸은 좋은 글쓰기, 좋은 기사의 덕목이기도 하다. 글쓰기의 고수일수록 자기 목소리를 절제하고 자기 지문을 남기지 않는다. 새뮤얼 프리드먼은 앞서 언급한 책 『미래의 저널리스트에게』에서 고수와 하수의 차이를 이렇게 설명한다. "하수들은 자기가 전하는 이야기를 통해 어떤 감정 상태나 메시지를 독자들에게 전달하려고 안달이다. 그것이야말로 억지춘향이다. 그 반대로 해야 한다. 거의 눈에 띄지 않도록, 극도로 절제해야 한다. 기자가 원하는 감정이나 메시지를 독자 스스로가 움켜쥐었다고 생각하도록 아주 조심스럽게 유도하기, 그게 바로 좋은 기자, 좋은 이야기의 정답이다."

기업 세계에서 절제의 최고수 중 하나는 구글이다. 구글은 기능이 많다. 나는 지메일이나 구글문서 등을 적극적으로 활용하는 편이지만, 구글로 할 수 있는 일은 그보다 훨씬 많다. 그럼에도 구글은 심플하다. 구글처럼 복잡한 기업이 너무나도 단순해 보이는 것은 매우 역설적이다. 툴바의 색깔을 결정하기 위해 41가지에 이르는 다양한 파란색을 테스트하는 회사인데 말이다. 뒤에 야후로 옮겨 사장이 된 마리사 메이어

Marissa Mayer는 구글 부사장으로 일하던 시절 구글을 맥가이버 칼에 비유했다.

"저는 구글이 마치 맥가이버 칼과 같다고 생각합니다. 깔끔하고 심플해서 어디에든 가져가고 싶은 도구죠. 만약 당신이 어떤 도구를 필요로 한다면 이 사랑스러운 녀석을 꺼내보세요. 당신이 원하는 도구가 거기 있을 겁니다. 구글은 맥가이버 칼처럼 할 수 있는 모든 것을 일일이 보여주기보다는 칼을 사용하는 방법에 대한 정보를 알려주려고 합니다. 모든 링크를 턱 앞에 갖다주는 게 아니라 검색창에 질문을 입력하게 하는 것입니다. 이 방법은 아주 효과적입니다. 기능이 681개나 되는 칼의 기능을 보여주면 당신은 놀랄 겁니다. 다른 사이트들은 실제로 그런 식으로 당신을 놀라게 만듭니다. 안을 들여다보면 구글도 사실은 그렇게 복잡하게 구성되어 있습니다. 그러나 맥가이버 칼이 닫혀 있는 것처럼 우리는 간단하고 실용적인 인터페이스만을 제공합니다."[33]

구글은 자신들이 가진 다양한 기능은 굳이 내세우지 않는다. 오히려 감추고 숨긴다. 이로써 고객에게 구글의 서비스는 '단순하고 편리하다'는 이미지를 심어주는 것이다. 그야말로 절제의 대가라 할 수 있다. 아이팟, 아이폰, 아이패드를 디자인한 애플의 수석 디자이너 조너선 아이브의 디자인철학도 '디자인이 보이지 않게 하라'이다. 그는 이렇게 말한 적이 있다. "디자이너가 이렇게 말하면 의아해할지도 모르지만, 나는 디자이너가 내 면전에 대고 자신의 꼬리를 흔들고 있는 것 같은 제품을 접할 때 정말 짜증이 난다."

프리미엄 오디오 브랜드인 '보스' 역시 구글 못지않은 절제의 대가다. 보스의 CEO 밥 마레스카Bob Maresca는 위클리비즈와의 인터뷰에서

절제의 미덕을 강조했다.[34]

"보스는 뛰어난 기술을 많이 갖고 있습니다. 그러나 그걸 굳이 고객에게 자랑하고 과시할 필요가 있나요? 고객이 원하는 것은 저항 옴Ω의 숫자 같은 게 아니라 듣기 좋은 음악일 뿐입니다. 우리는 고객에게 좋은 '음악적 경험'을 주는 게 목표지, 그들에게 좋은 '기술적 경험'을 주는 게 목표가 아닙니다. 뛰어난 기술력을 과시하려 하지 말자, 그 대신 고객의 경험이라는 것에 집중하자, 그걸로 고객이 겪는 문제를 해결하자. 이게 우리가 생각하는 관점입니다."

애플이 PC와 스마트폰에서 '심플'을 추구해 왕좌에 올랐다면 보스는 오디오산업에서 심플을 추구해 왕좌에 올랐다. 2013년 작고한 이 회사의 창업자 아마르 보스Amar G. Bose 박사도 스티브 잡스에 비견된다. 잡스가 전문가들이나 쓰던 거대하고 복잡한 메인프레임 컴퓨터를 누구나 쓸 수 있는 데스크톱으로 만든 것처럼, 보스 박사는 소수 애호가가 쓰던 복잡한 오디오장치를 초보자도 쉽게 쓸 수 있는 간단한 제품으로 만들었다. 1960~1970년대에는 집에서 좋은 음악을 들으려면 고급 오디오를 파는 가게로 가서 턴테이블과 프리앰프(전치증폭기前置增幅器), 앰프, 리시버, 스피커를 사고, 엔지니어를 통해 이 기계들을 좋은 케이블로 잘 연결해야만 했다. MIT 교수로 있다가 1964년 보스를 창업한 보스 박사는 이렇게 말하곤 했다.

"자, 만약 음식을 차갑게 해서 오랫동안 보존하고 싶다면, 당신은 냉장고를 살 겁니까, 아니면 가게에 가서 압축기, 냉각기, 냉매, 문짝을 산 다음 조립할 겁니까? 이건 미친 짓이에요. 그냥 음식이 차갑기만 하면 된다고요. 마찬가지입니다. 사람들은 가게에 가서 오디오장비를 따로따로 산 다음, 이걸 연결하고 조정하고 싶어하지 않아요. 좋은 음악을 원할 뿐이라고요!"

그의 말은 정확했다. 고객에게 단순함과 편리함을 제공한 보스는 창립 50년 만에 25억 달러 매출을 올리는 글로벌 기업으로 성장했다. 그동안 사람들이 음악을 듣는 방식에도 일대 변화가 있었다. LP로 듣다가 CD로 옮겨갔고, 이제는 인터넷 방송국이나 아이튠즈 같은 음악 서비스를 통해 음악을 듣는다. 그러나 보스의 목표는 예전이나 지금이나 같다고 마레스카 사장은 말했다. "전원 버튼을 한 번 누르는 것만으로 최고 수준의 음악을 들려주는 것"이다.

보스의 오디오기기는 우퍼(저음을 내주는 별도의 스피커)나 이퀄라이저(음향을 조절하는 장치)가 붙어 있지 않은 것이 특징이다. 그런데도 풍부한 저음과 안정된 음색을 들려준다. 제품은 검은색과 흰색 위주의 깔끔한 디자인으로 만들어져 있고 심지어 크기도 작다. 복잡하게 설치할 필요도 없이 파워케이블을 꽂고 전원 버튼만 누르면 음악이 나온다. 보스가 추구하는 제품은 "매뉴얼이 필요 없을 만큼 간단하고 직관적인 제품"이라는 것이 마레스카 사장의 설명이다.

"우리는 제품 개발 단계부터 엔지니어에게 강조합니다. '어머니들이 쓸 수 있게 하자, 내 조카나 이웃이 쓸 수 있게 하자'라고요. 지난 수십 년간 고객을 연구한 결과, 고객들이 제품을 사용할 때 가장 중요하게 여긴 것은 '간단한 사용방법'이었다고 우리는 내부적으로 결론을 내렸습니다."

보스가 다른 오디오 브랜드와 가장 크게 차이를 보이는 부분은 '고객 중심적인 사고'다.

143

"우리는 음악의 가치에서 두 부분이 중요하다고 생각합니다. 하나는 어떻게 하면 훌륭한 음질을 재생할 것인가, 또하나는 어떻게 하면 그것을 더 자주 들을 것인가입니다. 많은 오디오회사가 어떻게 하면 더 좋은 음질을 재생할 것인가에 초점을 두고 있어요. 그러나 복잡한 설치와 설비가 필요하지요. 좋은 음악을 듣는 건 좋은 일입니다. 그러나 그 과정이 소비자 입장에서 너무 어렵다면 자주 듣지 않게 될 겁니다. 그래서 저는 '쉬운 경험easy experience'에 대해 말해보고자 합니다. 당신은 노트북 컴퓨터나 스마트폰으로 음악을 들을 겁니다. 음질이 아주 훌륭하지 않지만, 쉬운 만큼 자주 듣죠. 좋은 음악을 더 자주 들을 수 있다면, 고객은 더 많이 행복해지겠지요? 보스가 추구하는 음악이 바로 이런 것입니다."

그러나 고객이 좋은 음악을 쉽게 즐기려면 기업 입장에선 엄청난 노력이 필요하다. 마레스카 사장에 따르면 대표적인 것이 배터리 기술이다. 요즘은 모바일 기계가 점점 늘어나다보니 배터리 수명이 굉장히 중요한 이슈가 됐다. 배터리 수명을 늘릴수록 고객은 쉽게 즐길 수 있다. 자주 충전하지 않아도 되기 때문이다. 하지만 말처럼 쉬운 일이 아니다. 물론 기술 개발 없이도 배터리 수명을 두 배 이상 늘릴 수 있는 방법이 있다고 한다. 조금 작은 소리로 들으면 된다는 것이다. 그러나 사용자들은 그렇게 하고 싶지 않을 거라고 마레스카 사장은 설명한다. "억지로 작게 듣는 게 어떻게 좋은 경험이라고 할 수 있겠냐"는 것이다. 마찬가지로 '저음(베이스)'을 없애면 배터리 수명을 대대적으로 늘릴 수 있지만, 그 역시 사용자에게 좋은 경험은 아니라고 한다.

그래서 보스는 소리도 크게, 저음도 빵빵하게 틀면서, 기계의 크기는 작고, 배터리는 오래가는 제품을 만들고자 총력을 다한다. "목숨을 걸 만큼 기술 개발에 집중하라"는 창업자의 뜻에 따라 창립 이래 회사 순익의 대부분을 고스란히 R&D에 투자하고 있는 것이다.

"우리는 경쟁자들을 살펴보려고 하지 않습니다. 대신 소비자들을 봅니다. 그리고 그들의 문제점을 해결해나가는 겁니다. 보스가 지난 50년간 이어져올 수 있었던 핵심이유는 '다 한 게 아니다We've never done'라는 기업문화 때문이라고 생각합니다. 우리는 대학 연구실에서 막 태어난 1964년, 그때와 같은 열정을 유지하기 위해 최선을 다할 겁니다."

보스 박사는 오디오업계에서 UX, 즉 사용자경험의 원조 격이다. 그는 전기공학도였지만 실험심리학에 관심이 많아 심리음향학psychoacoustics을 연구했다. 사람들이 소리를 어떻게 지각하는가가 그의 연구 주제였다. 그가 생각하는 좋은 소리란 물리적 음향이 아니라 사람이 듣기 좋은 음향이었다. 그의 눈은 늘 소비자를 향해 있었다.

보스는 소비자의 '쉬운 경험'을 위해 온갖 기술과 노력으로 '단순한 제품'을 만들되 그것을 제품 어디에도 과시하지 않는다. 보이지 않는 복잡한 노력으로 탄생한 '절제된 오디오', 이것이 보스가 오디오계의 애플로 자리잡은 결정적 이유다.

마케팅에서도 대교약졸이 필요하다. 현명한 브랜드들은 튀는 것을 의도적으로 피한다. 이를테면 호주 태생의 화장품 브랜드 이솝Aesop은 "소리치기보다는 귓가에 속삭인다"는 커뮤니케이션철학을 갖고 있다. 이 회사는 소비자 친화적, 이미지 과대포장 같은 일반적인 마케팅 방식을 거부한다. 매체에 광고도 하지 않는다. 또 이 회사는 모든 제품에 방부제를 쓰지 않는 것을 원칙으로 하지만, 자연주의 콘셉트로 프로모션하지 않는다. 자칫 오가닉이나 자연 성분이라는 말이 불러올 수 있는 오해를 막기 위해서라고 한다. 브랜드의 약속이 넘쳐나는 이 시대에 이솝처럼 자신이 가진 만큼만 솔직하게 보여주는 소박한 커뮤니케이션에 대해 고민해볼 필요가 있다.

그러나 하수들은 어떻게든 튀려고 한다. 디자인 분야가 특히 그렇다. 사람들은 '디자인'이란 단어를 들으면 뭔가 특별한 것을 생각한다. 이 때문에 디자이너들은 사람들로부터 '특별하지 않다'는 말을 들을까봐 두려워하고 어떻게든 튀려고 애쓰게 되었다. 그러나 산업 디자이너 후카사와 나오토와 재스퍼 모리슨은 이런 태도가 모두 "실생활과 동떨어진 환상에 빠져 있는 것"이라고 주장한다. 그들이 생각하는 바람직한 디자인은 '부재'와 '모순'이다. 부재란 '감추는 능력'이다. 모순이란 '평범한 동시에 특별한 것'을 말한다. 그들은 이런 디자인철학을 '슈퍼노멀super normal'이라고 부른다. 평범하면서도 결코 진부하지 않은 것들을 디자인한다는 의미다.

"슈퍼노멀은 아름다움을 디자인하기보다는 편안해 보이고 기억에 남을 일상적 요소를 디자인하는 데 더 관심을 둔다. 화려하거나 혹은 시선을 사로잡는 그런 것이 절대 아니다. 의도적으로 꾸미지 않았지만 '아니다' 싶으면서도 어딘가 끌리는 그런 매력이다. 마치 새로운 디자인을 기대하면서 무언가를 바라볼 때, '별로네' 혹은 '그저 평범하네' 하는 부정적 첫인상이 '근데 썩 나쁘지 않네' 하고 바뀌는 것과 같다고 할까. 처음의 감성적 거부감을 극복하다보면, 육감적으로 왠지 오래전부터 알고 있었던 듯한 매력을 느끼고, 이상하게도 친숙한 끌림이 있다."[35]

절제와 단순미는 현대의 바로크주의

요즘 각광받는 디자인은 대체로 슈퍼노멀과 같은 절제와 단순미를 추구한다. 아이팟을 비롯해 주변의 많은 제품이 그렇다. 런던 디자인뮤지엄 관장이자 건축디자인 평론가인 데얀 수직Deyan Sudjic은 이런 추세를 '바로크적 미니멀리즘'이라고 표현했다. 바로크는 장식 과잉이 특징이고 미니멀리즘은 단순함과 간결함을 추구하므로, '바로크적 미니멀리즘'이라는 단어는 굉장히 모순적이다. 과연 무슨 의미일까?

김신 대림미술관 부관장은 그 의미를 이렇게 설명한다.[36] 대량생산이 불가능한 시대에 장식적인 물건은 부자들만 누릴 수 있는 호사였다. 이집트의 피라미드나 그리스의 고전 건축물은 처음 만들어졌을 때 황금으로 뒤덮였다. 그 정점에 바로크가 있었다. 바로크는 울퉁불퉁한 돌을 가리키는 포르투갈어 '바로코barroco'에서 온 말이다. 기교가 과장되고 역동적이며 대담한 스타일을 뜻한다. 절정기인 17세기 바로크 건축은 직선이 하나도 보이지 않을 만큼 현란한 곡선의 장식으로 복잡하게 얽혀 있다. 권력가들과 부자들은 이런 바로크적인 물건으로 자신의 지위를 차별화하려 했다.

그러나 대량생산이 가능해지면서 가격이 저렴해지자 가난한 이들도 장식적인 물건을 살 수 있게 됐다. 더이상 장식은 신분과 부, 안목을 상징하는 것이 아니었다. 오히려 기계가 생산한 장식적인 복제품이 싸구려로 보이기 시작했다. 사물의 진정한 목적을 감추고 단지 남에게 과시하려는 욕망만 남은 허세로 보였다. 20세기 초반 모더니즘은 이런 상황에서 등장했다. 아돌프 로스 같은 건축가는 "장식은 인간의 노동, 돈 그리고 재료를 망쳐버리는 국민경제에 대한 범죄"라며 "문화의 진화는 일상용품에서 장식을 멀리하는 것과 같은 의미"라고 말했다. 부자들의 이같은 태도를 소설가 미셸 투르니에는 파리 사교계의 명사 '비베스코 공작' 이야기를 통해 보여준다.

"그는 미적 쾌락을 맛볼 대로 맛보다 마침내는 싫증을 느낄 정도였고 더할 수 없이 세련되고 정신적이며 삶의 멋에 있어서는 따를 사람이 없는 전문가였다. 그의 친구 중 한 사람이 그때 막 사들인 아름다운 저택의 실내 장식을 마쳤다. 모든 것이 다 멋들어지고 기막히게 배치되어 있었다. 그는 비베스코를 초대하여 그 사치스럽고 격조 높은 걸작을 구경시켰다. 그 집을 찾아가 둘러보고 뜯어보고 가늠해보고 난 공작은 마침내 의자에 털썩 주저앉았다. 그의 입에서 어떤 평이 떨어질지 궁금한 집주인이 긴장하여 귀를 기울였다. 이윽고 비베스코가 입을 열었다. '그래요. 좋아요. 하지만 차라리 아무것도 없는 게 낫잖아요?'"**37**

현대의 부자들은 절제의 단순미를 좀더 고상한 취향으로 여기게 됐다. 절제의 디자인 전통은 20세기 중반 디터 람스Dieter Rams 같은 디자이너에게 이어졌고, 21세기 전반 애플의 아이팟으로 부활했다. 데얀 수직이 현대의 디자인 추세를 '바로크적 미니멀리즘'이라고 칭한 것은 과거 장식 과잉이 부자들의 전유물처럼 여겨졌듯, 현대에는 미니멀리즘이 높은 안목을 상징한다는 의미일 것이다.

그런데 단순함은 쉽게 얻어지지 않는다. 아이팟의 매끈한 표면은 쉽게 얻어지지 않는다. 여러 부품이 정교하게 조립되는 현대의 제품은 접합에서 기술의 차이가 드러난다. 면과 면이 만나는 지점이 완벽하고 깔끔해야 한다. 이음매가 하나도 보이지 않아야 완전하게 매끈한 표면이 완성된다. 이것은 바로크적 장식 과잉보다 어려운 기교일 수도 있다. 즉 단순함이란 복잡함을 통해서만 얻어지는 것이다. 절제의 미덕을 바탕으로 과한 것을 버리고 또 버리는 복잡하고 고된 과정을 통해 비로소 단순함이 탄생한다. 잡스의 표현을 인용하자면, 절제는, 즉 버림은 궁극의 정교함이다.

많이 준다고 좋아할까?
고객은 편리함을 택한다
: 드루 휴스턴 드롭박스 창업자의 경쟁우위 확보 전략

드롭박스Dropbox라는 회사를 아시는지? 인터넷을 좀 쓴다는 사람들은 다 아는 회사다. 나도 애용한다. 이 회사가 제공하는 서비스는 인터넷 클라우드라는 것이다. 문서나 사진, 동영상을 인터넷의 가상공간(클라우드)에 저장한 뒤 언제 어디서나 쉽게 꺼내 쓰는 서비스다. 굳이 자료를 PC에 저장하거나 USB에 넣어 들고 다닐 필요가 없다.

내 컴퓨터 바탕화면엔 파란색 박스가 활짝 열린 모양의 이 회사 로고가 당당하게 깔려 있다. 참고로 내 컴퓨터 바탕화면엔 열 개 이내의 프로그램만 '바로가기'로 깔려 있다. 그만큼 자주 사용한다는 이야기다. 구글 드라이브는 보조 수단으로 이용한다. 나 같은 사람이 많은 모양이다. 인터넷 클라우드 서비스 분야에는 구글, 애플, 마이크로소프트, 아마존 같은 IT 공룡들이 각축하지만, 드롭박스는 이들을 모두 제치고 사용자 3억 명을 자랑하는 세계 최대 클라우드 서비스가 됐다. 『포천』 선정 500대 기업 중 97퍼센트가 이 서비스를 사용한다.

마침 드롭박스의 창업자 드루 휴스턴Drew Houston이 2014년 방한했기에 위클리비즈가 인터뷰했다. 서울 한남동 그랜드하얏트호텔 커피숍에 나타난 그는 실리콘밸리 젊은 창업가들의 '교복'을 입고 있었다. 청바지에 티셔츠, 운동화 차림 말이다. 당시 그는 31세였다. 옆에 앉은 모토로라 CEO 출신의 데니스 우드사이드Dennis Woodside 최고운영책임자가 정장 재킷에 와이셔츠 차림인 것과 대조적이었다.

위클리비즈의 윤형준 기자는 그들에게 구글, 애플, MS 말고 왜 드롭박스를 써야 하는지를 집중적으로 물었다. 사실은 우문이다. 이미 3억 명이 쓰고 있고, 구글, 애플, MS를 제친 것 자체가 경쟁력이 있기 때문 아니겠는가? 그럼에도 우리는 이런 우문을 많이 한다. 당연하지만 원초적인 질문에서 좋은 대답이 나오기 때문이다. 휴스턴 사장의 대답은 그 인터뷰 기사의 제목에 잘 요약됐다. "많이 준다고 좋아할까? 고객은 편리함 택한다." 휴스턴 사장이 밝힌 단순화의 비결을 좀더 살펴보자.[38]

"드롭박스 사용자들은 이렇게 말하곤 합니다. '드롭박스를 사용하는 이유는 간단하다. 쓰기 쉬우니까'라고. 우리는 그 한마디에 큰 자부심을 느낍니다. 우리의 성공 비결도 바로 이 부분이라고 생각합니다. 세상은 점점 복잡해지고 있고, 우리는 사람들에게 자유를 줍니다."

휴스턴 사장은 "드롭박스의 경쟁력은 딱 세 마디로 표현할 수 있다"고 말했다. '단순함' '성능' 그리고 '모든 플랫폼과 기기, 파일 형태에서 작동하는 범용성'이 그것이다. 그는 다음과 같은 예를 들어 이를 설명했다.

팀장인 당신은 지금 뉴욕의 한 고객사에서 프레젠테이션을 눈앞에

둔 상태다. 모든 프레젠테이션 파일은 샌프란시스코에 있는 팀원이 준비해서 클라우드에 저장했다. 당신은 클라우드에서 파일을 불러내기만 하면 된다. 그런데 샌프란시스코에 있는 팀원이 원본 파일에 틀린 내용이 있다는 사실을 알아차렸다. 슬라이드 하나의 내용을 급히 바꿔야 하는 상황이다. 구글 드라이브나 아이클라우드 같으면 1메가바이트를 수정하더라도 200메가바이트짜리 원본 파일 전부가 바뀐다. 즉 샌프란시스코에 있는 팀원이 200메가바이트짜리 파일을 다시 올려야 한다는 말이다. 그런데 드롭박스는? 딱 1메가바이트만큼만 업데이트된다. 팀원은 200메가바이트짜리 전부를 다시 올리기 위해 기다릴 필요가 없다. 1메가바이트짜리 수정은 눈 깜짝할 새 끝날 테니까 말이다.

휴스턴 사장은 이런 편리함이 고객들로 하여금 드롭박스를 택하게 만드는 이유라고 설명한다. 사실 드롭박스는 2기가바이트만 공짜인 반면, 구글은 15기가바이트, 애플은 5기가바이트가 공짜다. 중국 업체는 10테라바이트(1만 240기가바이트)를 공짜로 제공하기도 한다. 그럼에도 드롭박스를 사용하는 이유가 편리함 때문이라는 설명이다.

"저장 용량은 클라우드 서비스라는 레시피에 포함되는 재료의 하나일 뿐입니다. 그런 가격 공세를 펴는 업체가 잇따라 나오는데도 여전히 드롭박스 사용자가 많은 이유는 무엇일까요? 저는 그게 '경험' 때문이라고 믿습니다. 사람들은 단순히 더 많은 자료를 저장하는 것보다는 쉽고 편하게 이용하기를 원합니다."

요컨대, 드롭박스는 '더 많이'(공짜 제공 용량)의 경쟁을 현명하게 포기하고, '더 편리하게'에 집중함으로써 거대 기업들을 따돌릴 수 있었다. 구글이나 애플의 관점에선 클라우드 서비스는 주력 상품이 아니다. 그들의 최우선 순위는 각각 검색엔진과 아이폰에 놓여 있다. 클라우드 서비스는 우선순위에서 밀린다. 반면 드롭박스는 클라우드만을 위해 태어난 기업이고 계속 거기에 집중한다. 그러니 구글이나 애플도 따라가지 못하는 완성도를 자랑할 수 있는 것이다. 드롭박스를 사용하다보면 돈을 내고라도 쓰겠다는 생각이 든다.

실제로 드롭박스의 장점은 마치 내 컴퓨터, 내 하드디스크인 것처럼 쉽게 사용할 수 있다는 점이다. 파일을 드래그해서 파란 상자 모양의 드롭박스 로고에 옮겨놓는 것만으로 저장할 수 있다. 사용자가 인터넷 가상공간이 아니라 하드디스크를 쓰고 있는 것으로 착각할 정도다. 그리고 기기 간의 동기화 속도가 아주 빠르다. 스마트폰에서 어느 파일을 드롭박스로 저장하면 곧바로 PC에서도 똑같은 파일이 뜨고, 스마트폰에서 파일을 고치면 PC에서도 고쳐진다. 휴스턴 사장이 자랑한 것처럼 드롭박스는 이 부분이 아주 경쟁력 있다. 구글의 경쟁 서비스 구글 드라이브는 느려서 속 터질 때가 많다. 파일을 담아두는 폴더는 동기화가 잘 안 되기도 한다.

베인앤컴퍼니에서 사용하는 지표 가운데 '순추천고객지수Net Promoter Scores, NPS'라는 게 있다. 고객이 어느 상품이나 서비스를 다른 사람에게 추천하는 비율에서 추천하지 않는 비율을 뺀 수치다. NPS 조사를 해보면 일반적으로 좋다는 사람보다 나쁘다는 사람이 더 많다. 서비스가 일정 수준 이상 만족스럽지 않으면 자기 이름을 걸고 추천하려 하지 않기 때문이다. 따라서 NPS가 0 정도면 평균은 된다고 평가한다. 자동차회사, 금융회사, 이동통신사 등은 대개 0이나 마이너스(−)에 그

친다. 그러나 놀랍게도 드롭박스는 49퍼센트에 달한다. 10명 중 5명이 추천한다는 이야기다. 단순함이 지니는 힘을 확인할 수 있는 대목이다.

드롭박스는 2009년 스티브 잡스로부터 인수 제안을 받은 일화로도 유명하다. 잡스는 당시 휴스턴과 그의 창업 동지 이라시 페르도시 Arash Ferdowsi 최고기술책임자를 자기 사무실에 불러 이렇게 말했다. "오늘 제가 부른 것은 당신들이 하는 일이 궁금해서가 아닙니다. 회사를 파시죠. 10억 달러를 드리겠습니다."

창업한 지 2년밖에 되지 않았고, 아직 제대로 된 실적 하나 없는 회사로서는 솔깃한 금액이었다. (앞서 말했듯 2012년 페이스북이 사진 공유 서비스인 인스타그램을 인수했을 때 지불한 돈이 딱 10억 달러였다.) 그러나 두 사람은 단칼에 거절했다. 휴스턴 사장은 당시를 회고하며 말했다.

"잡스는 제겐 영웅입니다. 그를 만난 일을 지금도 잊지 못합니다. 그러나 그 제안을 거절한 것을 후회한 적은 없어요. 저는 회사를 키워낼 자신이 있었고, 그리고 지금 회사는 (당시의 10배인) 100억 달러 이상의 평가를 받고 있습니다. 앞으로도 누가 얼마를 제안하든 회사를 파는 일은 없을 겁니다."

드롭박스는 다윗이 골리앗과 싸워 이기는 방법을 잘 보여준다. 그들은 '더 많이'에 대한 욕심을 절제하고 '더 편리하게'에 집중함으로써 IT 공룡들을 보기 좋게 따돌릴 수 있었다.

고객에게 복잡성을 떠넘기지 마라

앞서 복잡성에 대해 살펴봤지만 복잡성 문제와 관련해 우리가 음미해야 할 개념이 하나 있다. 복잡함의 총량은 정해져 있다는 이른바 테슬러의 '복잡성 보존의 법칙'이다. 쉽게 말해 어떤 서비스나 제품에 포함된 복잡함의 총량은 정해져 있다는 것이다. 만약 공급자가 복잡함을 더 짊어지면 소비자는 그만큼 더 심플함을 즐길 수 있게 된다. 반대로 공급자가 복잡함을 짊어지려 하지 않으면 소비자가 그 복잡함을 떠맡아야 한다.

'복잡성 보존의 법칙'은 아마존과 야후에서 유저 인터페이스UI 최고책임자로 일했던 컴퓨터 과학자 래리 테슬러Larry Tesler가 "시스템의 전체적인 복잡도는 항상 동일하다"고 말한 데서 따온 법칙이다. 테슬러는 이런 질문을 던진 적이 있다. "모든 프로그램에는 더이상 줄일 수 없는 복잡한 정도, 즉 복잡함의 하한선이 존재한다. 이때 던져야 할 질문은 이 복잡함을 누가 감당하느냐는 것이다. 사용자인가, 아니면 개발자인가?" 물론 정답은 자명할 것이다. 애플 아이폰은 복잡성의 대부분을 기업이 떠안은 경우라고 볼 수 있다. 구글과 보스, 드롭박스 역시 소비자의 편리함을 위해 기업이 복잡성을 떠안은 경우다.

자동차의 자동 변속기도 비슷하다. 자동 변속기는 쉽고 단순하다. 하지만 그걸 개발하기 위해서는 수동 변속기를 만들 때보다 몇 배의 고민과 노력이 필요하다. 소비자가 쉽고 단순하게 받아들이려면, 만드는 사람은 엄청나게 생각하고 정교하게 갈고닦아야 한다.

하지만 여전히 많은 기업이 복잡한 기능이 주렁주렁 매달린 제품을 내놓고선 '고객의 선택의 폭을 넓혀주었다'고 자부한다. 하지만 이는 기업이 감당해야 할 복잡함을 고객에게 떠넘긴 데 불과할지도 모른다. 이런 일이 계속되면 이른바 '피처 크립feature creep' 현상이 일어난다.

이는 제품을 만들어가면서 기능이 슬그머니 늘어나 복잡해지는 현상을 말한다. 기업이 다양한 기능이나 현란한 디자인에 대한 욕심을 절제하지 못하면, 제품과 서비스는 한없이 복잡해지고 이는 고스란히 소비자에게 떠넘겨진다. 기업의 과욕은 곧 소비자의 불편과 직결된다고 해도 과언이 아니다.

진정한 쾌락주의자는 '적은 것'을 즐긴다
: 스티븐 그린블랫 하버드대 교수의 '에피쿠로스주의'

사람들은 '적은 것'이 '쾌락'의 반대말이라고 생각한다. 하지만 진정한 쾌락주의자는 적은 것을 즐긴다. 나는 에피쿠로스주의에 관한 책 『1417년, 근대의 탄생The Swerve』으로 퓰리처상을 받은 스티븐 그린블랫Stephen Greenblatt 하버드대 교수를 2014년 초에 만난 적이 있다. 흔히 쾌락주의hedonism의 동의어로 혼용되기도 하는 에피쿠로스주의는 사실 과도한 욕망 추구를 경계했다는 점에서 금욕주의적인 측면이 있다. "에피쿠로스가 말한 진정한 쾌락은 무엇이었나?"라는 질문에 그린블랫 교수는 다음과 같이 설명했다.

"에피쿠로스주의는 절제를 중요시한다. 좋은 음식을 먹거나 술을 마시면 기분이 좋지만, 너무 많이 먹거나 마시면 즐겁지 않은 결과가 초래된다. 다시 말해 쾌락을 지속시키는 열쇠인 마음의 평화로 이어지지 않는다. 그러니 부작용을 피하기 위해 쾌락을 절제해야 한다고 생각한 것이다. 더 높은 차원의 즐거움을 누리면서 장기적 비용을 줄이는 방법이다. 에피쿠로스주의는 광적인 과잉 없이 조용한 기쁨, 안분지족을 추구한다. 더 좋은 옷을 입어야만, 더 가져야만 행복해질 거라고 생각하지 말라고 이야기한다. (역사 속의 에피쿠로스는 아테네의 외딴 정원에서 치즈, 빵, 물로 식사를 해결하고, 지식인들과 토론을 하면서 조용한 삶을 살았던 것으로 전해진다.) 그런 의미에서 금욕주의적 측면이 있는 게 사실이다."

그러나 그린블랫 교수는 에피쿠로스주의가 금욕주의와는 다르다고 덧붙였다. 그들은 좋은 음식이나 섹스를 누리려 하는 것이 사악하다고는 생각하지 않기 때문이다. 단지 과하면 좋지 않다고 했을 뿐이다. 에피쿠로스학파의 주요 인물이었던 필로데모스는 이렇게 썼다.

"남자들은 도통 이해할 수 없는 욕망 때문에 너무나 끔찍한 악덕으로 고통받고 있다. 그러면서 그들은 정작 가장 필수적인 욕망들은 마치 본성에서 벗어나기라도 한 것처럼 무시하곤 한다."

그는 '가장 필수적인 욕망들'에 대해 이렇게 말한다. "신중하고 공정하고 정의롭게 살지 않고는, 용감하고 온화하고 관대하게 살지 않고는, 벗을 사귀고 인류를 사랑하지 않고는" 쾌락을 누리며 살 수 없다고.

쾌락은 긍정심리학의 주요 연구 대상이기도 하다. 그런데 긍정심리학의 연구도 결론은 에피쿠로스학파와 비슷하다. 긍정심리학의 창시자 마틴 셀리그먼 교수에 따르면, 쾌락(여기서는 저급한 의미에서의 쾌락을 지칭한다)은 육체적이든 정신적이든 행복을 지속시키는 요소로 활용하기에는 한계가 있는 매우 독특한 특성의 집합체다.[39] 너무 덧없는 것이어서 순식간에 사라져버린다.

이를테면 아이스크림을 두 입째 먹을 때의 쾌감은 맨 처음 맛볼 때보다 덜하고, 네번째 먹을 때는 그저 칼로리 높은 음식일 뿐이다. 새 차를 샀다고 1년 내내 차만 보면 행복해지지 않는다. 심리학에서는 이를 '습관화' 혹은 '적응'이라고 부르는데, 경제학의 '한계효용 체감의 법칙'과 비슷하다. 인간은 적응하는 동물이다. 처음 접하면 행복을 느끼지만, 지속성은 없다. 시간이 지나면 적응한다. (다행히 인간은 슬픈 일에도 적응한다. 그래서 오래도록 슬퍼하지 않을 수 있다.) 몽테뉴는 심리학 실험을 한 것은 아니지만, 자신의 경험에 비추어 이 문제를 실감나게 표현한다.

"풍부함만큼 거치적거리고 질리는 것은 없다. 아무리 욕망이 크다해도 어느 제왕의 규방에서처럼 300명의 후궁을 제 마음대로 할 수 있나면 물리지 않겠는가? 또 7000명이나 되는 매 사냥꾼과 함께가 아니라면 들에 나가지 않던 그 제왕의 선조는 사냥할 때 무슨 재미가 있었겠는가?"

심지어 잘생긴 외모에서 느끼는 즐거움조차 오래가지 않는다. 실제로 외모와 행복의 관계를 연구한 사례가 있다. 1995년 실험 대상자들의 얼굴을 사진 찍어 이성에게 점수로 평가하게 하고 상위 10퍼센트와 하위 10퍼센트로 나눴다. 화장과 머리 스타일 등 효과를 없애 민낯으로 머리엔 샤워캡까지 씌웠다. 그리고 상하위 10퍼센트에게 얼마나 행복하다고 느끼는지 물었다. 결과는 두 그룹의 행복도에 의미 있는 차이가 없었다. 심지어 여성의 경우 하위 10퍼센트 그룹이 행복도가 약간 더 높았다. 연세대 서은국 교수에 따르면 이 역시 습관화와 적응으로 설명할 수 있다.[40]

"예쁜 애들은 태어날 때부터 예뻤다. 그래서 예쁘다는 말에 대해

별 감흥이 없다. 그리고 예쁘기 때문에 이를 유지해야 하고, 누군가 성가시게 하는 등 외모에 수반된 고통도 다양하다. 아이스크림처럼 인생의 어떤 것도 순간적으로 달콤함을 줄 수 있지만, 반드시 녹아 사라진다. 그래서 아이스크림을 자주 사주는 것, 즉 빈번하게 행복을 경험하는 게 중요하다."

이런 습관화의 과정은 엄연한 신경학적 현상이라고 셀리그먼 교수는 말한다. 신경세포는 새로운 사건에는 서로 연합해 반응하지만, 새로운 정보를 얻을 수 없는 사건에는 대응하지 않는다는 것이다.

과도한 쾌락의 또다른 문제점은 습관성을 가져온다는 점이다. 40여 년 전 쥐의 뇌에서 '쾌락중추'라는 것이 발견됐다. 연구자들은 아주 가는 철사를 뇌의 대뇌피질 아래 있는 쾌락중추에 연결한 다음, 쥐가 막대를 누를 때마다 약한 전기 자극을 가했다. 마침내 실험쥐들은 먹이나 섹스, 심지어 삶 자체보다 전기 자극을 훨씬 좋아하게 됐다. 쾌락에 중독된 것이다. 등이 가려울 때 긁으면 시원해지지만, 긁기를 멈추는 순간 견딜 수 없는 가려움에 계속 긁는 것과 비슷한 이치다.

셀리그먼 교수는 이런 관찰들을 근거로 진정한 쾌락을 얻는 방법에 대해 조언한다. "특정 쾌락을 경험하는 시간 간격을 넓히라"는 것이다. 즉 일상생활에서 쾌락을 자아낼 수 있는 일들을 최대한 누리되, 되도록 시간 간격을 넓혀 틈틈이 경험하도록 하는 것이다. 그는 또 "음미하는 삶을 살라"고 조언한다. 여기서 음미란, 작은 일상 속에서 쾌락을 발견하고 쾌락을 느끼는 찰나를 포착하려는 의식적인 노력을 말한다. 로욜라 대학의 프레드 브라이언트Fred B. Bryant 교수는 작은 농원을 만들고 이를 '음미하는 곳'이라고 이름 붙였다고 한다. 브라이언트 교수는 가까운 산을 오르면서 이렇게 음미한다.

"나는 차가운 공기를 깊이 들이마셨다가 천천히 내쉰다. 그때 어디선가 코를 찌르는 냄새가 풍겨 이리저리 둘러보니, 내가 딛고 선 바위 틈새에서 자라고 있는 라벤더 한 송이가 하늘거리고 있다. 나는 눈을 지그시 감고 저 아래 골짜기에서 불어오는 바람 소리를 듣는다. 그리고 이 순간을 영원히 추억할 작은 돌멩이 하나를 주워온다. 문득 돌멩이의 냄새를 맡아보고 싶은 이상한 충동에 사로잡혀 코를 킁킁거린다. 케케묵은 냄새가 물씬 풍기는 것이 아득히 먼 옛날을 떠올리게 한다."[41]

물건에 대해서도 비슷한 말을 할 수 있다. 몽테뉴의 이야기다.

"행복은 소유가 아니라 음미에서 우러난다. 그러지 못한다면 코감기에 걸린 사람이 그리스 와인의 달콤한 향을 맡지 못하고, 말이 인간이 장식해둔 호화로운 마구馬具를 즐기지 못하는 것과 마찬가지다. 민물의 가치는 소유한 사람의 마음에 달려 있다. 옳게 사용할 줄 아는 사람에겐 선善이시만, 그렇지 않은 사람에겐 악惡이나 다름없다."

나는 그린블랫 교수가 서명한 책을 소중히 간직하고 있다. 그는 이렇게 써주었다. '진정한 에피쿠로스적 삶을 살기를 기원합니다.' 진정한 에피쿠로스적 삶, 그것은 절제를 통해 더 많은 것을 얻을 수 있는 단순함의 삶이다.

규칙적이고 정돈된 삶을 살라,
그래야 일에 난폭해질 수 있으니까

앞서 말했듯 나는 경영사상가 짐 콜린스를 인터뷰한 적이 있는데, 그와의 만남에서 특히 인상적이었던 것 중 하나가 화이트보드에 적힌 메모였다. 그의 연구소 회의실 앞쪽 화이트보드 위에는 몇 개의 숫자가 쓰여 있었다.

'창조적인 일 44퍼센트, 가르치는 일 35퍼센트, 기타 21퍼센트.'

이 수치들은 그가 각각의 일에 쏟은 시간을 가리킨다. 그는 자신의 스마트폰에 내장된, 세 가지 타이머가 있는 스톱워치 프로그램으로 이 세 가지 일에 시간을 얼마나 쏟는지 매일 측정한다. 그리고 다음날 아침 그것을 스프레드시트에 기록한다. 그리고 매주, 매달, 매년 평균을 낸다. 화이트보드에 쓰인 숫자는 그해 평균과 그달 평균 수치였다. 콜린스의 목표는 일과의 50퍼센트를 집필이나 사색 등 창조적인 일에, 30퍼센트는 강연과 컨설팅 등 가르치는 일에, 나머지 20퍼센트는 위두 가지와 무관하지만 어쨌든 해야 할 일에 쓰는 것이다. 일정에 얽매여 사는 삶 같지만, 그가 이토록 엄격하게 시간을 관리하는 이유는 사실 시간을 '비우기' 위해서다.

그는 오전 8시부터 정오까지는 인터넷을 포함해 모든 전자제품과의 접촉을 끊는다. 그리고 읽고 사색한다. 그는 "때로는 동굴 속에 들어가야 한다"고 말했다. 오후엔 연구소에서 연구원들을 만나거나 고객들을 만난다. (내가 그를 만난 것도 이 시간이었다.) 늦은 오후엔 암벽 등반을 나가거나 장거리 달리기를 한다. 다시 한번 머릿속을 맑게 청소하기 위해서다. 그리고 저녁을 먹고 책을 좀더 쓰다가 잠자리에 든다. 짐 콜린스가 가장 좋아하는 문구 중 하나는 프랑스 소설가 귀스타브 플로베르의 것이다.

"규칙적이고 정돈된 삶을 살라. 그래야 일에 난폭해지고 독창적일 수 있으니까."

규칙적이고 정돈된 삶, 이것은 에피쿠로스적인 삶의 한 형태가 아닐까. 짐 콜린스뿐 아니라 위클리비즈가 만난 최고의 IT 구루들은 역설적이게도 산에 살고 있었다. 미국의 권위 있는 기술문화 잡지 『와이어드Wired』를 공동 창간했고 첫 7년 동안 편집장을 맡았던 케빈 켈리kevin kelly의 집은 아름드리나무들이 우거진 산자락에 있다. 2층짜리 통나무 집이다. 서재로 들어가면 1층부터 2층 천장까지 서가가 높게 연결돼 있다. 시대를 대표하는 IT 구루의 집에 기대한 것과는 많이 다른 모습이다. 그는 구레나룻으로 둘러싸인 입을 열어 "집 뒤쪽으로 가면 야생동물이 많다. 퓨마도 있고 코요테도 있고 여우도 있다"며 웃었다.[42]

켈리가 창간한 잡지의 이름인 '와이어드'는 '컴퓨터 시스템에 연결된'이란 뜻이다. 그에게 지금 세상이 충분히 '와이어드'된 상태라고 보는지 묻자, 그는 10점 만점에 2점이라고 답했다. "이제 시작일 뿐이다. 그것도 시작의 시작일 뿐"이라는 것이다. 그런 그는 왜 코요테와 여우가 있는 산에 살까? 생각하기 위해서일 것이다. 그는 IT 구루 소리를 듣지만 "테크놀로지의 이용을 최소화하는 방법으로 성과를 더 높일 수 있다"고 말한다.

니컬러스 카는 기술문명 비판가로 최근 명성을 날리고 있지만, 사실 클라우드 컴퓨팅의 도래를 누구보다 먼저 예언한 IT 전문가다. 위클리비즈의 오윤희 기자가 그를 만나러 가기 위해 택시를 타고 주소를 보여주자 기사는 "여기서 계속 살았지만 이런 주소는 처음 본다"면서 고개를 갸웃거렸다. 도로 양옆으로 수풀이 울창한 구불구불 산길을 차로 약 20분 올라가는 동안, 기사는 수차례 내비게이션을 재검색해야 했다. 집은 언덕 정상 부근에 올라가서야 모습을 드러냈다. 니컬러스 카는 "인터넷의 홍수 속에서 길을 잃지 않고 집중해서 책을 쓰기 위해 산악지대로 이사했다"고 말했다.

훌륭한 책을 쓰는 작가에겐 두 가지 조건이 필요하다고 한다. 바로 다른 사람들로부터의 격리와 집중이다. 프랑스 소설가 발자크는 외부 세계와 격리되어 창작에 전념하기 위해 블라인드를 친 방에서 살았다. 그리고 모두 잠든 한밤중에 작업했다. 『호밀밭의 파수꾼』을 쓴 샐린저는 콘크리트 벙커에서 글을 썼으며, 이언 플레밍은 자메이카의 은신처에 틀어박혀 007 시리즈를 완성했다. 허먼 멜빌은 『모비딕』을 쓸 당시 친구는 물론이고 가족으로부터도 자신을 격리시켰다.

"일주일쯤 있다가 뉴욕에 가서 3층에 방을 하나 얻은 다음 그 방에 틀어박힐 것이다. 내 '고래'에 몰두하기 위해서…… 작업을 끝내려면 그것만이 유일한 방법이다. 온 사방이 신경을 거슬리게 하는 것들 천지다. 항상 글을 써야만 하는 사람에게는 고요함과 차분함, 잔디 자라는 소리마저 들리지 않는 공간이 필요하다. 나는 그런 것들을 갖지 못할까 봐 두렵다."[43]

자발적으로 스스로를 격리시킴으로써 고도의 집중력을 발휘하는 것, 그것이 훌륭한 책으로 이끄는 길이다. 그런데 소설가는 그렇다 치더라도 IT 대가들조차 산속을 찾아가는 이유는 무엇일까. 이는 이 시대가 그만큼 격리와 집중을 쉽게 허용하지 않는다는 방증이다. 스마트폰, 이메일, 카톡, 페이스북, 라인은 화장실과 침실까지 우리를 쫓아다닌다. 그렇다면 격리와 집중을 위해 산속으로 탈출할 엄두를 내지 못하는, 아니 탈출할 필요조차 느끼지 못하는 대다수의 범인凡人들에겐 어떤 일이 닥칠까.

니컬러스 카는 2014년 출간한 『유리감옥』이란 책에서 그 어두운 모습을 예견했다.[44] 전작 『생각하지 않는 사람들』이 인터넷문화에 대한 비판을 담고 있다면, 『유리감옥』은 인터넷을 포함한 기계화와 자동화 전반을 비판한다. '유리감옥'은 원래 고도로 자동화된 조종석glass cockpit을 일컫는 말에서 따온 것인데, 카는 그 의미를 확장해 오늘날 인간을 둘러싸고 있는 자동화 환경의 비유로 썼다. 그의 주장에 따르면 오늘날 컴퓨터와 자동화로 현대인의 생활은 예전과 비교할 수 없을 만큼 편리해지고 잡다한 일에 대한 부담도 크게 줄어들었다. 하지만 동시에 자동화는 몰입과 숙련을 방해하고 삶의 만족감에도 큰 악영향을 끼칠 수 있는 양날의 검이다.

뉴욕주립대 보건전문의인 티머시 호프Timothy Hoff 교수는 2007~2008년 뉴욕 지역 1차 의료기관 담당 의사들을 상대로 조사한 결과, 컴퓨터에 의존해 임상진료를 한 뒤부터 의료진 대부분이 임상지식이 얕아지고 환자에 대한 고정관념이 증가하는 '탈脫숙련화' 현상이 일어나고 있다는 사실을 발견했다. 니컬러스 카는 "오늘날 사람들은 자동화, 기계화에 너무 의존한 나머지 스스로 충분한 기술을 갖추지 못하고, 따라서 더더욱 기계에 의존해야 하는 악순환을 반복하고 있다"고 지적한다. 그것을 깨려면 기계에 과도하게 의존함으로써 무엇을 잃게 되는지를 자각해야 한다고 한다. 그는 사람들이 기술에 전적으로 의존함으로써 잃어버리는 것은 기술만이 아니며, 충족감까지 잃게 된다고 주장했다.

오윤희 기자는 그와 인터뷰를 끝내고 택시를 부르기 위해 주방에 있던 유선전화를 빌려 써야 했다. 실내에서 휴대전화 신호가 잡히지 않았기 때문이다. 니컬러스 카는 '유리감옥'에 갇히기보단 의도적인 불편을 선택했던 모양이다.

생각하는 시간을 갖는 일이 얼마나 중요한지는 빌 게이츠를 통해서도 알 수 있다. 그는 사업과 봉사활동으로 바쁜 가운데서도 1년에 한 번은 '생각의 한 주Think Week'라는 기간을 가진다. 휴가를 내 생각하고 책을 읽는 시간이다. 그는 1980년대부터 이 습관을 고수하고 있다. 심지어 스티브 잡스도 정말 필요하다고 느끼는 때를 빼고는 어지간하면 휴대전화를 가지고 다니지 않았다고 『몰입Flow』의 저자 칙센트미하이 교수가 말했다. 잡스는 출장 때 컴퓨터를 두고 다니기도 했다고 한다. 아이폰이나 PC 모두 잡스의 발명품이나 마찬가지인데, 아이러니한 일이다.

미국의 마케팅 서비스회사인 컨버세이션스Conversations는 한 달에 한 번, 첫번째 월요일은 전 임직원 50명이 회의실을 잡아 하루종일 머문다.[45] 전화기와 이메일은 금지고, 그날 해야 하는 특정한 업무도 없다. 자유롭게 생각하거나 서로 대화하면서 하루를 보낸다. 그들은 그날을 '전화하지 않는 월요일Do-Not-Call-Monday'이라고 부른다. 이 회사가 이런 날을 만든 이유는, 직원들이 계속 현업에서 실무적인 일만 하다보면 정말 중요한 것을 생각할 여유가 없을 거라는 판단이 들었기 때문이다.

또 스탠퍼드 디자인스쿨에는 '암흑의 공간Booth Noir'이라는 곳이 있다. 세 명까지밖에 들어갈 수 없는 좁은 공간으로, 창문도 없고 외부 소음도 완전히 차단된다. 여기에 들어가는 이유는 단 하나다. 방해받지 않고 생각하고 집중하기 위해서다.

"가장 중요한 일이 언제나 가장 큰 소리로 나를 부르는 것은 아니다"

단순해지려면 생각해야 한다. 수시로 나타났다가 사라지는 거품 같은 상념을 말하는 것이 아니다. '나는 생각한다, 그러므로 나는 존재한다'라고 할 때의 그 생각, 조용히 마음을 가라앉히고 성찰하며 현상의 본질을 꿰뚫는 사유를 말한다. 그리하여 판단과 결정으로 이어지는 행동의 사유를 말한다. 흔히 사람들은 "발로 뛰라"고 한다. 물론 현장은 중요하고, 발로 뛰어야만 얻을 수 있는 것이 있다. 하지만 발로 뛴다고 반드시 좋은 결과가 나오는 것은 아니다. 생각이 발과 함께 걸어야 한다. 머리가 발 위에 달려 있으니 함께 걷지 않느냐고 하겠지만, 머리의 요체인 생각이 함께 걷지 않는다면 아무 의미도 없다.

로버트 호크 전 호주 총리는 "가장 중요한 일이 언제나 가장 큰 소리로 나를 부르는 것은 아니다"라고 말했다. 우리는 사유를 통해 매우 중요하지만 '속삭이는' 작은 목소리를 찾아야 한다. 사람의 머릿속엔 하루 평균 4000가지 생각이 수시로 드나든다. 즉 14초에 한 번씩 생각에 변화가 생긴다. 거르고 또 거르고 늘 핵심에 집중하지 않으면 불교에서 말하는 '원숭이의 마음'이 되기 십상이다. 바쁘게 움직이는 것만으로는 부족하다. 개미들도 늘 바쁘지 않은가. 정말 중요한 것은 무엇 때문에 바삐 움직이는가이다.[46]

인터넷과 함께 지식의 양이 폭증하면서 생각의 중요성은 더욱 커졌다. 『생각의 시대』라는 책을 쓴 인문학자 김용규는 2014년 위클리비즈 지식콘서트 강연에서 "지식의 시대는 끝났다. 이제 생각의 시대다"라고 강조했다.[47] 그렇게 주장하는 근거는 불과 10년, 20년 전만 해도 학자, 전문가, 장인 등 사람들의 뇌에 있던 지식이 전부 인터넷으로 들어갔다는 데 있다. 지금은 약 10억 명가량이 인터넷에 접속하고 있지만 10년 후엔 약 50억 명이 접속할 것이라는 예측이 나온다. 그리고 접속한 사람이 많은 만큼 지식이 폭증해 사흘마다 두 배씩 늘어날 것이라는 전망이다. 사흘마다 두 배씩 증가하니 그 지식을 모두 머릿속에 넣어 다닐 수 없고, 그럴 필요도 없다. 언제든 검색해서 사용할 수 있다. 그러니 지식이 더이상 경쟁력을 갖지 못한다는 것이다.

그렇다고 지식이 필요 없는 세상을 살게 되리라 예측하는 것은 아니다. 우리는 앞으로도 끊임없이 새 지식을 만들고 그것과 살아갈 것이다. 그런데 경쟁력이 되는, 프랜시스 베이컨이 말한 "아는 것이 힘이다"라는 지식의 파워는 사라졌다. 이런 시대의 경쟁력은 그 많은 지식을 수시로 빼내 활용하면서 생각하는 능력에서 나온다고 김용규는 주장한다.

모든 것이 생각에서 출발해야 하고, 생각을 추려 방향을 결정해야한다. 문제는 이런 경우들이 매우 예외적이며, 인간은 대체로 생각하기를 싫어한다는 점이다. 헨리 포드Henry Ford는 "생각한다는 것은 세상에서 가장 어려운 작업인데, 아마도 그래서 그 일에 종사하는 사람이 별로 없는 듯하다"고 말했다. 나심 니콜라스 탈레브 역시 『블랙스완』에서 생각하지 않는 사람들에 대해 지적했다.[48]

"인간의 장구한 역사에서 수억 년의 시간 동안 인간의 조상들은 다른 포유류들과 다를 바 없이 '생각하지 않는' 상태에 있었다. 그러므로 인간이 뇌를 제대로 사용할 줄 알게 된 시기는 극히 짧은 순간이라고 할 수밖에 없는데, 이 시기에조차도 우리는 지나치게 지엽적인 주제에만 뇌를 사용하고 있는 것이다. 통념과 달리 많은 증거에 따르면 우리 인간은 적게 생각한다."

사람 뇌의 무게는 얼마나 될까? 신체 질량의 2퍼센트에 불과하다고 한다. 그런데 사람의 뇌는 그 부피에 비해 엄청난 양의 에너지를 필요로 한다. 심지어 휴식하는 동안에도 뇌는 호흡과 칼로리 소모에 에너지의 20퍼센트를 소비한다. 집중할 경우에는 그 비율이 높아질 수 있다. 그래서 사람들이 그토록 생각하는 것을 싫어하는지도 모른다.

앞서 언급한 김용규는 지난 2500년 동안 인간의 생각하는 능력이 퇴화돼왔다고 주장한다. 그의 주장에 따르면 기원전 8세기에서 3세기 사이에 이상한 일이 벌어졌다. 동서를 막론하고 위대한 사상가들이 탄생한 것이다. 서로 교류가 없었는데 중국에서는 공맹노장 등 제자백가가 나왔고, 인도에서는 철학 경전인 『우파니샤드』를 완성했고, 그 끝물에 싯다르타 부처가 탄생했고, 이란에서는 자라투스트라, 키루스가 나왔고 끝 무렵에 예수가 탄생했다. 바다를 건너면 그리스에서 호메로스부터, 아닉시만드로스, 파르미데스, 피타고라스가 나왔고, 이어 소크라테스, 플라톤, 아리스토텔레스가 등장했다.

그런데 뒤집어 생각해보면 이때부터 우리의 문제가 시작됐다. 이 뛰어난 사람들이 등장해 생각하는 방법을 개발하고 지식을 만들어 가르치기 시작했다. 2500년간 유지된 교육제도가 그때 처음 시작됐다.

다른 사람들은 그들에게 가서 돈을 주고 지식을 사거나, 그들의 지식에 의지해 생각하고 판단하며 평생을 살았다. 그런 식의 시스템이 2500년 간 계속됐다. 김용규는 이렇게 2500년을 살아왔기 때문에 우리가 생각하는 방법을 잊어버렸다고 주장한다. 도시 문명인으로 살면서 사냥하는 방법을 잊은 것처럼 생각하는 능력도 퇴화되고 상실됐다는 것이다.

지식의 홍수 시대를 맞아 우리는 생각하는 능력을 되찾아야 한다. 그러지 않으면 그 많은 지식은 무용지물이 될 것이고, 우리의 삶은 그 지식으로 인해 단순해지기는커녕 더욱 복잡해질 것이다.

3장

세워라

시켜서 vs 신나서 vs 미쳐서,
당신은 어느 쪽인가

긍정심리학의 대가 마틴 셀리그먼 교수의 친구가 트럭에 치여 혼수 상태에 빠졌다. 셀리그먼이 놀라 병원으로 뛰어갔을 때 의사가 말했다.

"환자의 산소호흡기를 떼는 데 동의해주셨으면 합니다. 친지에겐 연락이 안 되고 환자 변호사 말로는 선생님이 환자와 가장 절친한 친구시라기에 드리는 말씀입니다."

의사가 무시무시한 말을 내뱉는 동안, 셀리그먼 교수는 하얀 가운을 입은 우람한 체격의 남자를 곁눈질했다. 그는 환자용 변기를 치운 다음, 벽에 약간 삐딱하게 걸려 있는 액자를 조심스럽게 바로잡기 시작했다. 그는 설경이 그려진 그 그림을 몇 발짝 뒤로 물러나 살펴보았는데 뭔가 못마땅해하는 것 같았다.

남자는 그림을 내리고 대신 달력을 걸었다. 그리고 찬찬히 살펴더니 역시 못마땅한 기색으로 다시 커다란 종이봉투에 집어넣었다. 그러고는 모네의 수련 그림을 꺼내 걸었다. 윈즐로 호머의 바다 풍경화 두 점은 침대 맞은편 벽에 걸었다. 호기심을 참지 못한 셀리그먼 교수가 물었다.

"무엇을 하시는 분인지 여쭤봐도 되겠습니까?"

그가 대답했다.

"저는 이 층을 담당하는 청소부입니다. 매주 새로운 그림과 사진을 가져오지요. 저는 이 층에 있는 모든 환자들의 건강을 책임지고 있는 사람이거든요. 선생님 친구분도 의식이 돌아오는 순간 이 아름다운 그림들을 볼 거라고 믿습니다."

그 청소부는 자신의 직업이 변기를 치우고 바닥을 쓸고 닦는 일이라고만 여기지 않고, 환자의 회복을 돕고 환자가 병마와 다투는 시간을 아름답게 채워주는 것이라고 믿었다. 다른 사람들 눈에는 하잘것없는 청소부였을지 모르지만, 그는 스스로 자신의 직업을 숭고한 천직으로 바꾼 것이다. 자신이 하는 일의 의미를 찾고, 그 의미에 집중해서 일했던 그 청소부는 '단순함의 대가'라 칭해도 부족함이 없을 듯하다. 그는 누가 '시켜서'가 아니라 스스로 일에 가치를 부여해 '신나서', 그리고 그 일에 '미쳐서' 제대로 즐기는 사람이었다.

'버리고, 세우고, 지킨다'라는 단의 공식에서 두번째는 세움이다. 버리고, 또 버리는 작업은 궁극적으로 가장 중요한 진수를 추려서 '세우기' 위함이다. 버림이 선택이라면 세움은 집중이다. 버리고 버려 남은 진수에 집중하는 것이다. 그 진수란 무엇인가? 그것은 '나'이고 '왜'

이다. 불교의 언어로 말하자면 '이 뭣꼬?'이다. 내가 누구냐, 나의 진면목이 무엇이냐는 것이다.[1] 마음바닥으로 들어가 모든 쓰레기를 치워내면 나타나는 본바탕을 말한다. 핵심, 알맹이, 바닥, 샘물, 뿌리를 말한다. 어떤 유혹에도 흔들림 없는 나, 바로 이 삶의 현장에서 역력하게 살아 있는 나, 시시각각 변하는 내가 아니라 영원히 변치 않는 나, 깎아지른 백 척 벼랑 끝에서 서슴없이 한발 내딛는 나, 한없이 평화롭고 자유로운 나 말이다.

우리가 단순해지기 어려운 이유는 단순해지려고 마음먹었다 해도, 세상의 변화나 주변의 의견에 휘둘려 금방 이런저런 곳을 기웃대기 때문이다. 그러면 곧 복잡해진다. 대상에 매달리고 거기에 얽매이지 않으려면 중심이 '서야' 한다. 나 자신의 중요한 존재가치를 찾아야 한다. 쉽게 변하고 이리저리 왔다갔다하는 가변적이고 피상적인 내가 아니라 어떠한 바람에도 흔들리지 않는 나, 당당하며 활달한 나, 그런 나의 모습을 확인해야 한다. 현실 세계에 대입하면 '나는 왜 사는가?' '나는 왜 이 일을 하는가?', 기업에 대입하면 '우리 회사는 무엇을 위해 존재하는가?'에 해당한다. 가치관, 신념, 사명使命, 비전을 말한다. 내가 쓴 책 『혼창통』의 용어로 말하자면 '혼'이다. 즉 세운다는 것은 첫째 '왜'를 찾아 집중하는 것이다.

'왜'에 집중한다는 것은 '나'를 찾는 일이기도 하다. 내가 어떤 사람인지, 나는 무엇을 좋아하고 무엇을 잘하는지 고민하는 것은 '왜' 그것을 해야 하는지를 아는 것과 다름없다. '나'를 세우고 '왜'를 세우면 나아갈 '길'이 보인다. 목표를 정하고 똑바르게 걸어가는 사람은 방황하지 않는다. 목적과 방향이 정해져 있기 때문에 결코 흔들리지 않는다.

주변의 평가나 시선에 좌우되지 않고 뜻한 바에만 정진할 수 있다. 그래서 '세움'이란 곧 '집중'이다.

'소선'은 '대악'과, '대선'은 '비정'과 닮았다
: 오니시 마사루 일본항공 회장의 '기적의 회생' 노하우

'왜'의 중요성은 '왜'의 부재가 어떤 결말을 가져오는지를 살펴봄으로써 확인할 수 있다. '왜'를 세우지 못한 기업은 몰락한다. 한때 흥할 수 있지만, 오래 지속되기 힘들다. 반면교사로 삼을 만한 회사가 일본항공JAL이다. 역대 일본 기업 가운데 가장 크게 망했다가 3년 만에 부활한 JAL의 오니시 마사루大西賢 회장은 위클리비즈와의 인터뷰에서 "망해보고서야 무엇이 중요한지 가슴으로 깨닫게 됐다"며 망해본 기업 CEO만이 들려줄 수 있는 절절한 이야기를 써내놓았다.[2]

JAL은 누적 적자를 견디다못해 2010년 1월 파산보호(한국의 법정관리 격)를 신청했다. 그다음 달엔 일본에서 가장 존경받는 경영자 중 한 사람인 이나모리 가즈오稻盛和夫 교세라京セラ 창업자 겸 명예회상이 구원투수로 영입돼 월급을 받지 않고 일하는 회장이 됐다. 당시 사장으로 발탁된 사람이 지금의 오니시 회장이다. 두 사람은 그해 8월 도쿄법원에 회생 계획을 제출했고 전 직원 4만 8000명 가운데 1만 6000명을 내보내는, 일본 기업사에 전무후무한 매머드급 구조조정을 단 1년 만에 끝냈다. 그 뒤 2011년부터 2013년까지 JAL은 매년 2조원대 영업흑

자를 내면서 증시에 재상장했다. 이나모리 회장이 구조조정을 마무리하고 물러나면서 오니시가 회장이 됐다.

JAL이 망한 이유는 이미 잘 알려져 있다. 무늬만 민영기업이었던 비효율의 온상, 정부 낙하산의 천국, 포퓰리즘 정치에 휘둘려 적자인 줄 알면서도 전국 각지에 노선을 늘려야 했던 속사정, 정년퇴직한 스튜어디스에게까지 월 500~600만원의 연금을 지급하도록 만들어놓은 강성노조, 문제가 본인의 재임 기간에 터지는 게 두려워 메스를 대려 하지 않았던 경영진 등이 그것이다. 오니시 회장은 이렇게 설명했다.

"망하기 전 JAL의 경영진은 '조금 손을 대면 아마 조금이라도 좋아지지 않을까' 이런 식으로 생각해왔어요. 피를 많이 흘리지 않으면서도 개선될 방법을 생각해왔죠. 하지만 사실은 그런 상황이 아니었어요. '피를 많이 흘리더라도 당장 수술해'라고 말해야 했어요."

그는 결연한 표정으로 말을 이어갔다.

"당시 이나모리 회장은 제게 이런 말을 자주 하곤 했습니다. '소선小善은 대악大惡과 닮았고, 대선大善은 비정非情과 닮았다'고요. 몇몇 사람에게 작은 선을 베푼다고 한 것이 전체적으로 보면 좋지 않은 것일 수 있다는 말입니다. 또 사람들에게 아주 쓰라린 것을 이야기하는 것이 전체적으로는 아주 좋은 것일지도 모른다는 말입니다. 예전의 경영자들은 '이렇게 하면 피를 조금만 흘리고도 반드시 좋아질 것'이라 믿으며 '소선'을 반복해왔다고 생각해요. 하지만 그것이 옳지 않았다는 겁니다. 많은 피를 흘리지 않으면 회사는 재생할 수 없었던 겁니다."

독실한 불교 신자이며 '자비'를 경영철학의 근간으로 삼는 이나모리 회장이 "대선은 비정과 닮았다"며 구조조정의 결단을 촉구한 것은 기업 경영의 어려움을 새삼 깨닫게 한다. 세계적인 구조조정 컨설팅회사인 앨릭스파트너스AlixPartners의 프레더릭 크래퍼드 사장은 2014년 위클리비즈와의 인터뷰에서 '소선은 대악이고 대선은 비정'이라는 말의 서양 버전을 다음과 같이 이야기했다.[3]

"'종이에 수천 번 베여서 죽는다'는 말을 아세요? 종이에 손이 살짝 베이는 것은 사실 그렇게 큰 타격을 주지 않습니다. 하지만, 아야, 아야, 이렇게 한두 번 베이던 것이 수천 번 반복되면 상처가 누적되고 고통이 쌓이고 진이 빠집니다. 기업에 대입해보면, 그렇게 수천 번 작은 상처가 누적되면서 조직원의 사기가 떨어지고, 생명력이 사그라집니다. 반면 그것이 꽤 아프다 할지라도 적절한 시점에 충분히 깊고 빠르게 곪은 곳을 도려내면 시간이 지나면서 상처, 즉 기업이 범한 실수가 아물 수 있습니다."

다시 JAL로 돌아가보자. 종신고용이 살아 있고 직군별로 총 8개의 강성노조가 버티고 있는 노조왕국 JAL에서 어떻게 전 직원의 3분의 1을 구조조정할 수 있었을까. 물론 구조조정이 쉽지는 않았다. 당연히 계속 일하고 싶다는 사람이 대부분이었다. 오니시 회장은 비교적 나이 많은 사람으로 한정해 그들에게 "우리 회사를 다시 태어나게 하고 싶습니다. JAL을 사랑한다면 후배들에게 자리를 내주십시오"라고 설득했다. 그러지 대부분이 "JAL을 사랑한다. 내가 그만둠으로써 JAL이 살 수 있다면 그만두겠다"고 말했다고 한다.

그 뒤 남은 3만 2000명은 모두가 그만둔 선배에게 미안한 마음을 갖고 '절대 이 회사를 망하게 해서는 안 된다. 반드시 부활에 성공하지 않으면 안 된다'는 각오를 다지게 됐다. 오니시 회장은 "그게 가장 중요

했다"고 설명했다. 당시 상황이 떠오른 듯 그의 눈가에 눈물이 맺히기
시작했다.

"이런 일은 다시는 되풀이하면 안 된다고 생각했습니다. 사람을
자르는 일을 결코 다시 해서는 안 되겠다고요. 그러기 위해서는 특히
경영진이 확실히 하지 않으면 안 된다고 계속 얘기해왔고, 지금도 얘기
하고 있습니다."

인력 구조조정 후 인사제도나 신입사원 채용에서는 무엇이 달라
졌을까. 오니시 회장에 따르면 망하기 전까지 JAL은 직원들에게 아주
'자유로운' 회사였다고 한다. '자유로운 회사란 여러 가지를 자유롭게
이야기할 수 있는 회사다. 그게 좋은 회사다'라고 모두 생각했다는 것
이다. 그런데 지금 와서 생각해보니 결국 한 가지에 모두가 집중할 수
있는 회사가 아니었다는 것이 그의 설명이다. 다들 제멋대로 이야기해
버리는 회사, 그것을 자유로운 회사라고 착각했다는 것이다.

그래서 JAL은 기업 이념과 정책을 새로 정했다. 그리고 채용할 때
도 '이 아이디어에 찬성합니까' 하고 지원자들에게 묻기 시작했다. 이
이야기를 들려주면서 오니시 회장은 갑자기 양복 안주머니에서 흰색
수첩을 꺼내 보였다. 그리고 말을 이어갔다.

"이게 우리 직원 모두가 가지고 다니는 수첩인데, 기업 이념이 쓰
여 있어요. 우리 마음의 거점, 믿는 구석이라고 할 수 있습니다. 새로운
기대를 걸고 JAL에 지원한 이들에게 이것을 보여주며 '우리는 이런 회
사입니다. 당신은 여기에 완전히 동의할 수 있습니까? 이런 회사에서
일하고 싶습니까? 충분히 이해했습니까?' 묻고 '그렇다'고 답한 사람
중에서만 채용합니다. 다시 말해 '이렇게 되고 싶다'는 목표가 모두 일

치하는 회사가 된 것이지요. 예전엔 달랐어요. '아, 선망하는 회사 JAL' '능력 있나? 음, 능력이 있으니까, 채용!' 뭐 이런 식이었지요. 그 사람이 어떤 마음가짐을 가지고 있는가는 안중에도 없었습니다."

JAL은 결국 뚜렷한 '왜'를 다시 세우고 공유함으로써 재기할 수 있었던 것이다. 나는 이나모리 회장을 두 번 인터뷰한 적이 있다. 그러나 JAL 취임 후엔 만나지 못했다. 자비의 경영을 강조하는 그가 직원 3분의 1을 구조조정하면서 스스로 마음속에 세운 '왜'는 무엇이었을까? 이나모리 회장의 애제자로 알려진 오니시 회장은 그 의문을 이렇게 풀어주었다. 이나모리 회장은 JAL에 부임해 세 가지 대의大義를 강조했다고 한다.

첫째, 이 회사를 재생시켜야 한다. 그러지 못하면 일본 경제에도 큰 악영향을 미친다. 둘째, 남은 3만 명 넘는 직원의 고용을 반드시 지킨다. 셋째, 일본 항공업계를 경쟁환경으로 유지해야 한다. JAL이 망하면 전일본공수全日空, ANA 독점체제가 되므로 소비자에게 좋지 않다. 경쟁관계는 반드시 있어야 한다.

대의, 즉 '왜'가 뚜렷했기에 이나모리 회장은 '대선'을 위해 '비정'할 수 있었던 것이다. '왜'가 뚜렷한 사람은 간절해진다. 이나모리 회장은 '어떻게 되고 싶은지'를 항상 강하게 생각하는 것, 그것이 JAL 식원들이 가장 먼저 해야 할 일이라고 강조했다고 오니시 회장은 전했다.

"어떤 결과가 갑자기 일어나는 것은 아닙니다. '그렇게 되고 싶다. 그렇게 하고 싶다'고 계속 생각하는 것이 중요합니다. 생각하기 때문에 그것이 행동으로 나오고, 그것이 시작이 돼 결과로 연결된다는 것입

3장. 세워라

니다. 예를 들어 옛날 옛적 인류가 어느 날 갑자기 불을 일으킨 게 아니지 않습니까. '불을 피우고 싶다, 불을 피우고 싶다'고 계속 강렬하게 원하고 생각했기 때문에 계속 시도했고, 그 과정에서 처음으로 불을 피울 수 있었을 겁니다. 이나모리 회장이 항공업계에 대해 구체적으로 알 리가 없지요. (그는 1959년 교세라를 창업한 이래 소재, 전자 업계에서 반세기를 보냈다.) 그는 우리에게 구체적으로 '이렇게 하는 것이 좋다'는 식의 이야기는 일절 하지 않았어요. '사람으로서 올바르다는 것이 무엇인가' 하는, 기본에 관한 것을 계속 강조했어요. 마치 부모의 가르침을 받는 느낌이었다고 할까요?"

이나모리 회장의 가르침을 토대로 JAL은 '왜'라는 질문에 깊이 천착했고, '왜'에서 벗어나는 것들은 과감하게 버렸다. JAL은 이전까지 정치인 눈치보느라 울며 겨자 먹기로 유지하던 적자 노선을 대폭 없앴다. 2009년 67개에 이르던 국내 노선 중 수익이 안 나는 20개 노선을 1년 만에 없애버렸다. 국제선까지 포함해 247개에 이르던 노선이 2012년 초 173개로 30퍼센트가 줄었다. 항공기는 대형, 중형, 소형에 각각 한두 기종으로 가짓수를 줄여 규모의 경제를 키웠다. 이를 통해 구매는 물론 부품, 정비 비용까지 낮출 수 있었다. 보유 비행기의 평균 운행 비용도 20퍼센트 낮췄다.

그런데 전문가들이라면 그전에도 JAL에 얼마든지 있었을 것이다. 이들이 못한 것을 이나모리 회장이 할 수 있었던 이유는 무엇일까. 그것은 이나모리 회장이 왔을 때 JAL이 '버림'을 거쳤던 단계였기 때문이다. 오니시 회장의 말을 들어보자.

"결정적인 것은, 이나모리 회장 얘기를 그대로 받아들일 수 있는가 없는가였습니다. 예전에 JAL은 다른 사람이 조언을 해도 그것을 받아들일 수 있는 회사가 아니었습니다. 우리는 망한 다음에야 처음으로 여러 가지를 생각하지 않으면 안 되는 상황이 됐습니다. 정말 솔직해지지 않으면 안 되는, 과거와는 완전히 다른 회사가 되지 않으면 안 되는, 백지에서 시작하지 않으면 안 되는 때 이나모리 회장의 여러 얘기가 정말 가슴속에 사무치게 된 거라고 생각합니다. 물론 이나모리 회장이 JAL에 온 것은 큰 행운이었지요. 하지만 망하기 전에 이나모리 회장이 왔다면 JAL 구성원들이 그의 말을 그대로 받아들이고 마음에 새겼을까요? 그러지 않았을 거라고 생각합니다."

JAL은 망함으로써 욕심을 버렸고 이전의 잘못된 관행을 버렸으며 모든 마음을 비워놓았다. 그랬기에 이나모리 회장이 '왜'를 세우고자 했을 때, 모두가 한마음으로 따를 수 있었던 것이다.

"나를 따르라" 대신 "왜냐하면"
: 경영사상가 사이먼 사이넥의 '골든 서클' 이론

JAL을 기사회생시킨 이나모리와 오니시 회장처럼, 리더는 '왜'를 세우고 지켜야 한다. 직원들이 왜 매일 아침마다 일어나서 회사에 나와야 하는지, 그들이 어째서 창업자가 세운 '왜'에 동참해야 하는지를 알려주어야 하는 것이다. 경영자라면 이해득실을 전부 버려도 포기해서는 안 되는, 죽어도 지키고 싶은 '왜'를 최소한 한 가지는 마음속 깊이 품고 있어야 한다. 그래야 사람의 마음을 움직일 수 있고, 조직이 공통의 목표를 향해 일사불란하게 움직일 수 있다. 즉 몰입도 높은 단순한 조직이 될 수 있다. 경영사상가 사이먼 사이넥Simon Sinek은 '왜'를 세우는 것이 왜 중요한지에 대해 이렇게 설명한다.[4]

"대부분의 사람과 기업은 '어떻게'나 '무엇을'에만 신경씁니다. 그러나 사람을 리드하는 것은 '왜'의 힘입니다. '왜'는 사람들에게 그 일을 해야 하는 이유를 알려주고, 영감을 북돋워주니까요. '왜'에서 출발해 '어떻게'와 '무엇을'로 나아가야 합니다."

이런 내용을 담아 그가 2009년 TED에서 한 강연 '나는 왜 이 일을 하는가Start with why'는 전 세계 850만 명이 시청했다. 사실 사이넥은 원래 『포천』 선정 500대 기업 중 몇 곳을 고객사로 확보한 성공적인 마케팅 전문가였다. 그런데 어느 날 문득 일터에 가기가 싫었고, 그래서 아침에 눈을 뜨기도 싫어하는 자신의 모습을 발견했다.

"저는 겉으로 본다면 행복해야 했습니다. 사업은 순조롭게 진행되고 있었고, 돈도 잘 벌렸고, 매우 훌륭한 고객을 확보하고 있었습니다. 그런데도 왜 일하는 게 행복하지 않은지 스스로 이해가 안 됐습니다. 저는 일에서 만족감을 느끼지 못한다는 사실을 남들에게 털어놓지 못했어요. 제 인생에서 정말 암울한 시기였습니다."

그가 혼자 말 못 할 고민으로 끙끙대던 그때 한 친구가 다가와 진심에서 우러나오는 말로 "너 괜찮은 거니?"라고 물어봤다. 사이넥은 그때를 "'괜찮지 않아'라고 말할 기회를 얻었다"고 표현했다. 그렇게 힘든 상황을 인정하고 여러 차례 대화를 거듭하다보니 자연스럽게 자신의 문제를 발견하게 됐다고 한다.

"저는 제 일을 '어떻게' 하는지 알고 있었고 '무엇을' 하는지도 알고 있었습니다. 그러나 '왜' 하는지는 몰랐던 겁니다. 그렇게 해서 책에 쓴 '골든 서클'을 발견하게 된 거지요."

사이넥은 '왜'라는 개념을 '골든 서클golden circle'이라는 개념으로 설명한다. 종이에 세 개의 동그라미를 그려보자. 작은 동그라미를 그린 뒤, 그 동그라미를 포함하는 더 큰 동그라미를 그리고, 마지막으로 그 둘을 품는 가장 큰 동그라미를 그리는 것이다. 이때 가장 안쪽에 있는 동그라미, 즉 핵심이 '왜'라고 사이넥은 말한다. 가운데 동그라미는 '어떻게', 제일 바깥쪽 동그라미는 '무엇을'이다. 기업에 비유하자면 '왜'는 가치관, '어떻게'는 비즈니스 모델, '무엇을'은 제품을 말한다.

기업의 규모가 커지고 성공 가도를 달리기 시작하면 처음 시작한 '왜'를 잊는 경우가 종종 생긴다. 사이넥은 그 예로 디즈니를 들었다. 월트 디즈니는 '즐거움과 재미를 안겨주자'라는 목적에서 시작했다. 하지만 월트 디즈니가 죽고 마이클 아이스너Michael Eisner가 뒤를 이어받은 뒤 디즈니는 성장과 몸집 키우기, 지배력에만 관심을 갖게 됐다고 한다. 그 결과 잃어버린 것은 '핵심'이었나. 밥 아이거Bob Iger 현재 회장은 재임 직후 '과거의 정신으로 돌아가자'고 사원들을 독려했다. 그는 디즈니의 사업 포트폴리오에서 디즈니의 설립가치와 일치하지 않는 것이 있는지 살펴본 뒤 원래 디즈니가 추구하던 '왜', 즉 '재미'와 방향이 맞지 않는 사업부문은 과감히 정리했다. '왜'와 맞지 않는 사업은 징기적으로 이익을 가져다주지 않는다고 생각했기 때문이라는 것이 사이넥의 설명이다.

사이넥은 소비자를 설득하는 데도 '왜'가 중요하다고 주장한다. 사람들은 회사들이 제시한 '무엇을'을 보고 물건을 구매하지 않는다. '왜'

에 마음이 동해 구매한다. 제품설명서에 아무리 좋은 스펙이 나열돼 있어도 마음이 동하지 않으면 구매하지 않는다. 다시 말해 머리가 아니라 가슴으로 구매한다.

그는 이런 메커니즘을 뇌의 진화에서 찾는다. 호모사피엔스의 뇌에서 마지막으로 출현한 영역은 신피질이다. 신피질은 사이넥이 주창한 골든 서클의 '무엇을'에 해당한다. 골든 서클의 가장 안쪽 '왜'는 변연계를 구성한다. 변연계는 신뢰와 충성심 따위의 감정을 담당하는 영역이다. 사람은 변연계에 의해 일단 결정을 한 뒤에야 신피질 수준에서 상세 정보를 검토한다. 따라서 종업원이든 소비자든 사람을 설득하고 신뢰를 심어주려면 '왜'에서 출발해야 한다.

"CEO의 임무는 '왜'의 전형을 보여주고 조직에서 '왜'가 줄줄 흘러넘치게 하는 것입니다."

그러나 현대의 경영 시스템은 '왜'를 묻기보다 단기 실적과 돈에 매달리고, 직원을 활용 자원으로만 바라본다. 그런 직장에선 조직원들이 성취감이나 소속감을 느낄 수 없고, 결국 그것은 조직의 장기적인 성장을 저해한다.

오늘날 많은 직장인이 자신이 선택한 일에서 특별한 의미를 찾지 못한다. 그게 바로 훌륭한 '왜 타입'의 리더가 조직을 운영해야 하는 이유다. 어느 회사도 돈을 많이 벌겠다는 목표 하나만으로 만들어지진 않았다. 창업자들의 목표와 가치를 바탕으로 세워진 것이다. 훌륭한 리더는 조직원들로 하여금 조직이 하는 일의 비전을 제시하고, 거기에 참여함으로써 기쁨과 보람을 갖고 가치를 느낄 수 있게 만든다.

국내외 유수의 병원들이 벤치마킹하는
지방 병원의 비밀

대전에 있는 '선병원'은 조직에서 사명을 수립하는 일이 왜 중요한지를 잘 말해준다.[6] 이 병원은 대전 시내와 유성에 흩어져 있는 병원 건물을 모두 합해야 900병상에 불과하지만 실력은 서울 일류 병원에 뒤지지 않는다. 이 병원의 응급의료센터는 2014년 보건복지부가 실시한 응급의료기관 평가에서 100점 만점을 받아 조사 대상 430개 기관 중 1위를 차지했다. 이 병원의 중증 응급환사 응급실 체류 시간은 평균 0.98시간으로, 전체 평균 5.9시간보다 월등히 빨랐다. 그만큼 신속하게 수술실 등으로 옮겨져 필요한 치료를 받는다는 의미다. 또 2008년 보건복지부의 의료기관 만족도 평가에서 삼성서울병원, 서울아산병원 등 8곳과 함께 A를 받았고, 암수술 잘하는 병원 1등급, 뇌졸중 치료 1등급으로 꼽히기도 했다. 이 병원의 실력은 외국인 환자가 많이 찾는 데서도 알 수 있다. 2013년엔 50여 개국에서 3300명이 찾아왔다. 선병원은 다른 병원들이 발이 닳도록 찾아와 벤치마킹하는 것으로도 유명하다. 지금까지 다녀간 종합병원이 서울대병원과 삼성의료원을 포함해 100개가 넘는다.

지방 병원이 서울대병원도 벤치마킹하는 병원이 된 이유 중 하나는 '왜'가 뚜렷했기 때문이다. 선승훈 원장은 병원 경영을 시작한 지 10년쯤 지난 2000년, 미국 스탠퍼드대 기업가 양성교육에 참여하게 된다. 그는 제리 포라스 교수의 강의에서 전율을 느낄 정도로 감동을 받았다. 제리 포라스는 짐 콜린스와 함께 『성공하는 기업들의 8가지 습관』이란 책을 쓴 경영학의 대가이다. 그 책의 주제이자 스탠퍼드대 강의 내용은 미국에서 100년 이상 된 유망 기업 중 20~30곳을 선택해 집중적으로 연구한 결과에 대한 것이었다. 그런 기업들엔 공통점이 있었다. 바로 전 직원이 공유하는 핵심가치가 있다는 것이었다. 액자로 만들어 걸어둔 그럴듯한 문구를 말하는 것이 아니다. CEO부터 말단 사원까지 분신처럼 여길 수 있는 분명한 가치를 말한다.

그 강의를 듣는 순간 선원장은 부끄러웠다. 그동안 병원 시스템을 개선하고 좋은 인재를 찾기 위해 애썼지만 병원의 핵심가치를 구체적으로 생각해본 적은 없었던 것이다. 나무에 물을 주고 가꾸기는 했지만 뿌리를 생각하지 못했던 셈이다. 그가 스탠퍼드에서 돌아와 가장 먼저 한 일은 선병원의 핵심가치를 찾는 일이었다. 그는 고민에 빠졌다. '우리 병원이 최우선에 둘 만한 가치가 무엇일까?' 분명히 뭔가 있을 텐데, 막상 끄집어내려니 잘 떠오르지 않았다. 며칠 동안 일이 손에 잡히지 않았다.

그러나 해답은 가까운 곳에 있었다. 45년 동안 만들어진 병원문화 속에 핵심가치가 있었다. 선병원 설립자인 선승훈 원장의 부친은 평생 가난한 사람을 위해 무료 진료와 봉사활동을 펼쳤다. 입원비를 내지 않으려고 야반도주한 환자의 집에 찾아간 직원이 형편이 궁색하다고 전화로 보고하자 그 집에 쌀이라도 사주고 오라고 지시하기도 했다. 선원장은 생각했다. '그렇다. 병원에서 가장 중요한 것은 바로 환자의 건강이다. 환자를 배려하는 마음, 손해가 나더라도 우리 병원을 찾아준 고객을 먼저 생각하는 마음이 있어야 한다.' 자연스럽게 첫번째 핵심가치는 '배려'가 되었다.

　　선원장은 이렇게 병원의 역사와 문화를 성찰하면서 '배려' '열정' '절제'라는 세 가지 핵심가치를 도출했고, 직원들과 공유하기 시작했다. 배려라는 핵심가치는 구호로 그치지 않았다. 병원의 모든 행위가 배려를 중심으로 돌아가기 시작했다. 이 병원의 모든 간호사는 주머니 속에 손바닥만한 수첩과 볼펜을 갖고 다닌다. 전쟁터에 나간 군인에게 소총이 그렇듯이 이 병원 간호사들에겐 이 수첩이 비장의 '개인 화기'다. 환자가 입원을 하거나 뭔가 좋은 점, 나쁜 점을 말할 때면 간호사들은 어김없이 이 수첩을 꺼내들고 받아 적는다. 이런 식으로 수첩엔 환자에 대한 모든 것이 적힌다. 'A환자는 높은 베개를 싫어함' 'B환자는 목소리가 작은 편이라 귀를 기울여 들어야 함' 'C환자는 음식을 짜지 않게 해달라고 요구함' 등이다. '인공관절 수술 때문에 입원한 D환자는 혈당이 높음. 당뇨를 체크할 필요가 있음'처럼 환자의 잠재 질환에 대한 내용도 담긴다.

　　간호사들은 수첩에 적은 새로운 내용을 곧바로 컴퓨터에 입력한다. 간호사 개개인의 서비스를 조직 차원에서 체계적으로 관리하는 것이다. 선원장은 "간호사들이 수첩에 적은 '환자의 모든 것'은 의료 기록과 함께 우리 병원의 가장 소중한 '보물'"이라고 말했다. 환자가 이 병원을 다시 찾을 때면 이 자료를 총동원, 마치 오래전부터 알아온 고객처럼 환자에게 최상의 '맞춤' 서비스를 제공한다는 것이다. 기록에 대한 집착은 매뉴얼로 연결된다. 이 병원 관계자들은 "직원들이 하는 일, 각 분야가 맡는 업무를 매뉴얼로 만든 것이야말로 우리 병원 경쟁력의 진면목"이라고 입을 모은다. 선병원은 2005년 본격적인 매뉴얼화에 돌입했고 2011년엔 전산화 작업도 마쳤다. 간호사용 가이드북엔 이른바 '발딱 응대'라는 항목이 있다. 고객과 얘기할 때 즉시 일어나 눈높이를 맞춰야 한다는 것이다.

온종일 환자들을 졸졸 따라다니며 환자들이 불편해하는 요소를 찾아내는 '별동대'를 투입하기도 한다. CCO^{Chief Client Officer}라고 불리는 별동대는 4명으로 구성된다. 대부분의 환자는 불만이 있어도 말을 잘 안 한다는 것을 깨달은 뒤, 아예 환자처럼 병원을 경험하도록 한 것이다. 예를 들어 MRI 촬영을 하는 할머니를 따라갔다가 장비에 달린 헤드폰 음악 소리가 너무 크다는 점을 발견해 즉시 소리를 줄였고, 밤에 침대에 함께 누웠다가 시계 초침 소리가 유난히 크게 들린다는 점을 알게 돼 병실의 모든 시계를 소리가 안 나는 시계로 바꾸기도 했다. 이처럼 병원 직원들은 사소한 것이라도 그냥 지나치지 않는 문화에 익숙하다. 응급실에 온 환자의 눈이 부시지 않도록 모든 조명을 간접조명으로 바꾸어놓았고, 응급실 차량이 드나드는 통로는 일반 출입구와 따로 만들어 환자를 신속히 옮길 수 있도록 했다.

선병원의 이야기는 '왜' 일해야 하는지, 중요한 것이 무엇인지 알면 '어떻게' 해야 할지의 길은 자연스럽게 찾을 수 있음을 알려주는 사례다. '왜'를 모르는 조직은 복잡하다. 무엇을, 어떻게 해야 할지 모르기 때문이다. '왜'를 아는 조직은 단순하다. 무엇을, 어떻게 해야 할지가 분명하기 때문에 괜한 일에 힘을 빼거나 시간을 낭비할 필요가 없다. 이것이 단순해지기 위해서는 '왜'를 세워야 하는 이유다.

총소리와 떨어져 행진하라
: 진화생물학자 에드워드 윌슨 교수의 집중론

'왜 사는가' '왜 일하는가'라는 질문을 토대로 나만의 정체성을 찾고 올곧게 자신만의 길을 가는 것에 대해 이정표가 되어줄 인물이 있다. 나는 2014년에 세계적인 개미 연구가이자 진화생물학자인 에드워드 윌슨 교수를 만났다. 그는 개미가 페로몬이란 화학물질을 통해 의사소통을 한다는 사실을 처음 발견했고, 인간을 포함한 동물의 사회적 행동을 진화론적 관점에서 설명하는 '사회생물학'이란 학문을 창시했다. 그는 『개미』와 『인간 본성에 대하여』를 비롯한 수십 권의 과학 책을 썼고, 퓰리처상을 두 번이나 수상했다.

그의 연구실은 하버드대 비교동물박물관 내에 자리잡고 있었다. 1834년 찰스 다윈이 발견한 성게 화석을 포함해 세계에서 가장 많은 2100만여 종의 동물 표본을 소장하고 있는 곳이다. 초등학생들이 견학 중이던 미로 같은 박물관을 헤치고 계단을 통해 위층으로 올라가니 윌슨 교수가 환한 웃음으로 반겨주었다. 그의 오른쪽 눈은 어린 시절 낚 싯바늘에 찔린 사고로 실명해 반쯤 감겨 있었지만, 그의 웃음 띤 얼굴 에선 부자연스러움을 느낄 수 없었다. 그는 남은 왼쪽 눈 하나로 평생 개미를 연구해왔고, 개미에 대한 관심을 인간으로 확장시켜 인간 존재 의 심연을 들여다봐왔다.

그와 칠면조 샌드위치를 같이 먹어가며 두 시간 동안 나눈 대화는 지금도 생생하게 기억에 남아 있다. 무엇보다 85세인 그가 보여준, 어 린아이처럼 장난스러워 보이면서도 호기심 어린 눈빛이 생생하다. 대 학에서 윌슨 교수 정도의 위치에 올라가면, 그것도 나이가 여든이 넘으 면 연구와 멀어지는 게 오히려 당연하다. 하지만 그는 요즘도 하루에 몇 시간씩은 문을 걸어 잠그고 개미를 들여다본다고 그의 제자 최재천 이화여대 교수가 말했다. 1년에 한두 권씩 책을 쓰고 자연보호활동 등 여러 사회활동을 하면서도 말이다.

윌슨 교수는 나에게 2013년에 쓴 『젊은 과학도에게 보내는 편지 Letters to a Young Scientist』란 책을 사인을 해서 주었는데, 돌아오는 비행기에 서 재미있게 읽었다. 제목처럼 젊은 과학자들에게 조언을 하는 책이었 는데, 과학자가 아니라도 새겨볼 만한 내용이 많았다. 그의 조언 중 하 나는 '총소리와 떨어져서 행진하라March away from the sound of the guns'는 것 이다. 군대에서는 '총소리에 맞춰 행진March to the sound of the guns'해야 하지 만, 과학의 경우에는 그렇지 않다는 것이다. 다시 말해 사람이 적게 다 니는 길로 가라는 것이다.

이같은 충고는 자신의 경험을 바탕으로 하고 있다. 어린 시절 제 2차세계대전으로 세상이 떠들썩했는데도, 그는 고향 앨라배마에서 산과 들을 다니며 뱀을 잡고 개미와 나비를 수집하는 것이 일상이었다. 그는 곤충에 매료됐다. 그래서 일찌감치 곤충학자가 돼야겠다는 생각을 했다. "곤충학자가 되면 곤충만 보면서도 살아갈 수 있다는 것을 알았기 때문"이다. 그는 대학에 들어가 자신이 가장 좋아하던 곤충의 하나였던 개미를 연구하기 시작한다. 윌슨 교수는 그것이야말로 자기 인생 최고의 선택이었다고 회고한다.

우선 개미는 지구상에 가장 많은 곤충이다. 관찰하고 연구하기가 매우 손쉬운 것이다. 또한 개미는 벌과 함께 가장 발달된 사회 시스템을 가진 곤충이기도 하다. 그만큼 과학적으로 연구가치가 높다. 게다가 그가 개미를 처음 연구했을 때만 해도 개미 연구자는 드물었다. 전세계에 개미만 전문적으로 연구하는 학자는 10여 명에 불과했다. 이는 어떤 연구를 하든, 그리고 연구 결과가 어떻든 과학저널에 어렵지 않게 실릴 수 있다는 걸 의미했다. 마치 골드러시가 시작되기 전에 금을 발견한 것과 같았다는 것이다. 그는 이같은 경험을 토대로 이렇게 충고한다. "연구 주제를 정할 때 사람들이 적은 분야를 택하라." 그러면 자연히 새로운 길을 개척할 기회도 많고, 자연스럽게 선도자가 될 수 있다는 것이다. 그리고 시간이 지나면 자신의 길을 스스로 정할 자유를 얻을 수 있다.

"이미 어떤 분야가 많은 주목을 끌고 있고, 그 분야의 학자들 중에 이런저런 상을 받은 사람이 많다면 그런 곳은 피하라. 그것은 훈장을 단 장군과 선임 하사들이 득실거리는 군대에 신참으로 입대하는 것과 마찬가지다. 그 대신 당신이 사랑하는 분야, 당신의 관심을 끌고 유망해 보이는 분야, 각종 상을 받은 사람이나 학술원 회원이 적은 분야, 발표되는 논문들에 아직 과도한 데이터와 수학 모델이 적은 분야를 택하라. 처음엔 외롭고 불안할 것이다. 그러나 다른 조건이 같다면 당신은 새로운 발견의 흥분을 경험하고 존재감을 드러내는 데 훨씬 유리할 것이다. 총소리와 떨어져 행진하라. 멀리 떨어져서 그 소동을 지켜보라. 그리고 당신이 있는 곳에서 스스로 소동을 만들어내라."

비단 과학 연구만 그럴까. 우리의 삶도, 경영도 마찬가지일 것이다. 공급 과잉인 이 시대의 생존법은 더이상 총소리에 맞춰 행진하는 것이 아니다. 총소리와 떨어져 행진해야 한다. 무리를 벗어나라. 그리고 혼자만의 길을 가라.

에드워드 윌슨 교수는 2005년 생물학계에 큰 파란을 불러일으켰다. 본인이 평생에 걸쳐 옹호해왔으며 생물학계의 정설로 굳어진 지 오래인 이른바 '혈연선택설kin selection'을 갑자기 부정하고, 소수설이자 거의 이단으로 취급되던 '집단선택설group selection'을 지지함으로써 학문적 전향을 한 것이다. 학계는 거세게 반발했다. 2010년 그가 『네이처』에 관련 논문을 발표한 뒤 학자 137명이 비판 서명을 한 일이 대표적이다. 그는 그동안 쌓아놓은 업적만으로 편안하게 살 수도 있었다. 그런데 왜 편한 길을 포기하고 도박에 가까운 가시밭길을 선택했을까? 그는 이 질문에 이렇게 대답했다.

"나는 언제나 가시밭길을 걸었다. 중요한 과학적 발견은 언제나 논란을 유발한다. 과학은 원래 그렇게 변하는 거다. 과학은 투표로 이뤄지는 게 아니다. 내가 1970년대에 처음으로 사회생물학을 제안했을 때도 엄청나게 심한 반대에 부딪혔다. 당시 학계, 특별히 사회학계에서 강고했던 믿음, 사회적 행동에 유전적 기초가 있을 수 없다는(유전자가 사회적 행동에 영향을 미칠 수 없다는), 특히 인간에게는 그럴 수 없다는 믿음 때문이었다. 모든 건 문화로 설명해야 한다고 믿었다. 많은 과학자들이 말로는 '언제나 새로운 정보와 데이터에 따라 변해야 한다'고 이야기하면서도 실제로는 변화에 매우 인색하고 보수적이다."

나는 혈연선택설이 맞는지, 집단선택설이 맞는지 판단할 능력이 전혀 없다. 그러나 여든이 넘은 대가가 평생에 걸쳐 쌓아온 과거를 부정하는 용기에 경외감을 느꼈다. 그는 여전히 총소리와 떨어져 자신만의 길을 걷고 있었다. 덕분에 그의 삶은 단순하고 집중적이다.

가장 큰 위험은, 위험을 감수하려 들지 않는 것

물론 사람이 적은 길을 택하고, 총소리와 떨어져 행신하기란 쉽지 않다. 다른 사람과 다른 길을 택하는 데는 늘 실패에 대한 불안과 두려움이 따르기 마련이다.

신화학자 조지프 캠벨은 『신화와 인생』이란 책에서 "하고 싶은 일을 하려면 용기가 필요하다"고 말했다.[7] "다른 사람들은 여러분에게 강요할 갖가지 계획을 갖고 있다. 여러분이 원하는 일을 할 수 있길 원하는 사람은 세상에 한 명도 없다"는 것이다. 인생 조언을 담은 이 책에서 인상적인 대목은 인간이 겪는 원초적인 두려움을 두 가지로 집약한 대목이다. 첫째는 굶어 죽지 않을까 하는 두려움이고, 둘째는 남들에게 자신이 어떻게 비칠까 하는 두려움이다. 살아갈수록 인간의 두려움은 이

두 가지에서 크게 벗어나지 않는다는 생각이 든다.

그러나 그는 인생을 설계할 때 이 두 가지를 두려워하지 말라고 조언한다. 그는 제대로 된 인생을 살고 싶다면 그 두 가지를 생각하는 대신, 한 가지 문제에 집중해야 한다고 말한다. '어디에 가야 기분이 좋을까? 뭘 해야 행복할까?'만을 생각하라는 것이다. 그는 인생의 선택을 룰렛 바퀴 위의 공에 비유한다. 우리가 스스로를 옥죄는 비교에 대한 생각을 버리면, 룰렛 바퀴 위의 공처럼 어디에 안착할 것인지를 발견할 수 있다는 것이다.

"룰렛 공은 결코 '아, 여기 내려앉는 것보다는 차라리 저기 내려앉아야 사람들이 나를 더 좋아할 거야' 하고 생각하진 않는다. 여러분에게 다가오는 것을 받아들이고, 여러분의 마음에 드는 곳에 머물라. 중요한 것은 여러분 스스로 '나의' 자리라고 생각하는 곳에 머무르는 것이다. 다른 사람들의 생각이야 그저 '그들만의' 생각일 뿐이니까. '남들이 날 어떻게 생각할까?' 하는 생각을 치워버려야 희열이 온다."

'토크쇼의 여왕' 오프라 윈프리도 '노'라고 하면 다른 사람들이 자신을 거부할까봐 늘 두려웠다고 한다. 그녀는 종교작가 닐 도널드 월시 Nick Donald Walsch의 말에서 용기를 얻었다.

"다른 사람들이 당신에 대해 어떻게 생각하는지를 걱정하는 한, 당신은 그들에게 소유된 셈이다. 외부의 승인을 필요로 하지 않을 때 비로소 당신은 스스로의 주인이 될 수 있다."[8]

"용기를 끌어모아 자신의 길을 갈 때 그 결과가 항상 산뜻하지는 않을 것"이다. 난관에 부닥치고 넘어질 수도 있다. 그러나 그런 이유로 포기한다면 나중에 너무나 많은 날을 후회에 몸부림치며 살 수 있다고 윈프리는 강조한다. '다른 사람들이 나를 어떻게 생각하는지 신경쓰지 않고 살았더라면 과연 내 삶은 어땠을까?'라고 말이다. 그녀는 자기 자신을 제외한 다른 사람들에게 아무것도 증명할 필요가 없다는 생각으로 살아야 한다고 말한다.

모두가 실패를 두려워한다. 그리고 실패 없이 성공할 수 있기를 꿈꾼다. 그러나 위클리비즈가 만난 세계적 벤처기업인 중엔 한 번에 성공한 사례가 드물었다. 모바일 차량 예약 서비스회사인 우버Uber의 트레비스 칼라닉Travis Kalanick 사장은 파산을 포함해 3번의 실패 경험이 있는데, 4번째 창업에서 대박을 터뜨렸다. 구글이 2억 6000만 달러를 투자한 것이다. 세계 3대 SNS 중 하나인 핀터레스트Pinterest의 창업자도 한 번 실패했지만 재도전해 기업가치가 한화로 약 5조원에 이르는 회사를 일궜다.

20~30대에게 폭발적인 인기를 끄는 신발 브랜드 탐스TOMS의 창업자 블레이크 마이코스키Blake Mycoskie 사장은 4번 실패했다. 그는 실패를 거듭할 때 위인들의 전기를 읽으며 자신감을 회복했다고 한다. 성공한 사람들은 모두가 실패했다는 것을 발견했기 때문이다. 그는 "실패의 상처가 깊으면 깊을수록 실패를 이기기 위해 더 크고 위대하게 생각하기에 어쩌면 당연한 것"이라고 말했다. "창업가의 가장 큰 위험은, 위험을 전혀 감수하려 들지 않는 데서 나온다"라고도 했다.

벤처캐피털도 실패를 당연하게 생각한다. 미국의 대표적 벤처캐피탈인 세쿼이아캐피털Sequoia Capital의 마이클 모리츠Michael Moritz 회장은 "10번 투자하면 최소 3번은 돈을 몽땅 잃는다"고 말했다. 그는 "진짜

기념비적인 투자는 극소수이며 잘해야 10개 중 1개에 불과하다. 그런데 그 하나의 기업이 가장 중요하다"고 강조했다.

우리나라에선 남편이 창업하겠다고 하면 아내가, 자식이 창업하겠다고 하면 부모가 "내 눈에 흙이 들어가기 전엔……" 하며 말릴 것이다. 그러나 한국을 벗어나면 그렇지 않은 부모를 얼마든지 볼 수 있다. 미국의 체형보정속옷 전문기업인 스팽스Spanx의 창업자 세라 블레이클리Sara Blakely가 어렸을 때 아버지는 항상 그녀와 오빠에게 이렇게 묻곤 했다. "오늘은 무엇에 실패했니?" 실패한 게 없으면 아버지는 실망했다. 그녀의 아버지는 "실패란 성공하지 못하는 것이 아니라 아무것도 시도하지 않는 것"이라고 말하곤 했다. 그녀는 "이제 어른이 되어 내가 실패를 두려워하지 않는다는 사실에 대해 아버지에게 정말 감사하다"고 말했다. 그녀는 지금 10억 달러의 자산을 보유, '세계 최연소 자수성가형 여성'이란 타이틀을 갖게 됐다.

제2의 마크 저커버그라 불리는 데이비드 카프David Karp 텀블러Tumblr 창업자는 부모가 고등학교를 중퇴하라고 권유하는, 한국에서는 도저히 상상할 수 없는 경험을 했다. 그는 열한 살 때부터 인터넷 홈페이지를 전문 프로그래머만큼 잘 만들었다. 친구들과 축구를 하거나 게임을 즐길 시간에 이웃의 웹사이트를 만들어주었고, 열네 살 때부터는 컴퓨터 케이블을 팔러 다녔으며, 방학 때는 미디어회사에서 인턴을 했다. 학교는 따분했다. 2001년 여름 언제나처럼 컴퓨터 앞에 앉아 프로그램 코드를 짜는 아들에게 부모가 다가가 말했다. "애야, 우린 네가 컴퓨터에 재능이 있는 것 같고, 그것을 매우 즐긴다고 생각해. 혹시 고등학교를 그만두고 하고 싶은 일에 뛰어드는 건 어떨까?"

소년은 그날로 고등학교를 그만두었다. 컴퓨터 프로그래머, 컨설팅사 창업을 거쳐 2007년 SNS 서비스 텀블러를 세웠다. 6년 뒤인 2013년 5월, 그는 IT업계에서 최대 화제로 떠올랐다. 야후가 텀블러를 11억 달러에 인수했기 때문이다. 카프는 인수 대금 중 2억 달러를 챙기면서 스물일곱 살에 벼락부자가 됐다. 그는 당시를 회고하며 이렇게 말했다. "사실 부모님 말씀을 듣고 충격을 받았어요. 처음엔 반신반의했어요. 중퇴까진 생각하지 않고 있었거든요. 그런데 부모님은 제가 뭘 잘하는지 그것만 보셨던 것 같아요. 얼마나 감사한지 몰라요."

실리콘밸리에서 실패한 창업자를 뭐라고 부르는지 아는가? 바로 '경험 있는 기업가experienced entrepreneur'다. 8곳의 벤처기업 설립에 참여했고, 이중 4곳을 상장시켜 갑부가 된 스티브 블랭크Steve Blank는 아이비리그 대학이 모여 있는 미국 동부 보스턴이 아니라 서부 실리콘밸리가 혁신의 중심이 된 이유를 이렇게 설명했다.[9]

"1970년대 보스턴의 벤처캐피털이 은행 같았다면 서부 벤처캐피털은 도박사 같았습니다. 동부 투자자가 확실히 결과가 보장되는 프로젝트를 원했다면, 서부에선 포트폴리오가 지나치게 좋은 사람은 위험을 감수하지 않는 사람이라 보고 부정적으로 해석했죠. 실리콘밸리에는 10가지에 투자해 9가지가 실패로 돌아가도 한 가지만 성공하면 된다는 모험가적인 문화가 있습니다."

블랭크가 자신의 경험을 집대성해 2013년 펴낸『기업 창업가 매뉴얼Startup Owner's Manual』은 젊은 벤처 지망자들에게 바이블로 통한다. 그는 또 UC버클리와 스탠퍼드대에서 창업 교육 과정을 주관하며 미래의 스티브 잡스를 발굴하는 데 힘을 쏟고 있다. 그는 실리콘밸리의 혁신적인 문화가 끊이지 않고 계속 이어지는 또하나의 원인으로 '페이 잇 포워드 pay it forward' 문화를 꼽았다. 이는 도움을 준 사람에게 되갚지 않고, 다른 사람에게 갚는 것을 말한다. 실리콘밸리에서는 안면도 없는 사람에게서 도움을 청하는 연락을 받고 도와주는 것을 사회적 책무라고 생각한다는 것이다.

실리콘밸리에서 반도체산업이 태동할 때 실패를 경험하는 기업이 허다했다. 그때 페어차일드Fairchild를 비롯해 60여 개 기업의 엔지니어들이 같이 점심을 먹으며 자신의 경험과 시행착오, 노하우를 나누는 문화가 생겼다. 인도, 중국, 러시아 등 인종적 장벽을 경험한 기업인들도 연합을 결성해 서로 돕기 시작했다. 그 문화가 다음 세대까지 이어졌다. 몇몇 기업 간부가 일주일에 한 시간씩 시간을 내 엔지니어들을 만나 조언을 해주기도 했는데, 장발의 20대 청년이 전화번호부에서 당시 55세였던 인텔 창업자 로버트 노이스Robert Noyce의 연락처를 찾아 조언이 필요하다며 면담을 청했다는 일화는 유명하다. 그 젊은이가 바로 스티브 잡스였다. 블랭크는 "실리콘밸리는 그런 의미에서 하나의 학교였다"며 "혁신을 원한다면 다음 세대에 페이 잇 포워드 문화를 가르쳐야 한다"고 말했다.

그런데 우리 20대는 어떤가. 2013년 서울대 경영학과를 졸업한 159명 중 창업한 사람은 4명(2.5퍼센트)에 불과했다. 중소기업청에 따르면 미국은 스탠퍼드대와 하버드대 졸업생 중 창업하는 비율이 각각 13퍼센트와 7퍼센트, 뱁슨 칼리지는 17퍼센트에 이른다.

실패하면 순식간에 범죄인이 되고 가족 모두가 패가망신하는 나라와 실패를 성공하기 위한 경험으로 생각하는 나라 중 어느 쪽에 희망이 있을까? 자녀의 창업을 부모가 보따리 싸들고 말리는 나라와 고등학교를 중퇴하고 창업해보라는 나라 중 어느 쪽에 희망이 있을까? 물론 한국에서 창업에 대해 부정적인 이유는 분명히 있다. 그것은 위험과 보상의 불일치다. 한국에서 창업은 '고위험─저수익' 산업이다. 청년들은 창업이란 말에 안전장치 없이 번지점프하는 느낌을 받는다. 사회심리학자 기어트 홉스테드Geert Hofsteded에 따르면, 한국의 '불확실성 회피 지수'는 조사 대상 53개국 중 16위로 높은 편이다. 이 지수가 높은 나라는 남들과 다른 것을 위험한 것으로 간주하고, 불확실성을 자연스러운 삶의 일부가 아니라 싸워 이겨야 할 위협으로 간주하는 등의 특징이 있다. 최근 중견기업의 잇따른 좌초는 이런 심리를 더욱 강화할 수 있다.

하지만 조지프 캠벨의 말처럼 하고 싶은 일을 하려면 용기가 필요하다. 남과 다른 것을 위험으로 간주하고 불확실성을 두려워만 해서는 제자리걸음에서 벗어날 수 없다. 로저먼드 잰더와 벤저민 잰더 부부가 같이 쓴 『가능성의 세계로 나아가라The Art of Possibility』에 따르면 사람은 누구나 태어나면서부터 타인의 평가를 의식하며 자라난다.[10] 또한 이 세상에는 사랑, 관심, 음식과 같은 것들이 넉넉하지 않다고 걱정하면서 인생을 허비하는 사람도 많다. 이같은 결핍, 경쟁, 비교의 환경 속에서는 자신의 존재를 지나치게 심각하게 받아들이게 된다고 잰더 부부는 말한다.

따라서 그런 세계에서 살고 있는 자아와 결별할 필요가 있다. 그래야만 넉넉하고 건강한 태도로 삶을 살아갈 수 있다. 자신을 극복하면 자기 자신 속의 창조적 본능을 발견하게 되고, 상처받기 쉬운 존재가 아니라 수용적인 존재로서 스스로를 재인식하게 된다. 그리하여 "생명의 강에 저항하고 맞서 싸우기보다는 그 조화롭고 아름다운 흐름 속으로 헤엄쳐 들어갈 수 있게 된다". 잰더 부부는 그 방법으로 긴장 이완과 유머를 제안한다. "긴장을 풀어라. 그러면 당신 주변 사람들도 긴장을 풀 것이다." 아리아나 허핑턴도 위클리비즈와의 인터뷰에서 비슷한 말을 했는데, 내가 가장 좋아하는 말 중 하나가 됐다. "천사들이 날 수 있는 이유는 마음이 가볍기 때문이다"라는 말이다. 무슨 일이든 너무 심각하게 생각할 필요가 없다는 의미다.

자기 자신을 극복하라는 잰더 부부의 조언은 니체의 충고를 연상시킨다. 니체가 구분한 단계에 따르면, 낙타는 짐을 잔뜩 싣고 나면 제 발로 일어나 사막으로 들어가고, 거기서 사자로 변신한다. 사자의 임무는 '너는 할지니'라는 이름의 용을 죽이는 것이다. 이 자기 발견의 사자가 용을 죽이고 나면, 용 속에 묶여 있던 모든 에너지는 이제 '나'의 것이 된다. 인간의 목표는 낙타에서 사자로 변신해 "나는 원한다"고 말하며 용을 죽이는 것이다.

두려움을 이기는 법,
도미니크 바턴 매킨지 회장의 회복력

나는 많은 글로벌 기업 CEO와 경제, 경영 석학을 만났다. 그런데 그들이라고 두려움이 없지는 않았다. 그들도 다른 모든 사람과 마찬가지로 두려움을 겪었고, 또 겪고 있었다. 그들은 이미 대가의 반열에 오른 만큼 굶어 죽지 않을까 하는 두려움에서는 벗어나 있었지만, 남들에게 자신이 어떻게 비칠까 하는 두려움에서는 여전히 자유롭지 않은 경우가 많았다. 그러나 그들은 두려움이라는 용의 노예가 되지 않고, 자기만의 방식으로 사자가 되어 용을 죽이고 있었다.

『보랏빛 소가 온다』『린치핀』등 세계적인 경영 베스트셀러를 쓴 세스 고딘Seth Godin도 두려움을 많이 겪은 모양이다. 그는 위클리비즈와의 인터뷰에서 이렇게 말했다.[11]

"우리는 두려움을 없앨 수는 없습니다. 뮤지컬 영화 〈사랑은 비를 타고〉를 보셨나요? 거기서 진 켈리는 빗속에서 아주 오랫동안 춤을 춥니다. 그는 우산을 들고 있었는데, 그걸 몇 번 펼쳤을까요? 그는 춤을 추는 내내 한 번도 우산을 펼치지 않았어요. 그 영화의 제목은 '우산 아래서 노래를'이 아니라 '빗속에서 노래를'입니다. 거기에서 포인트는 '비'입니다.

우리 삶의 포인트는 '두려움'입니다. 우리는 탁월한 작품을 두려움 없이 창작할 수 없습니다. 오히려 위대한 작품 뒤에는 항상 두려움이 있다고 할 수 있습니다. 당신은 두려움과 함께 춤을 추어야 합니다. 두려움은 우리가 예술을 해나가는 과정의 일부분이 되어야 힙니다. 두려움이 없는 건 무서울 게 없는 상태가 되는 겁니다. 두려움이 없는 상태는 어리석음이나 마찬가지입니다. 그러니 우리는 두려움을 없애는 법을 궁리할 것이 아니라, 두려움과 친구가 되는 법을 고민해야 합니다. '네가 두려움이니? 환영해. 내 곁에 있어줘서 고마위. 우리 함께 춤을 추자'고 말할 수 있어야 합니다."

티베트의 영적 지도자 달라이 라마는 두려움을 이기는 다른 방법을 제안한다. 그것은 진실된 동기를 가지는 것이다. 달라이 라마처럼 비범한 사람 역시 다른 사람들 앞에서 바보처럼 보일까봐, 남들이 자신을 나쁘게 생각할까봐 불안감을 느낀다고 한다. 이를테면 대중 앞에서 강연을 시작하기 전엔 언제나 약간의 불안감을 느끼며, 치료하기 힘든 심리적 장애를 겪는 환자들을 도와줘야 할 때도 방법을 몰라 두렵다고 했다. 이런 불안에 개인적으로 어떻게 대처하느냐는 질문에 그는 이렇게 대답한다.

"올바른 동기와 정직성을 갖는 것이 그런 두려움과 불안을 이기는 열쇠가 된다고 생각합니다. 사람들에게 말을 하기 전에 불안감이 생긴다면, 내가 강연을 하는 목적은 적어도 사람들을 이롭게 하려는 것이지 결코 내 지식을 자랑하려는 것이 아니라는 사실을 떠올릴 것입니다. 자비심과 같은 진실한 동기를 가지면, 실수를 하거나 그 일을 해결하지 못했다고 하더라도 후회할 이유는 없습니다. 내 입장에선 최선을 다한 결과이기 때문입니다.

모든 행동의 뒤에서 사람을 움직이는 것은 동기입니다. 진실하고 순수한 동기를 많이 갖는다면, 그리고 친절과 자비와 존경을 바탕으로 남을 도우려는 동기로 행동한다면, 당신은 어떤 일도 해낼 수 있고, 그것도 별로 두려워하거나 걱정하지 않고 잘할 수 있습니다. 설령 목표를 이루는 데 실패하더라도 당신은 노력한 사실만으로 만족할 것입니다."[12]

누구에게도 두려움은 예외가 될 수 없다는 것을 새삼 느끼게 해준 사람은 세계 최고의 컨설팅회사 매킨지의 도미니크 바턴Dominic Barton 회장이었다. 전 세계 100대 기업 중 90개 사가 컨설팅을 받는 회사, 매출 10억 달러 이상 회사 중 315개 사의 CEO가 몸담았던 회사, 세계에서 가장 일하고 싶은 직장 2위에 꼽힌 회사…… 이런 회사의 1인자라면 인생에서 무슨 실패를 했을까 싶다. 하지만 그의 삶도 순탄하지만은 않았다. 그에게 가장 쓰라린 실패는 매킨지 초년병 시절 파트너 심사에서 두 번 연속 떨어진 일이다. (파트너가 되면 회사 지분을 가지면서 경영진의 일원이 되는데, 일반 회사로 치면 등기이사쯤 된다고 볼 수 있다.)

"왜 떨어졌는지 도무지 알 수 없었는데, 한 프로젝트 매니저가 '당신은 좋은 문제 해결자가 아닌 것 같아'라고 하더군요. 수학자에게 수학을 못한다고 말하는 것과 마찬가지였어요. 엄청난 충격을 받았습니다. 그런 이야기를 들어본 적이 없었거든요. 두 번 탈락하고 나서는 너무 화가 나서 회사를 그만둘 뻔했죠."

하지만 그럴수록 그는 끝까지 가보자는 오기가 생겼다. 결국 세번째 파트너 심사에 통과했고, 지금은 조직의 수장이 됐다. 그는 당시의 실패 경험을 지금은 고맙게 생각한다고 했다. "그때 저는 스스로에게 다짐했습니다. '나는 매킨지보다 훨씬 높은 기준을 세워야지'라고요. 내 운명을 남이 아니라 내가 정하겠다는 겁니다."

그가 이렇게 다짐했던 것은 자신에 대한 평가가 공정하지 않다고 생각했기 때문이다. 그는 고객의 문제에 대해 시간이 걸리더라도 본질을 파고드는 스타일이었고, 자기주도적으로 문제를 해결하려 했다. 이를테면 정유회사 컨설팅을 나가면 주유소에서 직접 주유원으로 일하기도 했다. 그러다보니 시간이 오래 걸렸고, 그의 상사는 이를 받아들이지 못했다. 하지만 그는 실패의 경험들이 자기를 성장시켰다고 말했다.

"만약 뭔가를 시도해보고 실패하지 않으면 회복력resilience이 무엇인지에 대해서도 잘 모르게 됩니다. 많은 CEO와 이야기를 나눠보면 항상 무언가가 그들을 넘어뜨리지만, 그들은 다시 일어나곤 하죠."

3장. 세워라

그가 매킨지의 수장이 된 이유도 비교의 두려움에서 벗어나 용을 죽였기 때문이다. 1996년 매킨지 캐나다의 촉망받는 컨설턴트였던 그에게 한국사무소에서 일해보자는 선배의 제안이 왔다. 그의 멘토들은 극구 말렸다. "경력에 하등 도움이 안 된다" "힘든 곳이다" 등이 이유였다. 하지만 그는 자신의 경력이 정체기에 들어섰다고 느꼈고 변화가 필요하다고 생각했다. 결국 그는 한국에 왔는데, 이 선택이 없었다면 결코 세계 최고 컨설팅회사의 수장이 될 수 없었을 것이다. 그는 매킨지 한국사무소 대표에 이어 중국 상하이의 매킨지 아시아 회장에 이르기까지 12년을 아시아에서 일했다. 급성장하는 아시아를 몸으로 겪은 남다른 경력은 2009년 매킨지의 회장 선출에서 경쟁자들을 물리치는 데 결정적인 요인으로 작용했다.

왜 한국을 선택했느냐는 질문에 그는 "많은 변화가 있는 곳, 급격한 변화가 있는 곳일수록 빨리 성장할 수 있으니까"라고 대답했다. "저에게 최고의 리더십 경험은 아시아에서 사는 것이었습니다. 리더는 변화 속에서 배우거든요. 많은 변화가 있었고, 많은 도전을 받았고, 그리고 많은 것을 배울 수 있었습니다. 서울과 상하이의 삶은 마치 커튼이 열리는 현장을 목격하는 것 같았습니다."

그는 컨설턴트의 일반적인 출세 코스를 거부하고 새로운 길을 선택했다. 다른 사람들이 자신을 어떻게 생각할까 하는 생각을 지웠다. 다른 사람들의 생각에 휩쓸리지 않고 오직 자신의 생각과 길을 세웠기에 숱한 실패를 성공으로 탈바꿈시킬 수 있었던 것이다. 이것이 단순함이다. 단순함이란 그저 적은 것, 간결한 것을 의미하지 않는다. 단순함의 다른 의미는 명료함이다. '왜'가 분명하고 '나'가 확실하며 '길'이 뚜렷한 사람은 명료하다. 복잡한 세상에 휩쓸리지 않고 뜻한 바를 향해서만 갈 수 있는 것이다.

따라 하면, 따라잡히기 십상이다

우리가 실패나 남과 다른 길을 가는 것을 두려워하는 이유, 그래서 나, 즉 정체성을 세우지 못하는 이유, 다시 말해 단순해지지 못하는 또 하나의 큰 이유는, 남과 비교하는 마음 때문이다. 아무래도 남의 떡이 커 보이고, 내가 부족해 보인다. 지지 않으려는 마음에 이것저것 내세우니 절제는 더욱 어렵다. 자신감이 없어지고 '따라쟁이'가 된다.

오늘날 기업은 경쟁사와 비교하는 것이 일상이 돼 있다. 내가 파는 설렁탕에 자신이 없으니 남이 하는 레시피를 모방하고 남이 파는 돈가스도 판다. 그런데 남도 나를 모방한다. 나는 남이 하는 걸 따라 하고, 남은 내가 하는 걸 따라 하고, 이렇게 꼬리 물기 게임을 하다보면 제품의 종류와 기능은 날로 늘어나지만, 서로 차이가 없이 비슷해진다. 문영미 하버드대 경영대 교수는 『디퍼런트』란 책에서 이런 상황을 '제품의 초세분화' 혹은 '시장의 과잉성숙'이라고 표현한다. 문제는 이런 상황에서 소비자가 서로 다른 제품들을 구별하지 못하게 된다는 점이다. 이를테면 소비자는 밀러, 쿠어스, 버드와이저를 구별하지 못하고 그냥 맥주라고만 느낀다. 내 아내가 샴푸나 화장지 같은 제품을 선택하는 기준은 단 하나다. '원 플러스 원' 행사를 하느냐 안 하느냐. 브랜드에 따른 질적 차이를 못 느낀다는 이야기다.

문영미 교수는 대다수의 기업들이 시행하는 소비자 조사는 비교를 일상화함으로써 제품들 사이의 차별화를 없애고 평준화를 유발하는 가장 큰 요인이 된다고 지적한다. 이를테면 자동차회사들의 소비자 조사 항목엔 신뢰성, 안전성, 연비, 승차감, 활동성, 즐거움 같은 항목이 공통적으로 들어 있다. 조사를 해보면 우리 회사가 업계 평균보다 나은 항목도 있고 부족한 항목도 있을 것이다. 그럴 때 우리 회사는 어떻게 할 것인가? 대부분 회사의 접근 방식은 약점을 보완하는 것이다. 이들은 약점을 중간 정도의 수준으로 높이기 위한 작업을 시작하려고 들 것이다. 대부분 기업들이 그렇게 하다보니 결국 서로 특징이 없이 비슷해지고 만다.

"10년 전만 해도 볼보는 실용성과 안전성으로, 그리고 아우디는 스포티함의 대명사로 알려져 있었다. 하지만 오늘날 세단시장을 살펴보면, 안전성 테스트에서 아우디가 볼보를 앞지르고 있다. 반면 볼보의 TV 광고는 운전의 재미를 역설하고 있다. 오늘날 자동차 브랜드들의 모습을 보면, 마치 매력, 진지함, 겸손, 강인함과 같이 서로 모순된 이미지를 동시에 심어주고자 안간힘을 쓰고 있는 선거 후보자를 떠올리게 된다."[13]

이처럼 서로를 모방하는 모습은 『파브르 곤충기』로 유명한 파브르를 매료했던 행렬형 쐐기벌레라는 곤충을 연상시킨다. 파브르는 이 벌레들을 연구하며 수년을 보냈다.[14] 행렬형 쐐기벌레라는 이름은 매우 독특한 행동에서 비롯됐다. 이 벌레는 둥지를 나오면 마치 서커스단의 코끼리들처럼 앞뒤로 머리와 꼬리를 이어 한 줄로 늘어서 수백 마리가 연결된 형태를 유지한다. 파브르는 선두를 따라가려는 쐐기벌레의 본능이 얼마나 강한지 호기심을 느꼈다. 만약 쐐기벌레들을 둥글게 늘어 놓으면 어떤 일이 일어날까? 앞선 놈을 따라가려는 본능이 녀석들로 하여금 끝없이 원을 그리며 돌게 할까? 파브르는 실험을 했다. 녀석들을 항아리 주위에 원 대형으로 늘어놓았다. 그러자 쐐기벌레들은 항아리 주위를 지름 12인치 행렬을 지어 6일이 지나도록 계속 돌고 돌았다. 급기야 기진하고 굶주린 수많은 쐐기벌레들이 쓰러진 뒤에야 원형 행렬이 무너지고 두세 마리가 겨우 살아 나갈 수 있었다. 파브르는 그 실험을 이렇게 묘사했다.

"쐐기벌레들은 피곤하고 굶주리고 이슬을 피할 수 없어 밤마다 추위에 떨면서도 앞에 남겨진 자취를 따라 수백 번씩 고집스럽게 돌고 돌았다. 이것은 쐐기벌레들에게 그 일을 그만둘 수 있는 초보적인 판단력조차 결여되어 있기 때문이다."

기업이 쐐기벌레 신세에서 벗어나려면 대열에서 이탈하는 퍼스트 무버가 돼야 한다. 소비자 조사를 실시해 스스로의 장단점을 파악한 자동차회사의 경우라면, 뛰어난 항목에 집중 투자하여 평균 점수와의 격차를 더 벌리는 것도 그 방법의 하나다. 어차피 기업이 쓸 수 있는 자원은 제한돼 있다. 제한된 자원을 약점을 평균 수준으로 보완하는 데 쓰기보다 강점을 더욱 강화하는 데 쓸 수도 있다. 이 전략을 두고 문영미 교수는 이렇게 말한다.

"진정한 차별화, 즉 지속적으로 유지 가능한 차별화는 평준화와는 정반대의 길로 나아가야만 가능하다. 차별화란 불균형의 상황을 더욱 불균형하게 만드는 과정에서 얻어지는 것이다. 특정 분야에서 최고가 되고자 한다면, 우리는 이 진리를 명심해야 한다."

물론 경쟁과 비교는 필요하다. 그러나 경쟁을 위한 경쟁, 비교를 위한 비교가 되어서는 곤란하다. 그러면 우리는 왜 싸우는지 목적을 잊어버리고 경쟁에만 집착하며, 멀리 내다보지 못하고 근시안이 된다.

1990년대 미국 온라인 애완동물용품시장의 경쟁이 그런 경우였다. 펫츠닷컴, 펫스토어, 펫토피아를 비롯해 비슷비슷한 제품을 내놓고 있던 수십 개 업체들은 경쟁자를 물리치는 데 혈안이 됐다. 그들은 '개껌 가격을 누가 가장 공격적으로 설정할 것인가' '슈퍼볼 광고를 누가 가장 잘 만들 것인가' 같은 전술상의 문제들에 매몰된 나머지, '과연 온라인 애완동물용품시장이 계속해서 남아 있을 만한 곳인가'라는 더 큰 질문은 완전히 잊어버렸다. 결국 닷컴 버블 붕괴 이후 펫츠닷컴을 비롯해 많은 업체가 사업을 접었다.

비교가 습관이 된 기업이 자주 저지르는 실수는 귀가 얇아져 여기저기 너무 많이 찔러본다는 것이다. '뭐가 유망하더라'는 소문을 듣거나, 경쟁사의 움직임을 보거나, 고객의 권유를 받고 해외 진출이나 신사업 투자를 쉽게 결정한다. 재무나 인력 등 여러 가지 면에서 선도기업에 비해 부족한 경우가 많은데도 말이다. 버드와이저로 유명한 안호이저부시Anheuser-Busch는 그런 의미에서 반면교사로 삼을 만하다. 안호이저부시는 맥주의 주 소비층인 '뚱뚱한 미국 남성'이 포테이토칩도 즐겨 먹고, 먹는 장소도 맥주를 마시는 곳과 같은 TV 앞이나 바bar라는 점에 착안했다. 그래서 스낵시장에 진출했다. 그러나 스낵시장엔 '작은 고추'가 있었다. 안호이저부시에 비하면 턱없이 작지만, 스낵시장에서만큼은 60퍼센트의 시장점유율을 가진 프리토레이Frito Lay라는 업체였다. 프리토레이는 저가 공세를 펼쳐 안호이저부시를 내쫓았다.

이같은 행동은 주식 투자자들에게서도 늘 관찰된다. 남이 사면 따라 사고 남이 팔면 따라 판다. 이는 수익을 거둘 기회를 차단할 뿐만 아니라 주식시장의 변동성을 증폭시킨다. 나쁜 리더의 가장 흔한 공통점도 비교를 남발한다는 점이다. 경쟁사의 제품이 성공을 거두면 나쁜 리더는 자기 부하들에게 "왜 저런 걸 못 만드느냐"고 질책한다. 그 원인이 자신한테 있을지도 모르는데 말이다. 그러다가 결국 복제 제품을 내놓는다. 이는 곧 늘 후발주자에 머물고 선도업체가 될 수 없다는 것을 의미한다.

이처럼 늘 남을 따라 하려는 성향은 오랜 진화 과정에서 인간의 유전자에 깊이 각인된 특성이다. 인간의 여러 가지 심리적 편향을 분석한 『스마트한 선택들』을 쓴 롤프 도벨리는 그런 특성을 '사회적 검증social proof 오류'라고 말한다. 그는 위클리비즈와의 인터뷰에서 이렇게 설명했다.[15]

"세렝게티 초원에서 주변 사람들이 갑자기 당신과 반대 방향으로 도망치듯 뛰어간다면 당신은 어떻게 행동할까. 가만히 서서 왜 모두 뛰는지 알아볼 것인가, 아니면 일단 죽어라 내뺄 것인가. 우리는 모두 남들을 따라 함께 뛰어간 사람들의 후손이다. 가만히 서 있던 사람들은 사자 밥이 됐고 인류의 유전자 풀에서 사라졌다. 사회직 검증은 그렇게 우리 뇌리에 깊이 뿌리박혔다. 현대 문명사회와는 맞지 않는다. 그럼에도 여전히 우린 그 틀에 갇혀 있다. 단지 양복을 입은 수렵 채집민이다."

그의 설명에 따르면 인류는 지상에 존재한 10만여 년 중 99퍼센트의 시간을 수렵 채집민 상태로 살았다. 문명이란 것은 이제 약간 체감했을 뿐이다. 우리의 뇌는 애초에 도시, 공업, 세계화, 금융시장 따위의 개념을 이해할 수 있도록 설계되지 않았다. 여러 사람이 하는 행동을 무조건 따라 하는 사회적 검증 행태도 마찬가지다. 이처럼 문명사회와 맞지 않는 사회적 검증 오류를 피하려면 의도적으로 노력을 기울여야 한다. 특히 늘 선택하고 결정해야 하는 기업가는 더욱 그렇다. 아무리 매력적이고 흥미로워 보이는 사업 기회라도 그 시장에서 의미 있는 존재가 될 가능성이 적다면 단호하게 '노'라고 할 수 있어야 한다.

"남의 말은 죽음에 이르는 독약이 될 수 있다"

미국 최대의 인터넷 뉴스인 허핑턴포스트의 창업자 아리아나 허핑턴은 자신의 책 『담대하라, 나는 자유다』에서 비교의 해악을 실감나게 이야기한다.

"두려워하며 사는 인생은 진정한 자아에 대한 최악의 모욕이다. 자신의 참된 모습과 본능, 능력, 가치를 존중하지 못하는 사람은 스스로를 우리 속에 가둔다. 그리고 다른 사람이 아니라 결국 스스로 자신을 막아서게 된다. 두려움에 사로잡힌 사람은 다른 사람들의 허락만을 기다리며, 원하는 것은 가질 수 없는 사람인 체한다. 사람들의 뇌에 스스로 하는 말을 모두 녹음할 수 있는 작은 녹음기가 있다고 생각해보자. (…) 그러면 철천지원수도 우리가 자신에게 하는 것만큼 나쁘게 이야기하지는 않는다는 사실을 깨닫게 될 것이다. 나는 끊임없이 누군가와 나 자신을 비교하는 내면의 비판적인 목소리에 굴복하는 대신 그 목소리를 관찰하면서 비로소 두려움을 통제할 수 있었다."[16]

남과 비교하는 마음을 버리면 두려움을 통제할 수 있고 스스로의 길을 걸을 수 있다. 일본의 계측기기업체 호리바堀場제작소의 창업자이며 일본의 1세대 벤처기업가인 호리바 마사오는 기업가가 자기 생각 없이 남의 말에 귀기울이는 일을 경계하며『남의 말을 듣지 마라』라는 책을 썼다. 그는 특히 "벤처 비즈니스를 하는 사람에게 남의 말은 죽음에 이르는 독약이 될 수도 있다"면서 "남들이 하지 않는 일을 하는 것이라서 벤처 비즈니스라고 하는 것이 아닌가?"라고 반문했다. 그의 말을 좀더 옮겨본다.

"이제 사람들의 평가에 일희일비하는 일은 그만두자. 기왕 평가할 바에야 정확하게 해주면 좋지만 그것도 바라기 힘들다. 좋은 평가도 받아들이지 않는 것이 좋다. 남의 평가는 지나치게 높거나 지나치게 낮은 것이 대부분이고 적정한 평가는 드물기 때문이다.

사람들은 치켜세울 때는 이상할 정도로 치켜세우다가 그 뒤에는 반드시 떨어뜨리는 기묘한 심리를 가지고 있다. 한때 매스컴에서는 벤처기업들을 시대의 총아라고 대대적으로 다루어주었다. 벤처기업들이 황홀한 상태에 빠져 있는 사이에 갑자기 바람이 바뀌었다. '요즘 벤처기업인들이 기고만장해 있다. 아직 경영자로서 미숙하다'라고 때리기 시작했다. 그것이 매스컴의 생리이다. 승패를 정하는 것은 자기 자신이다. 중요한 것은 자기 평가를 정확하게 내리는 것이다."[17]

문제는 한국이 유난히 비교문화가 강한 나라라는 점이다. 광고인 박웅현은『여덟 단어』라는 책에서 비교의 문화가 공포로 다가온 경험을 묘사한다.

"어느 대기업 주차장에 들어섰다가 순간적으로 공포를 느꼈던 경

험이 있습니다. 큰 기업은 임원이 50명이 넘는데요. 상무급 임원에게
는 똑같은 차가 지급됩니다. 같은 직급인데 누구는 A라는 차를 주고 누
구는 B라는 차를 줄 수 없다는 거죠. 난리가 날 테니까요. 아마 회사 다
니시는 분들 알 겁니다. 그날 그 주차장에도 시커먼 그랜저 50대가 줄
지어 주차돼 있더라고요. 섬뜩했습니다."[18]

한국인은 늘 비교와 함께 살아간다. 남이 대학 가면 나도 가야 하
고, 남이 대기업에 취직하면 나는 창업을 하고 싶지만 참고 대기업에
입사원서를 내야 하고, 남이 강남에 30평대 아파트를 사면 나도 그래야
하며, 남이 딸 시집보낼 때 집 사라고 1억원을 주면 내 딸에게도 그래야
한다. 송호근 서울대 교수를 위클리비즈 지식콘서트에 초대해 '교양 시
민은 있는가'라는 주제의 강연을 들은 적이 있다. 인상 깊었던 대목은
한국 특유의 비교문화가 건전한 시민의식 형성을 저해한 요인 중의 하
나라고 주장한 부분이다.[19]

"프랑스에서는 중산층 시민의 속성으로 경제력(아파트나 자동차
소유 여부 등)과 더불어 요리, 음악, 외국어 구사 등을 꼽는다. 미국은
여기에 여행과 재즈에 취미를 갖고 있는 정도가 곁들여진다. 반면 한국
은? 아파트와 자동차만 있으면 그만이다. 경제력만으로 중산층을 평가
하게 된 것은 급속한 경제성장에 따른 부산물이다. '교양 없는 중산층'
이 탄생한 것이다. 한국의 시민계급은 '가문의 영광'이나 '청운의 꿈' 같
은 출세 욕구를 통해 성장했다. 개발시대 '성장에의 질주'를 통해 시민
계급의 신작로가 닦였지만, 정작 그 안을 채우는 콘텐츠는 준비되지 않
은 상황에서 외형만 시민인 비정상적 중간계급이 태어난 셈이다. 한국
의 중산층이 가장 힘들게 여기는 일은 내 집 마련과 자녀 교육이다. 인

생 전체를 놓고 봤을 때도 이 두 과제에 지나치게 에너지를 낭비하고 있다. 그러다보니 정작 민주사회의 주춧돌이 되어야 할 교양의 형성, 자기성찰과 반성의 문화는 발육부진을 겪고 있다."

한국에는 유난히 동창회 모임이 많다. 초등학교 동창회도 하고, 대학 최고경영자 과정에서 몇 달 같이 공부를 해도 동창회가 만들어진다. 그리고 서로 "형님" "아우님" 한다. 또 주부들은 아이 친구 어머니들과 진학 정보 교환을 위해 수시로 만나며 "언니" "동생" 하면서 끈끈한 관계를 맺는다. 물론 다른 사람과 어울리고 친교를 맺는 것은 좋은 일이다. 자신과 다른 분야에 종사하는 사람들을 만나 새로운 아이디어를 발견할 수도 있다. 그러나 그런 모임이 획일화된 기준으로 서로를 비교하는 문화나, 서로 밀어주고 끌어주는 패거리문화의 온상이 되는 것은 경계해야 한다.

이런 현상은 유교문화와도 관련이 있다고 최진석 서강대 교수는 주장한다.[20]

"공자와 노자는 인간의 길, 도道를 추구했던 철학자라는 공통점이 있지만, 세계에 다가가는 방법이 달랐다. 공자는 극기복례克己復禮, 자기를 극복하고 예를 따르는 것, 노자는 거피취차去彼取此, 저것을 버리고 이것을 취하는, 바람직한 것을 버리고 바라는 것을 취한다는 말로 요약된다. 말하자면 공자는 바람직한 일과 좋은 일, 해야 하는 일, 즉 규범적으로 정해진 일을 강조한다는 차원에서 근대성에 가까운 반면, 노자는 바라는 일, 좋아하는 일, 하고 싶은 일에 방점을 찍으면서 현대성에 근접한다. 공자에서는 주도권이 '우리'에게 있지만, 노자에서는 그것이

'나'로부터 시작된다.

　사실 공자에게서 강조되는 보편적 이념이란 원래 존재한 게 아니라 인위적으로 조작된 것이다. 노자는 가치관이나 이념처럼 사회를 꾸미는 기준은 억지로 만들어진 개념적 구조에 불과하다고 봤다. 그런 기준이 행사되는 한, 사회나 조직은 '구분'을 피할 수 없게 된다. 구분한 다음에는 '배제'를 하는데, 이는 결국 어느 한쪽에 서서 다른 한쪽을 억압한다는 의미다. 자발성이나 자율성은 유린당한다. 이런 억압을 떨치고 스스로 자발성 속에서 삶을 실현하라는 게 노자에게서 얻을 수 있는 교훈이다. 그런 자발적 개인의 통합으로 사회와 국가를 이룰 때 진정한 강국이 건설되는 법이다. 바람직한 기준에 모두 집중 통일하는 것보다 각자가 바라는 것을 자발적으로 수행하여 이룬 통합으로 이루어진 조직이 더 강하다."

　그런데 따라잡기 풍조는 비단 개인의 차원에만 머물지 않는다. 기업도 마찬가지다. 기업이란 개인의 모임이기에 당연한 일일지 모른다. 세계적인 산업 디자이너 카림 라시드^{Karim Rashid}가 방한했을 때 그에게 "한국 기업과도 많이 협업을 한 것으로 알고 있는데, 한국 기업 제품의 디자인을 어떻게 평가하는가"라고 묻자 그는 "솔직히 따라 하기^{me-tooism}가 너무 만연해 있고, 모든 제품이 거의 비슷비슷해 보인다"고 꼬집었다.

　"저는 묻고 싶었죠. '대체 한국의 DNA는 어디 있느냐'고. 저는 한국인의 DNA를 보여줄 수 있는 제품을 발견하지 못했습니다. 제로였죠. 모든 제품이 극도로 일반적이었으니까요."

라시드에 따르면 이러한 따라 하기 풍조는 극히 소모적이다. A라는 업체가 어떤 제품을 만들면 B업체도 따라 할 테고 그런 상황이 계속되면 결국 모든 업체는 계속 같은 자리를 맴돌며 싸우게 될 것이기 때문이다. 이른바 레드오션 속 진흙탕 싸움이 되는 것이다. 그래시 라시드는 "자신만의 틈새 언어niche language를 만들 수 있도록 사고방식 자체를 완전히 전환해야 한다. 그러기 위해선 비전과 철학이 필요하다"고 강조했다.

비교를 극복하고 자신의 정체성을 찾아 성공한 좋은 예가 한국 펜싱이다. 한국 펜싱 선수들은 유럽 선수들에 비해 키가 작고 팔 길이가 짧은데도, 과거엔 손기술 위주의 유럽 스타일만 모방해왔다. 그러다 10년 전 한국형 펜싱을 개발해야 한다는 데 의견이 모이면서 한국인의 신체적 특성에 맞는 기술 연구에 돌입했다. 가장 중요한 변화는 발동작을 빨리하는 데 주안점을 둔 것이다. 펜싱 선수들이 느닷없이 등산과 달리기, 웨이트트레이닝 등 하체 강화 훈련에 몰두한 이유다. 이렇게 단련된 우리 선수들은 2012년 런던올림픽에서 빠른 발로 치고 빠지면서 유럽 선수들의 얼을 빼놓았다. 우리 선수들의 1분당 스텝 수는 최대 80회로 유럽 선수들의 두 배 수준이었고, 빠른 스텝을 이용해 1초에 5미터를 이동하기도 했다.

비교는 단순함뿐만 아니라 마음의 평화도 저해한다. 프란치스코 교황은 "마음의 평화를 유지하고 사람들과 좋은 관계를 유지하려면 남과 비교하지 말라"고 했다. 복잡함의 수렁에 사는 현대인들이 새겨들어야 할 말이다. 고대 로마의 시인이자 철학자 루크레티우스의 말도 오늘날의 우리에게 시사하는 바가 크다.

"만약 가지지 못한 것을 욕망한다면 가진 것을 멸시할 것이고, 삶은 충만함도 매력도 없이 흘러갈 것이다. 그리고 돌연 죽음이 나타나 머리맡에 버티고 설 것이다."

비교를 버리고 나를 세워라. 그래야 내가 집중해 나아갈 길이 보인다. 개인이나 기업이나 마찬가지다.

단순한 회사는
다섯 가지에 집중한다

발레리나는 푸에테^{fouettés}(연속 회전) 동작을 할 때 현기증을 어떻게 이겨낼까? 그 비결은 집중이다. 발레리나는 회전시 머리 방향을 바꿀 때마다 오로지 청중 속에 있는 한 물체에 집중함으로써 현기증을 최소화한다.[21]

잭 트라우트와 함께 '포지셔닝^{positioning}' 이론을 창안한 마케팅 대가 알 리스^{Al Ries}를 인터뷰한 적이 있다. 포지셔닝 이론은 광고와 마케팅을 보는 관점을 혁명적으로 바꾸었다는 평가를 받고 있으며, 같은 이름의 책은 마케팅의 바이블로 꼽힌다. 미국 애틀랜타에 있는 그의 사무실은 내가 묵은 호텔에서 10분 거리에 있었다. 그는 황공하게도 호텔에서 사무실까지 자신의 차로 데려가주는 친절을 베풀었다. 그는 빨간색 콜벳(GM 쉐보레의 스포츠카)을 몰고 나타났다. 우리는 회의실에 마주

앉았다. 우선 "당신이 주장한 여러 법칙 중 딱 한 가지만 기억해야 한다면 무엇인가"라는 질문을 던져봤다. 그는 말이 떨어지기가 무섭게 "집중Focus"이라고 말했다. "가장 잘 지켜지지 않는 법칙은 무엇인가"라는 질문에도 역시 "집중"이라고 말했다. 그는 그 예로 우리가 함께 타고 온 쉐보레를 들었다.

"쉐보레는 현대차처럼 엔트리 레벨entry level의 자동차 브랜드입니다. 그런데 쉐보레는 지금 스포츠카인 콜벳을 팔고 있습니다. 쉐보레는 저가 자동차, 고가 자동차, 가족용 자동차, 심지어 트럭까지 만들고 있습니다. 자, 이제 쉐보레는 광고에서 무엇을 전달해야 할까요? 벤츠는 고급스러움을 강조할 수 있습니다. BMW는 운전의 즐거움을, 볼보는 안전성을 강조할 수 있습니다. 하지만 쉐보레는 어떻습니까? 쉐보레는 강조할 포인트가 없어졌습니다. 쉐보레는 무려 15개의 모델을 만들고 있습니다. 만약 쉐보레가 15개의 모델마다 다른 광고를 내보낸다면 사람들은 무엇을 기억할까요? 아무것도 기억하지 못할 겁니다. 마케팅의 핵심은 초점을 좁히는 겁니다. 모든 것을 좇으려다가는 어느 하나도 앞설 수 없습니다."

이케아 역시 '집중'의 중요성을 강조한다. 앞서 언급했던 잉바르 캄프라드 이케아 창업주의 『어느 가구상의 유언』에서는 '집중'의 중요성을 이렇게 강조한다.

"전력을 분산시키는 장군은 필패할 것이다. 다재다능한 스포츠 선수들도 문제를 가지기 쉽다. 우리에게도 집중은 중요하다. 자원을 집중하는 것 말이다. 우리는 모든 것을, 모든 시장에서, 동시에 다 잘할 수는 없다. 제품의 다양성이 필요하지만, 과도해선 안 된다. 애당초 고객의 모든 취향을 만족시키기란 불가능한 일이다. 우리는 잘할 수 있는 일에 집중해야 한다. 우리는 모든 제품을 동시에 판촉할 수 없다. 우리는 모든 시장을 동시에 정복할 수 없다. 우리는 최소의 수단으로 최대의 효과를 볼 수 있는 곳에 집중해야 한다. 집중이란 말은 힘을 내포한다. 그것을 일상에 활용하라. 그러면 좋은 결과가 나올 것이다."

그럼 기업은 어떻게 해야 잘 집중할 수 있을까. 베인앤컴퍼니는 그 방법으로 다섯 가지의 집중을 제안한다. 전략의 집중, 고객에 대한 집중, 제품의 집중, 조직의 집중, 프로세스와 IT의 집중을 동시에 추진해야 한다는 것이다.[22] 그 내용을 자세히 살펴보도록 하자.

전략이란 '경기하지 않을 장소'를 택하는 것

경영 전략의 대가 마이클 포터Michael Porter는 "전략의 요체란 무엇을 하지 않을지를 선택하는 것"이라고 밀했다. 다시 말해 이떤 고객과 시장을 버릴지, 어떤 상품과 서비스를 제공하지 않을지를 선택하는 것이다. P&G의 CEO A. G. 래플리 역시 비슷한 주장을 펼친다.

"모든 사람에게, 모든 장소에서 서비스를 한다는 것, 또는 모는 참가자에게 그냥 서비스를 제공한다는 결정은 승산 없는 결정이다. 경기할 장소를 선택한다는 것은, 경기하지 않을 장소를 선택한다는 것이다."[23]

좋은 전략은 핵심목표에 자원과 노력을 집중한다. 반면 나쁜 전략은 잡다한 목표와 허황된 목표에 자원과 노력을 분산시킨다. 단순히 해야 할 일To-Do List의 목록을 전략으로 잘못 인식하는 경우가 많다. 그러나 모든 희망사항을 포함한 목록은 결코 전략이 될 수 없다.²⁴

경기할 장소와 경기하지 않을 장소를 선택하는 일의 중요성을 서로 다른 의미에서 잘 보여주는 회사가 나이키와 리복이다. 두 회사는 1989년만 해도 규모나 수익성 면에서 별 차이가 없었다. 그러나 그 뒤 리복은 문제에 휩싸여 아디다스에 인수됐고, 나이키는 실적 신기록을 경신하며 선도회사가 됐다. 무엇이 두 회사의 운명을 갈랐을까? 나이키는 자신의 핵심에 집중한 반면, 리복은 핵심이 흐려졌기 때문이다. 나이키는 스포츠 신발과 의류에 레이저처럼 초점을 유지한 반면, 리복은 패션 신발, 선박 등 여러 분야로 다변화했다. 그렇다고 신사업이나 신시장에 진출하지 말라는 이야기가 아니다. 자신의 핵심을 강화할 때만 그렇게 해야 한다는 이야기다. 왜 그래야 할까? 레고의 사례는 그 이유를 잘 보여준다.

1990년대 이후 레고는 닌텐도나 플레이스테이션 같은 비디오 게임기에 어린 고객들을 빼앗기기 시작했다. 대응책으로 레고는 비디오 게임시장에 뛰어드는 한편, 테마파크(레고랜드)와 의류, 영화, 여아 장난감, 서적 등으로 사업을 다각화해나갔다. 다른 한편으로 '스타워즈 시리즈'와 '해리포터 시리즈' 등 영화를 소재로 한 제품을 출시하며 상품 구성을 어린이 중심에서 성인 고객층으로 확대했다.

시작은 좋았지만 결과는 참담했다. 새로 진출한 분야에서는 만족할 만한 성과를 얻지 못했고, 기존 핵심사업인 레고 블록부문에서도 기존 어린이 고객이 떨어져나가고 저가 상품을 내놓는 경쟁자의 공세를 받게 됐다. 무리한 사업 확장 과정에서 쌓인 빚으로 자금난에도 시달려야 했다. 1998년에는 창립(1932년) 이후 첫 적자를 기록했고, 2003년에는 매출이 29퍼센트 줄고 이익도 21퍼센트 감소했다.

실패를 통해 얻은 교훈은 핵심역량에 집중하자는 것이었다. 레고는 사업 전략을 단순하게 만들었다. 프랜차이즈 사업은 매각하고 잡다한 상품은 제거했으며 생산도 아웃소싱을 시작했다. 노력의 결과는 10년도 되지 않아 나타났다. 예전처럼 고수익 회사로 탈바꿈한 것이다. 레고 부활의 주역인 조르겐 빅 크누드스톱Joergen Vig Knudstorp 사장은 당시를 이렇게 회고했다.[25] "의욕이 앞서 너무 무리하게 확장을 했던 것이 문제였어요. 그것도 아주 빠르게 말이죠." 그는 CEO가 된 뒤 잘하는 것과 못하는 것을 분류하는 일부터 시작했다. 잘하는 것부터 차근차근 다시 시작한 것이다. 크누드스톱은 2004년 말 취임 후 비핵심사업 대부분을 매각했다. 우선 테마파크인 레고랜드 4곳의 지분 70퍼센트를 사모펀드에 팔았다. 의류와 영화 등의 사업도 매각한 후 브랜드 이름만 빌려주고 수수료를 받는 라이선스로 전환했다. 대신 주력인 장난감(레고 블록) 사업에 집중했다. 성인 고객을 겨냥한 모델을 꾸준히 내놓는 한편, 기존 어린이용 모델인 '듀플로 시리즈'를 보완해나갔다.

레고는 2005년 흑자로 전환했고 글로벌 금융위기 속에서도 2009년 매출은 22퍼센트 증가했다. 2010년(37퍼센트), 2011년(17퍼센트)에도 고성장은 이어졌다. 경제가 어려울 땐 부모들이 장난감 하나도 유명하고 안전하고 튼튼한 것을 고르기 때문이라는 분석과 함께, 경제위기에 앞서 일찌감치 구조조정을 했던 것이 보약이 됐다는 분석이 함께 나왔다. 그러나 요즘처럼 급변하는 경영환경에서 새로운 것에 도전하지 않고 어떻게 살아남을 수 있을까? 이 우문에 크누드스톱 사장은 현

답을 내놓았다.

"도전하지 말라는 게 아닙니다. 서두르다 자신의 분수에 넘치는 욕심을 부리지 말라는 거지요. 기업은 5년에 한 번 정도 새로운 도전에 나서면 충분하다고 봅니다. 1년에 다섯 번씩 도전하는 건 욕심입니다. 그렇게 해야 변화에 올바르게 적응할 수 있어요."

부실기업을 구조조정할 때 가장 중요한 것도 핵심을 추리는 것이다. 구조조정 컨설팅시장에서 세계 1위 업체인 알바레스앤마설Alvarez&Marsal, A&M의 공동창업자이자 CEO인 브라이언 마설Bryan Marsal 회장은 2014년 위클리비즈와의 인터뷰에서 "구조조정은 단순히 비용을 절감하는 데 그쳐서는 안 된다"며 "가장 중요한 것은 핵심사업과 비핵심사업을 구분짓는 의사결정"이라고 말했다. 그래서 "핵심사업은 지원하고 그렇지 않은 사업은 처분해야 한다"는 것이다.

미국 의류회사인 브룩스 브라더스Brooks Brothers도 전략의 초점을 유지하는 것이 얼마나 중요한가를 보여준다. 브룩스 브라더스란 브랜드는 200년을 살아남았지만, 주인은 네 번 바뀌었다. 현재 주인은 '레이밴' 선글라스로 유명한 안경기업 룩소티카Luxottica가 투자한 의류회사인데, 2001년에 회사를 인수했고 델 베키오Del Vecchio 사장은 룩소티카 창업자의 장남이다.

주인이 자주 바뀌었다는 건 크고 작은 위기도 많았다는 뜻이다. 가장 큰 위기는 1990년대에 찾아왔다. 닷컴시대를 맞아 자유로운 업무환경이 조성되면서 사람들은 정장 대신 면바지에 넥타이를 매지 않고 출근하기 시작했다. 당시 브룩스 브라더스의 주인이었던 영국 최대 의류소매업체 막스앤스펜서Marks&Spencer는 당황했다. 그들은 이렇게 생각했다. '사람들은 더이상 정장을 여러 벌 사 입지 않을 것이다. 따라서 주력 상품을 정장 대신 캐주얼로 바꿔야 한다.' 막스앤스펜서는 당시 인기를 끌던 바나나리퍼블릭^{Banana Republic}을 벤치마킹했다. 남성용 향수와 화장품을 새로 만들고, 청바지 상품군의 종류를 확대하고, 음악 CD 사업도 벌였다. 그러나 모조리 실패했다. 델 베키오 사장은 "그건 커다란 실수였다"면서 "막스앤스펜서는 당시 브룩스 브라더스가 가장 잘할 수 있고, 잘해야 할 일이 무엇인지 잘 몰랐던 것 같다"고 말했다.[26]

"생각해보세요. 비즈니스 캐주얼은 브룩스 브라더스가 처음 개발한 트렌드입니다. 블레이저나 버튼다운 셔츠, 면바지는 우리가 가장 잘 만들어온 제품이고요. 다시 말해 브룩스 브라더스는 오히려 닷컴시대에 가장 큰 수혜를 볼 수 있는 회사였습니다."

그런데 막스앤스펜서는 오히려 브룩스 브라더스보다 수준이 낮은 캐주얼 브랜드들을 흉내내다가 차별화에 실패해 매력 없는 브랜드로 전락했다는 것이다. 델 벨키오 사장은 브룩스 브라더스에는 창업 이래 196년간 지켜온 신념이 있다고 말했다. 첫째, 최고 품질의 상품만을 만들고, 둘째, 적당한 이익만을 남긴 가격으로 판매하고, 셋째, 브룩스 브라더스의 가치를 이해할 수 있는 고객과 거래한다는 것. 그는 "막스앤스펜서 시절의 브룩스 브라너스는 이런 신념으로부터 멀리 떨어져 있었다고 생각한다"면서 "취임 직후 가장 먼저 한 일은 회사를 다시 옛날 방식대로 되돌리고 신념을 복원한 것이었다"고 설명했다.

막스앤스펜서 시절의 브룩스 브라더스가 실패했던 이유는 캐주얼이 그들이 경기해서는 안 될 장소라는 사실을 몰랐다는 것이다. 마케팅의 대가 잭 트라우트의 말처럼 고유성을 잃지 않고 브랜드를 손상시키지 않는 방법은 '희생'이다. "포기할 수 있어야 사업에 유익하며, 보태면 보탤수록 기본적인 차별화 아이디어를 손상시킬 위험이 점점 커진다."

선택과 집중의 역학

글로벌화와 시장의 성숙, 커머디티화(제품의 일반화, 평준화, 동일화)가 동시에 진행되면서 경영환경은 날로 척박해지고 있다. 이를 극복하기 위해서는 배전倍前의 에너지로 비상하지 않으면 안 된다. 그 에너지는 어디에서 나오는가. 경영자원을 진정으로 필요한 사업에, 전례 없을 정도로 집중시키는 데서 나온다. 일본의 경영 주간지 『닛케이비즈니스』는 사람들의 기억에 남을 만한 개혁에 성공한 기업들은 사업 포트폴리오를 선택하고 집중했다는 공통점이 있었다고 보도했다.[27]

히타치日立제작소가 대표적이다. 2009년 5월 일본 열도는 당시 일본 1위 종합 전기업체인 히타치의 사상 최대 적자 소식으로 충격에 휩싸였다. 히타치는 2008회계연도(2008년 4월~2009년 3월) 결산 결과 7880억 엔의 순손실을 기록했다. 일본 제조업계 사상 가장 큰 적자였다. 가와무라 다카시川村隆 히타치 회장은 당시 기자회견에서 "앞으로 히타치만의 강점을 부각시킬 수 있는 사업을 중심으로 '선택과 집중' 전략을 추진할 것"이라고 말했고, 약속을 지켜나갔다.

2010년 4월 취임한 나카니시 히로아키中西宏明 사장은 가격 경쟁력이 떨어지거나 수요가 정체된 시장은 과감히 포기하고 경쟁력 있는 성장산업에 맞춰 사업구조를 개혁했다. 적자의 원흉으로 주목된 일본 내 TV 생산을 접고 하드디스크HDD 사업도 경쟁 기업에 매각했다. 대신 철도 시스템, 스마트 그리드 등 인프라 사업을 강화했다. 히타치제작소는 장기 비전을 '세계적인 사회 이노베이션(정보통신과 전력 등 사회 인프라 사업) 기업'으로 잡았다. 이같은 사업 구조조정의 효과는 곧 나타났다. 인프라 사업이 핵심으로 자리매김하면서 이듬해 비로소 흑자로 전환했다.

다카시 회장은 당시 'V자 회복'을 만들어낸 비결에 대해 "회사가 세운 '사회 이노베이션'이란 장기 비전에 합치하지 않는 사업은 과감히 매각 대상으로 하고, 흑자 사업도 예외로 하지 않았던 것"이라며 "그 외에 다른 비결은 없다"고 말했다. 사실 하드디스크 산업은 오랫동안 적자였지만 2009년부터 시동을 건 개혁 과정에서 흑자로 돌려놓았음에도 불구하고 장기 비전에 부합하지 않는다는 이유로 매각했다. 역시 흑자를 내고 있었던 발전 시스템 사업 역시 단독으로는 글로벌 시장에서 경쟁할 수 없다고 판단해 미쓰비시三菱중공업과 합병했다. 대신 철도 등 사회 이노베이션 사업에 자원을 집중했다. 히타치는 여전히 TV와 밥솥 등 가전제품도 생산하고 있다. 하지만 히타치의 전체 매출에서 가전이 차지하는 비중은 10퍼센트에 불과하며 인프라 관련 사업이 70퍼센트 이상을 차지하고 있다. 특히 이익의 80퍼센트 이상을 인프라 사업에서 내고 있다.

닛산자동차의 카를로스 곤Carlos Ghosn 회장도 비슷한 경우다. 그는 우주항공 사업과 포크레인 사업이 흑자를 보고 있었음에도 매각했다. 회사의 한정된 자원을 다른 데 투입해서는 핵심사업인 자동차가 세계 시장에서 경쟁해 살아남을 수 없다는 것이 그 이유였다. 이 책을 쓰고 있는 2014년 말 한국의 삼성전자도 선택과 집중 전략에 시동을 걸었

223   3장. 세워라

다. 중국에 밀리는 스마트폰부문 경쟁력 강화를 위해 스마트폰 제품 종류를 20퍼센트 이상 줄이겠다는 것이다. 이를 통해 각 제품 하나하나에 연구개발 비용과 마케팅 비용을 더 많이 투입한다는 전략이다. 삼성전자 스마트폰부문의 영업이익은 2014년 들어 분기마다 2조원씩 줄어들었고, 세계 최대 스마트폰시장인 중국에서 1위 자리를 현지 업체 샤오미에 뺏겼다.

미 경제잡지『포브스』가 매년 선정하는 '세계에서 가장 존경받는 기업'에서 2013년 전기부문 4위를 기록한 미국 에머슨일렉트릭Emerson Electric은 계측기기와 발전기를 포함해 사업부문이 60개가 넘는데, 흑자, 적자를 불문하고 '핵심사업이면서, 시장점유율이 1위 혹은 2위'라는 조건을 만족시키지 않으면 매각하는 것을 원칙으로 삼는다. 매출액 대비 영업이익률이 17퍼센트(2013년 9월까지 1년간)에 이르는 높은 성과를 거둔 데는 이런 선택과 집중의 역학이 작용했던 것이다.

전략이란, 웅덩이를 파고 악어를 풀어놓는 것

사실 전략이란 그 자체가 집중과 밀접한 관계를 맺고 있다. 전략이란 무엇에 집중하고 무엇을 포기할지를 결정하는 것이기 때문이다. 비즈니스 모델은 돈을 버는 방법을 이야기한다. 그러나 전략은 비즈니스 모델보다 한발 더 나아간다. 바로 '경쟁'을 다룬다. 모든 기업은 다른 기업과 경쟁한다. 경쟁이 워낙 치열하기 때문에 고객이 선택할 수 있는 다른 대안들에 비해 월등하지 못하면 비즈니스 모델 자체로는 의미가 없어진다. 지구가 평평해지고 승자 독식이 게임의 룰이 되면서 이같은 현상은 더욱 심화되고 있다. 전략이란 이런 상황에서 살아남는 방법을 다룬다. 그 방법은 무엇인가? 다른 회사가 흉내낼 수 없는 독창적인 방식으로 아무도 하지 않는 것을 하는 것이다.

경쟁의 가치에 대한 수많은 칭송에도 불구하고 비즈니스 전략의 목표는 완전 경쟁 상태에서 벗어나 독점 상태 쪽으로 가까이 가는 것이다.[28] 워런 버핏은 이를 이렇게 표현했다. "나는 우리 경영자들에게 성 주위에 웅덩이를 파라고 독려한다. 더 깊고 더 넓게 판 뒤에 거기다 악어를 풀어놓으라고 한다."

톨스토이의『안나 카레니나』는 이렇게 시작한다. "행복한 가정은 모두 고만고만하지만, 무릇 불행한 가정은 나름나름으로 불행하다." 하지만 페이팔의 창업자 피터 틸에 따르면 비즈니스는 이와는 정반대다. 행복한 기업은 다들 서로 다르다. 다들 독특한 문제를 해결해 '독점'을 구축했기 때문이다. 반면에 실패한 기업은 한결같다. '경쟁'을 벗어나지 못한 것이다.

중국의 대표적 벤처 투자자이며 '중국의 조지 소로스'란 별명을 갖고 있는 에릭 리李世默 청웨이캐피털成爲資本 대표는 전도유망한 기업을 가려내는 기준의 하나로 '장벽barrier'을 꼽았는데, 워런 버핏의 웅덩이와 비슷한 의미다.

"많은 사람이 성장 가능성에 대한 막연한 희망을 품고 중국으로 옵니다. 하지만 성장 그 지체로는 부를 창출할 수 없습니다. 저는 부는 '장벽'에서부터 나온다고 생각합니다. 이를테면 당신은 경쟁자가 당신의 영역으로 들어오는 것을 막을 수 있는 강력한 장벽을 갖고 있어야 합니다. 아무도 당신의 경쟁자가 될 수 없도록 사업 면에서 지속성이나 남다른 제조법이나 사업 노하우나 브랜드 같은 걸 갖고 있어야죠. 저는 몇 년 전 휴대전화 기기에 들어가는 스피커와 마이크로폰 같은 음향장치를 제조하는 회사에 투자했습니다. 이곳은 지금 이 분야 세계 1위 기업으로 성장했어요. 이곳의 경우는 탁월한 기술로 다른 업체들의 진입을 막은 사례라고 볼 수 있을 겁니다."

그렇다면 경영 전략은 내가 살면 남은 죽는 제로섬 게임을 말하는가? 그렇지 않다. 전쟁이나 선거와 달리 경영에서의 전략은 항상 제로섬 게임은 아니라는 데 묘미가 있다. 한 회사가 탁월한 성과를 올렸다고 해서 경쟁자가 반드시 패망하는 것은 아니다. 예를 들어 월마트는 할인 소매업에서 승자이지만, 월마트와 다른 방식, 즉 스타일과 패션에 집중해 고객을 위한 가치를 창조한 타깃^{Target} 역시 승자다. 이 산업에서 패자는 K마트와 같이 '모든 사람에게 모든 것'을 해주려고 했던 업체들이다.

즉 전략의 집중이란 길을 세우는 것이다. 우리 회사, 우리 제품이 어떤 길을 갈지 찾는 일이다. '총소리와 떨어져 행진하라'는 윌슨 교수의 조언처럼 남들이 보지 못한 곳, 가지 않은 길일수록 성공 확률이 높다. 설사 실패한다 한들 어떤가. 다시 도전하면 그만인 것을. 윌리엄 B. 어빈 교수는 스토아 철학자들의 생각을 담은 책 『직언』에서 이렇게 조언한다.

"사람들은 실패를 피하려 한다. 하지만 실패가 생명이나 건강을 대가로 요구하는 경우는 많지 않다. 기껏해야 실패의 대가는 조롱을 견디는 것이나 이미 실패를 경험한 이들이 침묵하며 동정하는 것을 견디는 정도다. 하지만 기껏해야 이 정도인 것이야말로 실패를 싫어하는 사람들이 어떤 시도조차 하지 않는 중요한 이유다."[29]

기껏해야 '이 정도'인 실패를 두려워하지 마라. 남들과 다른 자신만의 길을 세우고, 남들과 다른 자신만의 전략을 펼친 기업만이 남들은 얻지 못한 자신만의 성공을 거두는 법이다.

현명한 기업은 '한 놈'만 팬다

기업은 대개 소비자에 관해 다다익선, 즉 많을수록 좋다는 사고방식을 갖고 있다. 우리 제품을 사는 고객은 많을수록 좋다고 여기고, 그래서 모든 고객에게 어필하려 한다. 그러나 집중된 기업은 모든 소비자에게 어필하려 하지 않는다. 핵심고객, 다시 말해 우리 회사가 경쟁자보다 훨씬 더 잘해줄 수 있는 고객에게 집중한다.

또한 보통의 기업은 소비자에 대한 많은 데이터를 갖고 있지만, 그걸 어떻게 활용할지에 대한 통찰력이 없다. 반면 집중된 기업은 핵심고객의 스위트스폿sweet spot을 알고, 거기에 맞춰 사업을 디자인한다. 집중된 회사의 경영진과 임직원은 어떤 소비자들이 우리 사업의 핵심을 구성하는지 안다. 그들은 끊임없는 피드백 시스템을 만들어 핵심고객의 변하는 요구에 맞춰 제품과 프로세스를 보완한다. 소비자를 잘 아는 회사는 제품, 가격 설정, 유통 채널 등 사업의 모든 부문을 핵심고객에 맞게 만든다. 다시 말해 '집중된 가치 제안'을 만든다. 핵심고객 그룹의 요구에 부응하지 않는 것들은 제거할 용기도 갖고 있다.

경영자들은 자신의 에너지와 투자를 우선적으로 집중시킬 매력적인 핵심고객을 분별해낼 필요가 있다. 제품이나 서비스를 설계할 때 경

227

영자는 이 핵심고객을 완전히 이해해야 하며, 제품 출시 후 그들로부터 "내게 완벽할 정도로 딱 맞는 제품"이란 말이 나오도록 해야 한다. 그들은 수는 적지만 매우 높은 충성도를 보인다. 그리고 가장 중요한 것은 그들이 시장에서 매우 큰 영향력을 지닌 선도집단이라는 점이다. 그들의 취향이나 선호도는 기업이 궁극적으로 생각하는 대중 소비자 집단에 큰 영향력을 발휘하면서 그들을 이끌어간다.

영화 〈주유소 습격사건〉에서 패싸움이 벌어졌는데 건달로 나온 유오성은 한 사람만 계속 쫓아다니며 때린다. 상대가 "왜 나만 때리냐"고 묻자 유오성은 "난 늘 한 놈만 패!"라고 말한다. '집중'의 중요성을 잘 말해주는 명대사다. '한 놈만 패'는 마케팅에서는 시장 세분화 segmentation나 틈새시장 공략이라고 한다. 이 처방이 가장 절실하고 또 가장 잘 먹히는 것은, 후발주자로 진출했는데 시장에 브랜드가 포화 상태이고 선도 브랜드들이 워낙 강력해 희망이 없어 보일 때다.

KTF의 '쇼SHOW'를 론칭한 마케팅 전문가 조서환이 애경에서 화장품 사업을 론칭할 때도 그랬다.[30] 당시 국내엔 450여 개의 화장품회사가 있었고, 해외 명품 브랜드까지 합치면 600개나 됐다. 게다가 시장조사를 해보니 '애경' 하면 '트리오'가 떠올라 애경이 만든 화장품이라면 트리오 냄새가 날 것 같다는 것이었다. 그래서 그는 화장품에서 애경이라는 이름을 제품 바닥에 숨겨버렸다. 대신 프랑스 잡지 『마리끌레르』 브랜드를 들여와 론칭했다. 그리고 어느 회사도 만들지 않던 여드름 전용 화장품, 모공 화장품을 만들었다. 또 남들이 별로 신경쓰지 않던 클렌징 화장품을 론칭하면서 고현정을 모델로 내세워 '화장은 하는 것보다 지우는 것이 중요하다'고 광고했다.

마리끌레르는 처음엔 20대 초반 여대생이라는 좁은 시장을 타깃으로 했다. 그러나 고객층이 지난날을 그리워하는 30대 여성과 여대생을 선망하는 여고생들로 넓어졌다. 그 결과 3년 만에 1000억원 매출에, 방문 판매를 세외한 시장 판매에서 입계 4위에 올랐다. 조서환은 이런 경험을 토대로 "내가 점찍은 분야에서 누구도 범접하지 못하도록 확실하게 자리를 잡으라. 한 뼘짜리 좁은 영역이어도 상관없다"고 말했다. 그는 또 "이렇게 좁은 시장을 공략해서 과연 무슨 이익이 남느냐"고 걱정할 정도로 핵심타깃을 쪼개고 또 쪼개야 한다"고 강조했다. 그래야 그 좁은 시장에서 확고한 1등이 될 수 있고, 장차 더 넓은 시장에서도 1등이 될 수 있다.

좁은 시장을 공략하는 또다른 묘미는 대기업이 신경을 안 쓴다는 데 있다. 조서환이 중국에서 동전 세는 기계 제조공장을 운영하는 어떤 경영자와 만난 적이 있었다. 동전 세는 기계가 과연 돈이 될까 싶어 실례를 무릅쓰고 물었더니 중국 사장이 웃으며 대답했다.

"무슨 말씀이세요? 세세 시장의 85퍼센트를 우리가 가지고 있습니다."

"대기업이 안 들어오나요?"

"어우, 대기업이 뭐하러 코 묻은 돈 먹으러 들어옵니까?"

독일의 공기청정기회사인 벤타 에어워셔Venta Airwasher도 한 뼘짜리 땅을 찾아 지구 반대편까지 파내려간 경우다. 이 회사의 공기청정 방식은 특이하다. 물을 이용하는 것이다. 공기청정기 안에 깨끗한 물을 담고 스위치를 켜면, 외부 공기가 들어왔다 나가면서 물로 세척된다. 비가 오고 난 뒤엔 항상 공기가 깨끗해진다는 데서 착안, 일반 필터 대신

물을 필터로 쓴 공기청정기를 세계 최초로 개발했다. 이를 '에어워셔'라 부른다. 알프레트 히츨러Alfred Hitzler 사장은 1981년 창업 이래 줄곧 이 한 가지 제품만 만들어왔고, 2013년 기준 연매출 2억 유로(약 2700억원)로 에어워셔 분야에서 세계 시장 점유율 60퍼센트를 차지하는 1등 회사가 됐다(전체 공기청정기시장에선 1퍼센트 정도를 차지한다). 히츨러 사장은 120명밖에 안 되는 종업원으로 업계에서 독보적인 자리를 굳힌 비결을 이렇게 설명했다.[31]

"우리는 틈새시장에 진출했습니다. 벤타 이전에는 에어워셔라는 제품이 아예 없었고, 그후에도 제품 수요는 천천히 늘어났습니다. 수요가 폭발적으로 늘어났다면 다른 기업들이 관심을 가졌겠지만, 그렇지 않았기 때문에 경쟁이 적은 곳에서 안정적으로 성장할 수 있었습니다. 벤타는 틈새시장에 진출해 있었고, 매출 규모가 작았기 때문에 큰 방해를 받지 않고 시장을 키워나갈 수 있었습니다."

고객이 무엇을 사고 싶어하는가 vs 고객에게 무엇을 팔고 싶은가

기업이 '왜'를 세울 때 중요한 것은, 그것이 기업의 관점이 아니라 소비자의 관점에서 세워져야 한다는 것이다. 피터 드러커가 늘 역설했듯 기업의 가치란 그 기업이 하는 일이 아니라 그 회사의 제품을 사는 고객에 의해 정의되기 때문이다.[32] 『하버드 비즈니스 리뷰』 선임 편집자를 지낸 조앤 마그레타는 『경영이란 무엇인가』에서 드러커의 이같은 생각을 자세히 풀이했다. 책에 따르면 기업은 기업 밖에 있는 다른 사람들의 필요를 충족시키기 위해 존재한다. 기업이 동아리나 사교클럽,

가족 같은 집단과 구별되는 이유다. "경영진의 책무 중 하나는 이러한 '외부 지향성'을 구성원들에게 끊임없이 상기시키는 것"이다.

이것이 중요한 이유는, 기업 내부에 있는 사람들은 늘 안에만 눈이 머물러 자신이 만드는 상품과 자신이 가진 기술에만 집중하는 경향이 있기 때문이다. '이 기술은 아주 훌륭해. 누군가에게 도움이 될 거야.' '이거 정말 재미있는데…… 계속해보자.' 즉 '고객이 무엇을 사고 싶어 하는가'는 생각하지 않고 '고객에게 무엇을 팔고 싶은가'만 생각하는 셈이다.[33]

그러나 고객은 어떤 제품을 만들기 위해 기업이 얼마나 열심히 노력했는지에는 전혀 관심이 없다. 그것이 자신이 가진 문제를 해결하는 데 도움이 될 수 있는지, 자신도 모르던 새로운 편의를 줄 수 있는지에만 관심을 가진다. 앞서 한번 언급한 시스코의 존 체임버스 회장도 "기업이 너무 기술 위주로 흐르는 것을 경계한다"고 말했다. 세계 최첨단의 IT기업인데도 말이다. 고객 관점을 잃어버릴 수 있다는 이유에서다. 그의 말을 그대로 옮겨본다.

"종종 제품을 기술력으로만 정의하는 사람들이 있습니다. 이를테면 '이 제품은 기존보다 1000배 빠른 기술을 적용했습니다'라고 말합니다. 그러나 제품은 고객에게 어떤 혜택을 제공하느냐로 정의해야 합니다. 그래서 우리는 '이 제품은 지금 당신이 일하는 시간을 50퍼센트 줄여줍니다'라는 식으로 말합니다."

요즘은 고객 중심이라는 말이 흔히 쓰이지만, 기업이 아니라 고객이 가치를 결정한다는 것은 최근에 등장한 사고방식이라고 마그레타는 말한다. 아주 오랫동안 기업의 가치는 무엇을 만드느냐로 결정됐다.

231

예를 들면 자동차회사, 의류회사, 화장품회사…… 하는 식이다. 수요가 공급을 훨씬 앞지르던 시대, 만들기만 하면 팔리던 '세이의 법칙'이 통용되던 그런 시대에 기업 성공의 지름길이자 경영진의 사명은 '더 많은' 물건을 '더 싸게' 만드는 것이었다. 다시 말해 기업의 초점은 효율성에 있었다. 프레더릭 윈즐로 테일러의 『과학적 관리의 원칙The Principles of Scientific Management』은 그같은 사고를 집대성한 것이다.

하지만 이같은 접근법의 한계는 제조업적 효율성에만 집착함으로써 기업이 초점을 회사 내부에 두게 된다는 점이다. 즉 무엇을, 어떻게 만들 것인가에 초점을 둔다. 이른바 '제조업자적 사고방식'이다.

그러나 20세기 중반 희소성이 사라지고 대량소비 시대가 열리면서 기업의 존재 이유에 대한 새로운 답변이 필요해졌다. 피터 드러커는 새로운 답을 제시한 인물 중 한 사람이다. 그는 전혀 다른 사고방식을 강조했다. 즉 회사 내부에서 회사가 만드는 것에 초점을 맞춰서는 안 되고, 고객의 눈으로 '바깥에서 안을 봐야' 가치를 판단할 수 있다는 것이다. '마케팅적 사고방식'이라고 할 수 있다.

제조업자적 사고방식은 더 싸게 더 많이 만드는 '효율성'에 초점을 맞춘다. 반면 마케팅적 사고방식은 '효과성', 즉 올바른 일, 고객이 가치 있다고 생각하는 일을 하는 데 초점을 맞춘다. 국어사전을 보면 '효율'은 '들인 노력과 얻은 결과의 비율'이라고 정의돼 있다. 뜻풀이만 봐도 대량생산 시대의 시각, 내부 중심적 시각이 느껴진다. 반면 '효과'는 '어떤 목적을 지닌 행위에 의하여 드러나는 보람이나 좋은 결과'라고 정의돼 있다. 보람이란 어디서 생기는가? 대부분의 경우 다른 사람에게 의미 있는 기여를 하거나 인정을 받을 때 생겨난다. 다시 말해 보람은 외부 중심적 시각을 갖고 있다. 그럼에도 여전히 많은 기업이 '더 싸게 더 많이'에 매달리는 것은, 외부 중심적 시각을 갖기가 얼마나 어려운 지를 방증한다.

혁신이란 결핍을 공감하고 채워주는 것

개인적으로 육체적 고통을 겪고 절망적인 기분이 들었을 때 일본의 하레사쿠 마사히데라는 신부가 쓴 『나를 살리는 말』이라는 책에서 크게 위안을 받은 적이 있다. 생사를 넘나들 만한 큰 어려움을 겪어보지 않고서는 도저히 쓸 수 없다고 생각되는 구절들이 많았다. 그렇기에 '아, 나와 비슷한 고통을 겪은 사람이 최소한 한 사람은 있구나. 이 사람은 내 고통을 이해해 주겠구나' 하는 생각만으로도 위안을 받을 수 있었다. 그는 공감의 중요성에 대해 이렇게 이야기한다.

"누군가에게 '그 마음 알아요'라는 말을 듣고 벅찼던 적이 있는가? 다른 사람이 '알아요'라고 말해주면 정말 기쁘다. 특히 혼자 힘들어할 때, 그 한 마디로 인해 놀랄 만큼 마음이 가벼워진다."[34]

그는 고통이란 공감을 가져올 수 있다는 점에서 축복이라고 이야기한다.

"고통에 의해서만 상대의 입장이 될 수 있고, 공감할 수 있다. 그 체험이 정말 쓰라릴 수도 있지만, 세상의 궁극적 목적이 '공감'에 있다면 고통스러운 체험을 함께 했다는 것은 이미 천국에 아주 가까이 와 있는 것을 의미한다. 애당초 이 우주는 엄청나게 크고도 웅장한 '공감'으로 이루어져 있기 때문이다."

그러나 다른 이의 고통을 이해하고 공감하는 것은 말처럼 쉬운 일은 결코 아니다. 영화로도 만들어진 김애란의 소설『두근두근 내 인생』의 주인공은 17세 어린 나이에 조로증으로 늙어가며, 극심한 육체적 고통을 겪는다. 주인공은 치료비 마련을 위해 〈이웃에게 희망을〉이라는 TV 프로그램에 출연하게 되는데 "하느님을 원망한 적은 없니?"란 질문에 이렇게 말한다. "사실 저는 아직도 잘 모르겠어요. 완벽한 존재가 어떻게 불완전한 존재를 이해할 수 있는지…… 그건 정말 어려운 일 같거든요. 하느님은 감기도 안 걸리실 텐데. 그죠?"[35] 사람의 고통은 때로는 신도 이해할 수 없을 거라는 생각이 들 만큼 끔찍할 수 있다.

혁신이란 이처럼 다른 이의 결핍과 고통을 이해하고 공감하는 데서 싹튼다. 공감의 바탕 위에서 '어떻게 하면 도와줄 수 있을까' 하는 절실한 의문이 싹트고, 그 의문으로 불면의 밤을 지새우는 과정에서 혁신이 탄생한다. 다시 말해 혁신이란 결핍을 공감하고 채워주는 것이다. 이런 의미에서 혁신이란 곧 '왜' 그 자체라고 할 수 있다.

이를테면 이베이는 '여자친구가 수집하는 과자통을 다른 사람들과 교환하는 방법이 있었으면' 하는 생각에서 싹텄고, 인도의 타타자동차가 만든 3000달러짜리 초저가 자동차 '나노'는 오토바이에 위험하게 여럿이 타고 다니는 인도 서민을 안타깝게 생각한 데서 싹텄다. 세계적인 주방용품업체인 테팔Tefal이 수많은 주방용품 브랜드와의 치열한 경쟁 속에서 선도업체로 장수하며 연 매출 2조원을 올리는 비결도 "늘 소비자가 느끼는 결핍을 찾아다니며 해결해주었기 때문"이라고 패트릭 로브레가Patrick Llobregat 사장은 말했다. 몸통과 손잡이 부분이 분리되는 프라이팬과 냄비도 그런 노력의 산물이다.[36]

"일본의 부엌은 대개 매우 좁습니다. 우리는 일본 소비자들이 여러 가지 주방용품을 아주 좁은 공간에 전부 수납할 수 있는 방법을 찾아봤습니다. 쉬운 일은 아니었지요. 그런데 몸통과 손잡이가 분리되는 제품(한국에선 '매직핸즈'라고 불린다)은 좁은 공간에 갖가지 주방용품을 보관하기 위해 골머리를 앓는 소비자들에게 안성맞춤이었어요. 여러 종류의 냄비와 프라이팬을 25제곱센티미터 안에 전부 수납할 수 있게 됐으니까요. 그 결과 일본에서 100만여 개가 팔려나가면서 이 제품은 대단히 크게 히트를 쳤습니다."

이 제품의 대성공에 힘입어 테팔은 일본을 프랑스에 이은 제2의 소비시장으로 키울 수 있었다. 돌이켜보면 테팔이란 기업의 태생 자체가 결핍에 대한 공감에서 비롯됐다. 테팔의 창업자인 마크 그레구아르Marc Grégoire는 원래 낚싯줄과 낚시 도구가 엉키는 것을 막기 위한 재료를 개발하다가 유리섬유를 소재로 한 코팅을 발명했다. 당시 유리섬유는 아주 내구성이 좋았지만 일상 생활용품에 접목시킨 사례는 거의 없었다. 어느 날 부엌에서 요리하던 아내가 그에게 이렇게 말했다. "프라이팬에 요리하다 또 타버렸네요. 자꾸 음식이 눌어붙어서 떼어내기 어려워요. 새걸 하나 사주든지, 아니면 어떻게든 날 좀 도와줘요."

아내의 불평을 듣고, '프라이팬에 유리섬유를 코팅해보면 어떨까?' 하는 아이디어가 번뜩 머리를 스쳐지나갔고, 눌어붙지 않는 프라이팬 기술을 개발해 2년 뒤인 1956년 테팔을 세웠다(테팔은 1968년 그룹 세브에 인수된다). 1950년대는 과거엔 없던 '일하는 주부'라는 존재가 본격적으로 등장하기 시작한 때였다. 직업을 갖고 가사도 함께 하는 주부들은 프라이팬에 눌어붙은 음식 찌꺼기를 긁어내는 데 예전처럼 많은 시간을 들이기 어려웠다. 로브레가 사장은 "이 일화가 혁신이라는 것이 어디서 오는지를 보여주는 흥미로운 사례라고 생각한다"고 말했다.

"혁신을 위해 우리는 소비자들에게 결여된 부분이 무엇인지 날마다 관찰해야 합니다. 혁신은 소비자들에게 근본적으로 결여된 부분을 채워줄 때 생기는 겁니다. 단지 기존 제품에다가 몇 가지 추가 기능을 덧붙인다고 해서 생기는 게 아닙니다."

그렇다면 테팔이 소비자들의 결핍과 새로운 요구를 파악하는 방법은 무엇일까? 로브레가 사장은 선도 사용자들을 자주 만나 요구사항을 들어보는 것이라고 말했다. 정기적으로 전문 요리사들을 만나서 그들이 무엇을 요구하는지 들어본다는 것이다. '어떤 제품은 오래 사용하니까 손이 쉽게 피로해지더라' '새로운 레시피를 시험해보려고 하는데 기존 제품으로 만들었더니 무엇이 불편하더라' 같은 자잘한 애로사항을 직접 듣는 것이다. 신제품이 시장에서 성공할지 여부도 미리 사용해본 사람들의 반응을 보고 확인한다.

"만약 그들이 '음, 뭐 그럭저럭 괜찮네' 하는 미적지근한 반응을 보인다면, 그 경우엔 잘해봤자 시장에서 중간 정도의 성공밖에 거둘 수 없습니다. 하지만 사용자들이 '우아, 이런 게 다 있다니. 이건 내가 계속 원해왔던 거였어'라는 반응을 보인다면 그때는 모든 사람이 그 제품을 원할 거라고 확신할 수 있습니다."

테팔은 요리강좌를 자주 여는데 그것은 고객 서비스인 동시에 고객의 결핍과 변화를 파악하는 수단이기도 하다. 요리강좌에선 매번 새로운 레시피를 만들고, 참가자의 면면을 보면서 어떤 연령대, 어떤 성별의 사람들이 그 레시피의 주된 소비자가 될지 예측한다. 과거에 비해

236

젊은 사람, 남성 참가자가 많아졌다면 '아, 어린 사람들이 요리에 관심을 많이 갖는구나. 그러면 좀더 안전한 조리 솥을 개발해야겠군. 남자들이 많으니까 제품 장치를 좀더 단순화해야겠어'라는 식이다.

로브레가 사장은 "혁신은 눈에 보이는 것이어야 한다"는 철학을 갖고 있다. 그는 "소비자들이 느끼지 못하고 눈에 띄지 않는 것은 진정한 의미의 혁신이라고 할 수 없다"고 말했다.

"예를 들어 눌어붙지 않는 프라이팬을 개발했다고 합시다. 그걸 두고 소비자들에게 '여기엔 코팅이 어떤 방식으로 사용됐고, 그걸 위해 우리가 개발한 기술은 어떤 것이 있습니다'라고 말로 아무리 설명해 봤자, 소비자들은 그걸 눈으로 볼 수가 없습니다. 들을 땐 '아, 그런가 보군'이라고 생각할지 몰라도 회사가 하는 말을 다 신뢰하지 않을 수도 있지요. 그렇기 때문에 우리는 말로 떠들어대는 혁신보다 '보이는 혁신'에 훨씬 더 집중하는 겁니다. 디자인, 기능 등 여러 가지 측면에서 말이지요. 소비자들이 우리 물건을 사용해보고 '아, 내가 이제까지 바라왔던 걸 드디어 만들어줬군' 하고 생각하게끔 해야 합니다. 저는 그것이야말로 진정한 혁신이라고 생각합니다."

이 회사에는 직원들이 '고문 실험torture test'이라고 부르는 실험대가 있다. 얼마나 오랫동안 제품을 '괴롭혀야' 금이 가고 흠집이 생기는지를 알아보기 위해 직원 두 명이 1만 5000여 종의 냄비, 프라이팬 손잡이(제품 몸통과 분리된다)를 때리고 누르고 밟으면서 온갖 '고문'을 가한다. 얼마나 힘을 가해야 프라이팬 손잡이가 떨어져나가는지 살펴보는 실험도 한다. 6킬로그램짜리 추를 손잡이에 매달아서 1시간 동안은 버텨야 합격이다. 프라이팬으로 가장 자주 요리하는 재료인 달걀흰자, 케첩, 우유를 섭씨 250도로 가열한 프라이팬 위에 한 방울씩 떨어뜨려 눌어붙는 정도를 체크하는 실험도 있다. 테팔은 '보이는' 혁신을 만들기 위해 '보이지 않는' 곳에서 땀방울을 흘리고 있는 것이다.

제품이 늘어나면, 숨겨진 비용도 늘어난다

앞서 소개했던 파타고니아의 이본 슈나르 회장은 산악인이자 낚시광이기도 하다. 그는 낚시에 관한 책을 쓰기도 했는데, 낚시도 등산도 경영도 인생도 서로 비슷한 점이 있다고 했다.

"낚시나 등산은 능숙해질수록 단순한 방법으로 즐기게 됩니다. 경력이 쌓이고 시간이 갈수록 갖고 다니는 장비도 줄어들기 마련이지요. 노련한 플라이 낚시꾼은 낚싯대고 플라이고 줄이고 그저 딱 하나만 갖고도 고기를 잘 잡습니다. 경영을 잘하는 회사도 이처럼 제품의 종류를 최소화하는 데 성공하고 있습니다."

인앤아웃 버거In-N-Out Burger는 그 대표적인 사례다. 이 햄버거 프랜차이즈는 메뉴를 딱 두 가지로 한정했다. 햄버거 아니면 치즈버거다. 사이드 메뉴도 감자튀김과 음료수밖에 없다. 파파존스의 창립자인 존 슈내터John Schnatter 역시 성공 비결로 단순화를 꼽는다.

"남과 가장 다르게 한 일은 모든 것을 단순화했다는 것이다. 시칠리안 피자와 딥디시 피자, 그리고 스터페드 크러스트 피자와 같이 복잡한 피자를 만드는 방법을 몰라서가 아니었다. 우리는 이미 13년 전에

맛 좋고 전통적인 피자를 만들기로 결정했다. 이제는 세상 어느 누구보다도 그 피자를 맛있게 만들고 있다. 그같은 전문적인 기술 수준에 도달하기 위해서는 몇몇 다른 제품들을 포기해야 했다."

이렇게 메뉴를 단순화하면 높은 수준의 품질 관리가 가능하다는 장점이 있다. 1951년 창업한 일본 양갱가게 오자사小ざさ는 양갱과 모나카 딱 두 종류만 판다. 매장은 판매원 3명이 겨우 설 수 있을 정도인 3.3제곱미터(1평) 크기에 불과하지만, 매출은 연간 3억 엔이 훌쩍 넘는다. 오자사는 양갱을 하루에 150개만 만들어 판다. 창업자의 딸인 이나가키 아츠코稲垣篤子 사장은 "이 원칙을 하루도 어기지 않았다"며 "양갱을 못 사고 돌아가는 고객에겐 미안하지만, 품질 관리를 위해 어쩔 수 없다"고 했다.[37] 양갱을 만드는 과정은 온도, 숯의 화력, 습도, 기온 등 조건이 완벽해야 해서 '종교의식'처럼 엄숙하다. 보들하고 쫀득하고 탱글탱글하면서 입안에서 사르르 녹는 네 가지 식감의 '교차점'을 찾는 게 핵심이다. 팥을 물에 삶을 땐 '가장 잘 익은 상태'를 매일 시간으로 기록해두고 그 데이터를 분석한다. 아츠코 사장은 "매일 새벽 집 응접실에 앉아 그날 팔 양갱을 시식한다"며 "조금이라도 양갱의 풍미가 다를 경우 그날은 장사를 접고 가게 앞에 '제품 품질이 좋지 않아 장사를 하루 쉰다'고 써 붙인다"고 했다.

그러나 대부분의 회사는 '모든' 사람을 만족시키기 위해 많은 제품, 옵션, 디자인, 기능, 라인을 내놓는다. 그럴 때마다 기업은 절실한 이유를 내걸지만 이는 생각지 못한 부작용을 낳는다. 숨겨진 비용이 늘어나는 것이다. 공정 시간cycle time이 늘어나고 경영의 정확한 예측을 방해한다. 더 심각한 것은 소비자의 구매 행위를 어렵게 만들어 소비자경험을 복잡하게 만든다는 점이다. 심지어는 매출이 줄기도 한다. 소비자가 너무 많은 선택지에 질려 떠나버리기 때문이다.

제품 가짓수나 옵션의 수가 너무 많은 경우, 그것은 소비자에 대한 이해 부족에서 비롯되는 경우가 많다. "여러분이 무엇을 원하는지 잘은 모르겠지만, 여기 매우 다양한 옵션이 있으니 이중에서 마음에 드는 것을 발견하기 바란다"라고 말하는 것과 다름없다. 집중된 기업은 반대다. 핵심고객이 원하는 것을 정확히 알고 있으며 새로운 제품을 내놓는 데 따른 추가적인 비용을 정확히 추정할 수 있다.

자동차 구매자에게 특정 자동차를 구매한 이유를 물어보면 구매 기준을 3개 이상 기억하는 경우가 드물다고 한다. 심지어 구매 결정을 한 직후에 물어봐도 그렇다고 한다. 포드의 오리지널 머스탱과 크라이슬러의 첫 미니밴 개발에 일조한 자동차업계의 전설 할 스페리히Hal Sperlich는 이런 관찰을 바탕으로, 인기 있는 자동차를 만들기 위해서는 표적 고객군이 진심으로 중요하게 생각하는 딱 3개의 요소로 차별화되는 자동차를 만들어야 한다고 주장했다. 그는 이 세 가지 요소를 '킬러 ABC'라 부르고 자신이 개발하는 모든 제품에 적용했다. 이를테면 미니밴의 경우 승차 가능 인원수, 편리성, 가치가 ABC였다. 머스탱은 성능, 디자인, 가격이었다.[38]

베인앤컴퍼니에 따르면, 한 트럭 제조업체는 한때 소비자 모두에게 맞춤형 트럭을 제공했다. 조금씩 차이가 나는 트럭이 4만 종 생산되고, 여러 옵션까지 감안하면 그 조합의 수가 수백만 개에 달했다. 그러나 이 회사는 모듈 생산 시스템으로 전환하면서 주문비용을 71퍼센트 줄이고 협력업체 숫자도 줄일 수 있었다. 이 회사는 또 250개의 제품과

240

옵션만으로 기존 수요의 80퍼센트를 커버할 수 있음을 알게 됐다.[39]

통념과는 달리 파는 물건의 종류를 줄일수록 전체 매출은 오히려 늘어나는 경우가 많다. 베인앤컴퍼니에 따르면 벨기에의 한 식품기업은 제품 가짓수를 42퍼센트 줄였음에도 매출은 오히려 17퍼센트 늘어났다. 스웨덴의 한 사탕업체는 제품 가짓수를 18퍼센트 줄인 후 매출이 19퍼센트 늘어났다.

피부 위 복잡성과 피부 아래 복잡성

소비재회사들은 성장하면서 본능적으로 제품 포트폴리오를 늘린다. 하지만 그럼으로써 두 가지 복잡성이 초래된다. '피부 위above-the-skin 복잡성'과 '피부 아래below-the-skin 복잡성'이 그것이다. 피부 위 복잡성이란 소비자가 슈퍼마켓 진열대 선반에서 접하는 브랜드와 제품 가짓수의 급증을 의미한다. 한편 피부 아래 복잡성이란 제품의 기능과 사양이 지나치게 많은 것을 말한다. 재료나 레시피, 포장재 들이 다양하지만 소비자에게는 별로 의미 있게 받아들여지지 않는 경우다.[40]

피부 위 복잡성을 잘 보여주는 통계가 있다. 베인앤컴퍼니에 따르면 스페인에서 포장 판매되는 소비재 제품 가짓수는 2000년에서 2011년 사이에 40퍼센트 증가했다. 그러나 매장 면적 1000제곱미터당, 각 제품당 평균 매출은 같은 기간 2퍼센트 이상 줄어들었다. 문제는 소비자들이 매장에서 많은 구매 결정을 하면서도, 가능하면 거기 오래 머물고 싶어하지 않는다는 것이다. 피부 위 복잡성은 또한 매장 선반에서 판매가 부진한 제품이 오히려 잘 팔리는 제품의 공간을 대신 차지하게 만든다. 어느 편의점의 냉장고에 넣을 수 있는 제품 가짓수가 최대 10

개라고 하자. 그럼에도 배급업자는 50종 이상의 제품을 실어 보낸다. 그러면 얼마 안 있어 잘 팔리는 제품은 재고가 소진되고 잘 팔리지 않는 제품들만 선반을 차지하게 된다.

피부 아래 복잡성도 통제하기 어려울 정도로 커졌다. 베인앤컴퍼니의 고객인 한 식품회사는 2010년부터 2013년 사이에 레시피의 수가 12퍼센트 이상 늘고 포장 용기는 36퍼센트 늘어났다. 용기 뚜껑은 28퍼센트, 라벨의 수는 51퍼센트 늘어났다. 그러나 같은 기간 매출은 2퍼센트 줄어들었다.

반면 복잡성을 단순화한 기업은 소기의 성과를 거둘 수 있었다. 어느 소시지가 다른 소시지보다 몇 밀리미터 짧거나 가늘다고 소비자들이 과연 신경을 쓸까? 그렇지 않을 것이다. 그럼에도 유럽의 한 소시지 업체는 수십 년에 걸쳐 성장하는 과정에서, 큰 차이는 없지만 조금씩 다른 소시지들을 계속 추가하기 시작했다. 소시지의 레시피와 형태, 규모, 포장 용기 등이 조금씩 다른 것들이 계속 출시된 것이다. 그런데 지역마다 이렇게 조금씩 다른 소시지를 특화해 생산하다보니 공급망과 제조설비가 지나치게 로컬화돼 공장 가동률이 60퍼센트에도 미치지 못했다. 이 회사는 이를 심각한 문제로 인식하고, 여러 가지 노력을 기울였다. 제품마다 같은 재료를 많이 쓰도록 하고, 레시피도 비슷하게 하고, 포장 용기의 종류도 줄였다. 이 회사는 제품 종류의 80퍼센트를 수정했고 10퍼센트는 없앴다. 이를 통해 공장 가동률을 높일 수 있었고 비용은 15퍼센트 줄일 수 있었다.

경제가 탄탄할 때는 복잡성의 비용이 높은 성장률에 의해 종종 상쇄된다. 그러나 경제환경이 악화될 때는 복잡성 문제가 더욱 뚜렷해지고 치명적으로 변한다. 이런 사실을 알면서도 기업들이 제품 복잡성의 늪에서 빠져나오지 못하는 이유는 무엇일까? 유통업체들이 다양한 제품을 공급해주길 원하는 데도 이유가 있다. 그래야 손님들에게 "자, 이렇게 다양한 회사의, 다양한 제품이 구비돼 있습니다"라고 말할 수 있기 때문이다. 기업은 또한 매장 선반에서 제품 가짓수를 줄이면 다른 브랜드 제품이 그 자리를 차지할까 두려워한다.

그런데 이쯤에서 제품의 단순화에 대한 오해를 짚고 넘어가야 할 것 같다. 제품 가짓수가 적으면 무조건 좋다는 생각이다. 그렇다면 하나의 제품만 생산하는 회사는 무조건 성공할까? 그런 회사는 당연히 제품 복잡성 문제가 없을 것이다. 전략이나 조직, 프로세스의 복잡성도 적을 것이다. 그렇다면 그것이 최선일까? 결코 아니다. 파멸의 지름길이 될 수도 있다. 모델 T가 유일한 제품이었던 과거의 포드자동차가 그 실제 사례다. 모델 T는 오랫동안 단순함의 상징이었다.[41]

"모든 사람들은 검은색을 좋아한다." 이것은 포드자동차의 경영 전략을 대변하는 말이었다. 포드는 1910년에서 1927년까지 모델 T만 생산했는데 1913년부터는 색상을 검은색으로 통일했다. 페인트가 빨리 마르기 때문이었다. 공장당 조립 라인이 하나에 불과했기 때문에 제조 과정은 단순했다. 의사결정 과정도 단순했다. 헨리 포드가 모든 결정을 내렸기 때문이다.

포드의 전략은 최대한 많은 양의 모델 T를 생산함으로써 가격을 낮춰 보다 많은 사람들에게 파는 것이었다. 포드는 1908년에서 1912년 사이에 가격을 30퍼센트 낮출 수 있었는데, 가장 큰 비결은 조립 라인에 있었다. 포드는 시카고에 있는 정육공장의 분해 라인에서 영감을 얻었다. 거기에서는 자동 손수레가 고깃덩어리를 날라 직원들 앞에 갖다놓았고 직원들은 척척 고기를 잘랐다. 그는 여기에서 착안해 컨베이어 벨트를 도입했고, 생산성을 높일 수 있었다. 포드는 또한 제품을 한 가지 모델로 제한함으로써 효율을 극대화했다. 포드는 모든 공정을 분석해 가장 간단한 요소로 나누고 표준화했다. 그 결과 오직 한 가지 제품을 빠른 시간 안에 양질로 만들 수 있었다. 결국 포드의 꿈은 이뤄졌다. 1913년부터 10년간 포드자동차의 생산량은 매년 두 배로 뛰었다. 1920년대 초반에는 미국 자동차의 반이 모델 T였다.

그러나 포드의 눈부신 성공은 계속되지 않았다. 1920년대 초반 GM의 앨프리드 슬론Alfred Sloan은 포드의 모델 T와는 정면 상대할 수 없다는 것을 깨달았다. 그는 포드와는 반대 전략을 폈다. 포드와 달리 다양한 옵션과 색상의 여러 브랜드와 모델을 내놓은 것이다. GM은 '고객의 주머니 사정과 목적에 언제든 부합할 수 있는 차'라는 슬로건을 내걸고 고객이 자신의 형편에 따라 여러 차종을 폭넓게 고를 수 있도록 했다. 다시 말해 다양한 제품과 고객 세분화가 슬론이 생각해낸 포드 극복 전략이었다. GM은 단기간에 미국 시장의 4분의 3에 가까운 점유율을 확보했고, 포드는 영영 GM을 따라잡지 못했다.

포드의 사례는 단순화를 맹목적으로 추진할 경우의 위험성을 알려준다. 고객은 다양한 선택을 원하고 기업은 다양성을 제공해야 한다. 복잡성은 피할 수 없다. 모든 기업이 풀어야 하는 숙제는 그 복잡성의 마지노선을 찾는 것이다. 최소한의 복잡성으로 고객의 니즈를 충족시킬 수 있는 지점을 찾는 것이다. 그러나 여기서 명심할 것이 있다. '지나친 단순함'의 위험을 지적하는 사람들은 단순화가 가져오는 변화를 가장 두려워하는 사람들인 경우가 많다는 점이다.

큐레이션 커머스가 뜨는 이유

영국에 헤이우드 힐Heywood Hill이란 유서 깊은 서점이 있다. 런던 메이페어 지역에 있는 이 서점은 1936년부터 제임스 조이스『율리시스』의 첫 영역판을 팔면서 영업을 개시했다. 영국 소설가 낸시 미트퍼드Nancy Mitford가 제2차세계대전 당시 주당 3파운드를 받고 점원으로 일했던 것으로도 유명하다. 사교적이고 위트 있는 그녀의 존재는 이 서점을 문인들의 집결지로 만들었다. 이 서점은 몇 차례 주인이 바뀌었고 지금은 낸시 미트퍼드의 조카가 소유하고 있다.

그러나 이 유서 깊은 서점도 인터넷의 습격으로부터 자유로울 순 없었다. 인터넷서점 아마존의 등장은 이 서점의 변신을 재촉했다. 헤이우드 힐은 '맞춤형 서재'라는 새로운 영역을 개척했다.[42] 2013년 이 서점은 스위스의 어느 별장 서재를 20세기 모더니즘 예술과 디자인 시적으로 채워달라는 주문을 받았다. 3000권의 책을 선별하는 데 4개월이 걸렸고, 서재를 채우는 데 3일이 걸렸으며, 비용은 50만 파운드(약 8억 5000만원)가 들었다. 사우디아라비아의 한 여성 사업가는 자신의 런던 사옥 중역회의실 서재를 서방 세계와 이슬람 세계의 관계에 관한 책으로 채우고 싶어했다. 1000여 권의 책이 8만 파운드의 비용으로 채워졌다. 2014년 12월엔 미국 캘리포니아 주에 사는 한 고객의 주문으로 미국 서부 연안 지역 예술과 미국의 위대한 소설들로 채워진 100박스의 책이 배송됐다. 이 서점은 또 갈색 가죽케이스에 최근 현안에 관한 책들을 넣어 개인 제트기 30대에 공급하고 있다. 책을 좋아하지만, 맞춤형 서재를 주문할 만큼 형편이 넉넉하지 않은 사람들은 이 서점이 제공하는 다양한 책 구독 서비스를 신청하면 된다. 예를 들어 950파운드(약 160만원)를 내면 헤이우드 힐이 선별한 4박스 분량의 하드커버 책을 1년 동안 받아볼 수 있고, 똑같은 책을 페이퍼백으로 받아보려면 500파운드만 내면 된다. 이런 맞춤형 서재산업이 이제 이 서점 매출의 절반 정도를 차지한다.

헤이우드 힐 서점의 경우는 요즘 뜨고 있는 큐레이션 커머스^{curation commerce}의 한 예다. 큐레이션 커머스란 특정 분야 전문가가 고객을 대신해 제품을 선별해서 추천하는 서비스를 말한다. 소비자가 구매를 결정할 때 제품의 정품 유무, 최저가, 성능 등 체크해야 할 것이 워낙 많고, 제대로 선택할지 자신없어하는 소비자가 많아 생긴 서비스다. 최근 국내외를 막론하고 패션, 생활, 화장품 등 여러 분야에서 고객의 취향에 맞는 상품을 선별해 보내주는 서비스가 우후죽순처럼 등장하고 있다. 고객이 옷을 구매하거나 미용실에 갈 때 동행하여 스타일링 조언을 해주는 서비스도 생겼다.

여기서 말하고 싶은 것은, 기업 모두 큐레이션 커머스에 뛰어들라는 것이 아니다. 소비자들이 '더 많이 더 많이'에 고마워하기는커녕 오히려 혼란스러워하고 피곤해한다는 점을 알리려는 것이다. 한 심리학 실험이 있었다. 슈퍼마켓 매대에 잼을 진열해놓고 파는데, 한번은 6가지를, 한번은 24가지를 진열했다. 그런데 6가지 잼만 진열했을 때는 손님의 약 30퍼센트가 잼을 구매한 반면, 선택지가 24가지로 늘어난 경우엔 손님의 3퍼센트만 잼을 샀다. '선택의 역설^{The paradox of choice}'이라 불리는 현상이다. 사람들에게 너무 많은 선택지가 주어질 경우 오히려 판단력이 흔들려 올바른 결정을 내리기가 더욱 힘들어지고, 결국 선택지가 적었을 때보다 더 안 좋은 선택을 하거나 심지어 결정 자체를 포기하기도 하는 현상을 말한다.

여러분의 회사에서 또하나의 제품, 옵션, 기능, 디자인을 내놓고 싶다면 자문해볼 필요가 있다. '소비자가 정말 이걸 보고 기뻐할까?' '소비자가 너무 많은 선택지 때문에 오히려 질려서 떠나는 건 아닐까?'

결국 소비자의 집중과 제품의 집중은 하나로 이어진다. '핵심'을 세운다는 측면에서 그렇다. 핵심고객과 핵심제품 없이 '모두'에게 사랑받기 위해 '최대한 많고 다양한 제품'을 만드는 기업은, 안됐지만 '누구'에게도 사랑받지 못한다. 문어발식으로 '어장'을 관리하는 남녀가 결국 진정한 사랑을 얻지 못하는 것과 마찬가지다. 핵심이 아닌 것에는 '노'라고 외치는 용기와 결단이 필요하다.

'노'라는 말을 가장 많이 함으로써 위대해진 인물이 있다. 스티브 잡스다. 1997년 회사에 복귀한 뒤 2년 동안 그는 애플에서 생산하는 제품의 가짓수를 350개에서 10개로 줄였다. 그 기간 동안 새로 제안된 신제품 아이디어를 제외하고도 그는 기존 제품에 대해 340번이나 "안 된다"고 말한 셈이다. 그는 이렇게 말한 적이 있다. "집중이란 '예'라고 말하는 것이라고 생각하기 쉽다. 하지만 그게 아니다. 집중이란 '아니요'라고 말하는 것이다." 잡스는 '아니요'맨이었다.[43]

조직이 커지면
무거워지고, 당연히 굼뜰 수밖에 없다

기업의 성장이 초래하는 고질병의 하나는 조직의 복잡화와 관료화다. 그 과정은 대개 비슷하다. 예를 들어 어느 회사에서 고객 불만 전화를 접수하는 직원이 회사 규모가 커지면서 그 일을 혼자 소화하기가 어렵다고 토로한다고 하자.[44] 그러면 경영진은 다른 방법을 궁리하는 대신, 가장 익숙한 방법을 택한다. 즉 고객 불평 전담 부서를 새로 만들고 해당 직원을 부서장으로 승진시킨 다음, 명함을 새로 만들고 예산을 책정하고 직원을 더 투입한다. 이렇게 각종 부서들과 부서장들이 늘어나고, 그 부서들은 무엇이 회사를 위하는 것인지에 대한 자신만의 견해들을 갖게 되며, 부서들 사이의 유대관계는 약해진다. 결국 기업은 수많은 무인도가 점점이 놓여 있는 망망대해처럼 비능률적으로 비대해진다. 비용은 치솟고, 결정은 늦어진다.

베인앤컴퍼니에 따르면, 한 항공우주기업의 경우 외부 업체와의 계약을 변경하는 데 직원 125명이 참여해 700번 이상의 접촉을 가져야 했다. 또 어느 대형 천연자원기업은 광산 책임자를 새로 뽑으려면, 사내 인사 전문가 3명과 지역별 책임자 4명, C레벨 임원 2명의 결재가 필요하다.[45] 이들이 어느 인재의 채용에 합의하려면 몇 달은 족히 걸리는데, 그사이에 경쟁사가 그 인재를 낚아채버린다. 어느 글로벌 에너지기업은 고위 경영진이 중요 의사결정을 하는 데 도움을 줄 수 있도록 사내 각 부서가 오랜 시간을 쏟아 자료를 수집한다. 그런데 부서 간에 의견 조율 없이 중구난방으로 자료를 수집하여 수백 개의 보고서가 양산되며, 서로 다르거나 충돌하는 정보를 조정하는 데 많은 시간과 노력을 쏟아야 한다. CEO가 최종 결과를 접할 즈음엔 이미 너무 늦어버린 경우가 많다.

이런 일은 거의 대부분의 대기업에서 일어난다. 관료주의가 창궐하고, 꼭 내려야 하는 결정은 늪에 빠진 듯 계속 보류 상태에 있으며, 일반 관리비도 엄청나게 늘어난다. 더 무서운 것은, 이런 일이 되풀이될수록 종업원의 의욕과 사기가 저하되며 혁신이 지체된다는 점이다. 베인앤컴퍼니에 따르면, 기업 직원들은 가용 시간의 25퍼센트를 가치가 낮거나 비효율적인 일에 허비한다. 텍사스의 억만장자이자 일렉트로닉데이터시스템스EDS의 창업자인 로스 페로Ross Perot는 대기업 조직의 관료주의를 이렇게 비판한 적이 있다.[46]

"GM에서 회의가 열리고 있을 때 만일 독사 한 마리가 회의장에 들어온다면 어떻게 될까? 아마 GM 사람들은 뱀을 어떻게 죽일지 논의하기 위해 위원회를 구성할 것이다. 그러나 EDS라면 그 자리에서 뱀을 밟아 죽였을 것이다."

로스 페로가 GM을 이렇게 비판한 이유는 그가 GM의 주주가 되면서 GM이란 거대 조직의 폐해를 몸소 경험했기 때문이다. 그는 자신이 소유했던 EDS를 GM에 1조 7500억원에 팔고, 그 대가로 GM의 주식을 받아 개인으로서는 최대 주주가 되었다. 이사가 된 페로는 GM의 개혁을 시도했지만 사사건건 임원들과 충돌했고 결국 1984년 GM이 EDS를 흡수하면서 이사직을 사임했다. 위의 비판은 그가 GM을 떠나면서 남긴 말이다. 이는 그가 1992년과 1996년 미국 대통령 선거에 출마한 이유를 짐작하게 한다. 그는 미국 정부의 행정 시스템도 GM과 비숫하다고 생각했을 것이다.

효율적인 의사결정의 원칙 'RAPID'

이 모든 복잡성의 근원은 '성장'이다. 조직이 성장하면 매출과 제품 종류가 늘어나고, 이에 맞춰 제품 라인과 사업부도 늘어난다. 새로운 시장으로 진출하고, 다른 기업을 인수합병하기도 한다. 이 모든 과정은 조직의 복잡성을 높이고 직원들의 효율적 업무를 방해한다.

복잡성의 늪에 빠진 조직을 판별하는 몇 가지 방법이 있다.

첫째, 접점[node]이 과도하게 많다. 접점이란 무언가 일을 하기 위해 조직의 구성요소(기능, 사업부문, 지역 등)들이 서로 접촉해야 하는 모든 지점을 말한다. 앞서 예로 든 항공우주기업의 경우 계약 변경시 접점의 수가 700개가 넘는 셈이다. 이 회사가 계약을 변경할 때 참여하는 집단과 필요한 절차(기술 회의, 엔지니어링 회의, 일정 조정 회의, 관계 부서 검토, 이사회 등)를 선으로 연결하면 거대한 스파게티를 연상시키는 그림이 나온다.

1980년대에 크라이슬러[Chrysler]가 조직을 단순화하기 위해 조직 프로세스를 점검한 적이 있었다. 자동차 전기배선 관련 조직 프로세스가 대표적인 예다. 자동차 전기배선은 자동차 내부의 전기 공급 시스템으로 전원과 부품 간의 전기 공급을 연결하는 모든 전선을 통칭하며, 보통 조립 초기 단계에서 장착된다. 가장 중요한 전선은 엔진과 연결되며 다른 전선들은 계기판, 조명등을 비롯한 차량의 다른 여러 부분에 연결된다. 당시 크라이슬러는 모델과 옵션에 따라 수천 가지의 전기 배선을 사용하고 있었다. 예를 들어 창문 서리 제거 기능이 있는 차와 없는 차의 전기 배선은 완전히 달랐다.

전기 배선을 표준화할 필요가 있다는 건 명백했고 협력업체들도 그렇게 제안했다. 그러나 크라이슬러는 표준화를 추진하기로 결정한 뒤 복잡성의 근본 원인에 맞닥뜨렸다. 그건 다름 아닌 조직 내 의사결정 체계였다. 전기 배선에만 240명의 결재가 필요했던 것이다. 설계 승인을 위해 참여하는 모든 집단과 거쳐야 하는 모든 절차를 앞에 설명한 것처럼 선으로 연결하자 역시 대형 스파게티 그래프가 나왔다.[47]

둘째, 계층구조가 매우 복잡하다. 말단 사원과 CEO 사이에 관리자가 너무 많고(예를 들어 사원-대리-과장-차장-부장-상무-전무-부사장-사장), 한 관리자가 책임지는 직원 수도 너무 많다.

셋째, 권한과 책임 소재가 불분명하다. 중요한 의사결정에 참여하는 사람들이 각기 어떤 역할을 하는지 불분명하다.

넷째, 경쟁사에 비해 혹은 과거에 비해 의사결정이 느리고 일반 관리비가 높다. 회사에서 추진하는 프로젝트와 회의가 지나치게 많으며, 모든 사람이 더 많은 정보를 달라고 요구한다.

얽히고설킨 조직의 복잡성 문제를 푸는 방법은 알렉산드로스 대왕처럼 매듭을 싹둑 자르는 것이다. 즉 조직을 경량화하는 것이다. 이를테면 아마존에는 제프 베조스가 만든 '두 판의 피자' 법칙이라는 게 있다. 야근하며 피자 두 판을 나눠 먹을 정도가 적절한 팀의 규모라는 것이다. 6~10명 정도가 될 것이다. 피자 두 판으로 부족하다면 그 팀은 인원이 너무 많아 업무 효율이 떨어질 수밖에 없다고 베조스는 주장한다.

3장. 세워라

인류학자 로빈 던바는 인간은 평균적으로 150명 이내의 사람들하고만 의미 있는 관계를 유지할 수 있다는 이론을 내놓았다. 그는 영장류 집단의 크기가 대뇌피질의 크기와 밀접한 관계를 가지고 있다는 관찰을 근거로 이같은 결론에 이르렀다. 뇌가 작은 명주원숭이는 10마리 안팎의 무리와 함께 살지만, 대뇌피질이 큰 침팬지는 100마리에 가까운 구성원들과 함께 복잡한 사회구조를 유지한다. 영장류 집단에서 얻은 데이터를 인간의 뇌 크기에 적용하면 인간의 생물학적 집단 구성원 수는 약 150명 정도라는 결론을 얻게 된다. 원래 인간은 그 정도 수의 친구들과 함께 사는 것이 적절하다는 의미다.[48]

스티브 잡스는 1980년대에 매킨토시 컴퓨터를 개발하던 엔지니어들을 관찰해 비슷한 결론을 내렸다.[49] 그는 매킨토시부문에 종사하는 인원이 100명을 넘어서는 절대 안 된다고 선언했다. 소규모 그룹, 특히 100명이라는 숫자는 애플에서 하나의 문화로 정착했다. 애플에는 '톱100' 모임이라는 게 있다. 회사의 엘리트 임직원 100명으로 구성된 극비 모임이다. 회사의 중요 현안과 미래를 논의하는 이 모임은 잡스가 건강이 좋았을 때는 거의 매년 열렸고, 건강이 좋지 않았던 시기에는 비정기적으로 열렸다. 잡스는 이 그룹의 구성원에 대해 그가 다시 회사를 시작할 경우 선택할 사람들이며, 만약 애플 호가 침몰할 경우 구명보트에 자신과 함께 탈 사람들이라고 말하기도 했다.

복잡성 문제를 풀기 위해서는 명확한 역할과 책임 부여가 필요하다. 누가 의견을 제시하고, 누가 결정하며, 누가 실행하는지를 명확히 정의하는 것이다. 큰 조직의 의사결정엔 다양한 직위의 다양한 사람들이 관여한다. 그러나 의사결정에 관여하는 사람들이 같은 역할을 수행하는 것은 아니다. 일부는 제안을 하거나 대안을 제시하는 역할을 하고, 일부는 제안이나 대안에 대해 조언을 하고 자신의 입장에서 관련 사실과 판단을 제공하는 역할을 한다. 일부는 권고안이 추진되기 이전에 승인하는 역할을 맡는다.

베인앤컴퍼니는 의사결정과 관련된 이런 다양한 역할을 'RAPID'란 말로 집약해 표현한다. 추천Recommend, 동의Agree, 실행Perform, 의견 제시Input, 결정Decide의 머리글자를 딴 것이다. 앞서 예로 든 크라이슬러는 'RAPID'의 원칙에 따라 의사결정 권한을 명확히 하고, 의견 제시를 담당하는 사람과 제안을 담당하는 사람을 조기에 의사결정 과정에 개입시킴으로써 의사결정에 필요한 결재 절차를 10분의 1 수준으로 줄이고, 한 사람에게 책임 소재를 물을 수 있었다.

결국 효율적인 의사결정과 일 처리를 위해서는 '다이어트'가 필요한 셈이다. 조직의 집중과 관련하여 새겨들을 이야기가 있다. 잉바르 캄프라드의 『어느 가구상의 유언』에 나오는 '단순함은 미덕이다'라는 항목이다.

"어느 공동체나 기업에서 많은 사람이 함께 일하려면 규칙이 있어야 한다. 그러나 규칙이 복잡할수록 지키기가 어렵다. 복잡한 규칙은 마비를 부른다. 과거의 유산, 책임지는 데 대한 불안과 거부감은 관료주의의 온상이 된다. 우유부단은 더 많은 통계, 더 많은 조사, 더 많은 위원회, 더 많은 관료주의를 부른다. 관료주의는 조직을 복잡하게 하고 마비시킨다.

계획 입안은 종종 관료주의의 동의어가 되기 쉽다. 물론 계획은 일의 가이드라인을 정하고 회사를 장기적으로 기능하게 하기 위해 필요하다. 그러나 지나친 계획은 기업의 몰락을 가져오는 가장 공통적인 원인이라는 점을 명심하라. 지나친 계획은 행동의 자유를 구속하고, 일을 실행하는 데 드는 시간을 빼앗는다. 그러니 단순함과 상식이 당신의 계획을 이끌게 하라."

단순함과 상식이 우리의 계획을 이끌게 하는 것, 그것이 바로 조직의 집중에서 가장 중요한 핵심이다.

권한 위임의 기적, 픽사

조직의 복잡성을 타개하는 또다른 방법은 권한 위임과 자율경영이다. 그 가장 좋은 사례 중 하나가 세계적인 애니메이션 영화사 픽사 Pixar이다. 할리우드 영화의 흥행 성공률은 평균 15퍼센트에 불과한데, 이 회사는 내놓은 영화마다 100퍼센트 흥행에 성공했다.

위클리비즈는 그 기적의 비결을 찾기 위해 미국 샌프란시스코공항에서 자동차로 30분쯤 걸리는 에머리빌에 있는 픽사 본사를 방문했다. 회사는 거대한 리조트처럼 꾸며져 있었다. 드넓은 잔디밭, 곳곳에 솟아오른 야자수, 야외 수영장에 비치발리볼 경기장까지 있었다. 하지만 정작 우리를 감동시킨 건 이 회사의 창업자이자 사장인 에드윈 캣멀 Edwin Catmull의 말이었다. 픽사를 세계에서 가장 창의적인 집단으로 만들어낸 조직문화의 철학이 무엇이냐는 질문에 그는 이렇게 말했다.[50]

"몇 가지가 있습니다. 사람들은 성공을 하면 그것을 이어나가야 한다는 의무감을 갖게 됩니다. 그래서 그들은 일하는 과정을 통제하려고 합니다. 그런데 그 과정에서 많은 희생이 발생합니다. 직원들을 움츠러들게 하고, 얼어붙게 만들며, 결국 변화에 두려움을 갖게 만듭니다. 관리자들의 관심은 온통 '아, 내 통제에서 벗어나면 안 되는데'에 있습니다. 그게 모든 것을 망칩니다. 그래서 우리의 과제는 '어떻게 하면 조직을 홀가분하게 만들 수 있을까'였어요. 사람들이 실수를 하게 만들고, 그것에 '오케이!'라고 해주는 것이었습니다.

세상은 너무 복잡합니다. 그런데 이것을 톱다운 방식으로 보면, 윗사람은 항상 뚜렷한 관점을 가지고 무슨 일이 벌어지는지 다 알고 있다고 생각하고, 최고의 결정만 내려주면 아래 직원이 알아서 잘해주길 바랍니다. 그러나 세상에 나가보면, 너무 복잡하고 불확실합니다. 제 관점은 결정을 내릴 때 누구에게도 허락을 받지 않도록 하는 겁니다. 그게 핵심입니다. 그렇게 하면 많은 직원이 스스로 문제를 해결합니다. 한마디로 조직의 구조 자체를, 조직이 스스로 알아서 문제를 해결할 수 있도록 재창조하는 겁니다. 그렇게 하려면, 그들이 실패하고 시행착오를 겪도록 놔둬야 합니다. 그러면 훨씬 튼튼한 조직을 만들 수 있습니다."

'평평한' 조직문화를 지향해온 그의 철학이 손에 잡힐 듯 와닿았다. 그가 말하는 평평한 조직문화란 어떤 것일까? 2006년 디즈니와 픽사가 합병한 뒤 디즈니의 구원투수로 영입된 그가 디즈니에서 어떤 일을 벌였는지를 보면 잘 알 수 있다. 디즈니가 픽사를 인수했을 때 픽사 직원들은 공포에 떨었다. 픽사와 디즈니는 앙숙이었기 때문이다. 그런데 상황은 정반대로 흘렀다. 오히려 디즈니가 픽사에 손을 내민 것이다. 디즈니의 밥 아이거 회장은 픽사의 에드윈 캣멀 사장과 존 래스터 CCO(최고창조책임자)에게 디즈니 계열사인 디즈니애니메이션 사장과 CCO를 각각 겸임하게 함으로써 애니메이션 종가 디즈니의 명성을 되

살리는 일을 맡겼다.

　그가 갔을 때 디즈니는 12년 동안 아무런 히트작이 없던 상태였다. 그는 당시를 회고하며 이렇게 말했다. "문제는 디즈니가 과정을 통제하는 회사였다는 겁니다. 일부 감독의 시각으로만 결정된 스토리로 영화를 만들어 참패했습니다. 또 너무 극심한 마이크로 매니지먼트, 즉 미시경영이 벌어지고 있었어요." 이를테면 재무팀이 영화 제작팀을 통제해 이 두 팀은 지속적으로 전쟁을 벌이고 있었다. 그래서 그는 당장 재무팀을 없앴다고 한다. 그는 말했다. "영화 제작팀 스스로 예산을 얼마 써야 하는지 알고, 데드라인도 잘 알고 있거든요."

　물론 픽사의 민주적 조직문화만 주목한다면 중요한 것을 놓치는 셈이다. 그 이면에는 집요할 정도로 완벽에 집착하는 정신이 있다. 픽사에서 7년 동안 일했던 박석원 성균관대 교수는 "완벽주의가 너무 심해서 때로는 이 정도면 됐다고 생각해도 수정은 계속된다"고 말했다. 퀄리티를 만족시키지 못할 경우에는 캐스팅이 되지 않아 일감이 없어져 자연스럽게 회사를 떠나게 된다고도 했다.

　픽사에선 3, 4개의 영화 제작이 동시에 진행되며, 영화 하나에 200~300명이 매달린다. 그런데 제작팀이 매일 오전 의식처럼 치르는 행사가 하나 있다. 그룹별로 작은 영화방에 모여 전날의 업무 진척 상황(미완성 작품)을 발표한 뒤 상사와 동료의 피드백을 받는 일일 리뷰 회의가 그것이다. 소파에 반쯤 누워 커피와 과자를 즐기면서 하는 회의지만, 피드백은 칼날처럼 날카롭다. 영화 하나를 만들기까지 이런 회의를 꼬박 2년 동안 한다고 한다. 처음엔 다른 사람에게 매일 자신의 작품을 보여주는 게 부끄럽다고 한다. 하지만 받아들일 수밖에 없다. 피드백을 통해 문제의 원인을 발견하고 수백 번, 수천 번 수정을 거치면 명작이 나오기 때문이다.

구글도, 픽사도 자유로운 조직문화를 이야기하지만, 이처럼 내면엔 심하다고 느낄 정도의 완벽주의가 자리잡고 있다. 이런 이율배반성은 매슬로의 욕구 5단계설로 설명할 수 있다. 5단계 중 가장 높은 단계는 '자아실현의 욕구'다. 이 욕구는 언제 최고조에 달할까? 그것은 완벽에 가까워질 때일 것이다. 이런 열망은 에드윈 캣멀 사장이 "제가 일하면서 가장 피하고 싶은 것은 직원들 스스로 '내가 쓰레기 같은 것을 만들었구나'라고 느끼게 하는 것"이라고 말한 대목에서도 잘 드러난다.

결국 픽사의 100퍼센트 흥행 신화의 비결은 직원 스스로가 문제를 해결하는 민주적인 조직문화를 구축하면서 다른 한편으로 제품의 질은 결코 양보하지 않는 철학에 있었던 것이다. '아름다운 지옥'이라고 표현하면 어떨까? 창조경제가 화두가 된 이 시대에 픽사는 권한 위임과 수평적 조직문화로 단순함을 추구하면서 직원 스스로 맨 꼭대기 단계의 역량을 발휘하게 한 모범 사례다.

'해결책이 그렇게 단순힐 리가 없어', 혁신을 가로막는 고정관념

좋은 해결책은 언제나 단순하기 마련이다. 그러나 많은 사람은 해결책이 복잡할 것이란 생각에 지레 겁을 먹고 손도 대지 않는다. '그렇게 단순할 리가 없어'라는 생각이야말로 혁신을 가로막는 고정관념이다. 테리 리히 전 테스코^{Tesco} 회장은 "가장 뛰어난 혁신은 주변 세상을 단순하게 관찰한 뒤 보이는 것들로부터 단순한 결론을 도출하는 것에서 나온다. 그리고 이런 통찰은 반드시 놀랄 만큼 참신하지 않아도 된다"라고 말했다.[51]

1993년 영국 일간지 타임스에는 다음과 같은 기사가 실렸다. '만약 질 좋은 제품을 구입하고 싶으면 세인즈버리^{Sainsbury}(영국 고급 슈퍼마켓 체인)로, 값이 싼 물건을 사고 싶으면 할인점으로 가라. 테스코는 둘 사이에 끼여 이도 저도 아닌 어중간한 존재다……'

실제로 당시 테스코의 규모는 막스앤스펜서의 3분의 1, 세인즈버리의 절반 정도에 불과했다. 하지만 지금은 상황이 정반대가 됐다. 테스코는 1995년 두 경쟁자를 제치고 영국 유통업체 1위로 올라선 이래 지금까지 한 번도 그 자리를 내주지 않았다. 2013년 매출은 723억 파운드(약 128조원)에 이른다. 세인즈버리(233억 파운드)와 막스앤스펜서(100억 파운드)를 합쳐도 테스코의 절반에 못 미친다. 게임 판도를 바꾼 주역이 바로 테리 리히다. 그는 1992년 말 '구원투수'로 마케팅 이사에 임명됐고, 1997년 CEO에 올라 14년을 일했다.

리히는 테스코를 바꿔놓은 과정을 『위대한 조직을 만드는 10가지 절대법칙』이란 책에 담았다. 그의 '매직 스틱'은 다름 아닌 단순화였다. 그는 CEO가 된 뒤 테스코의 시스템이 급변하는 상황에 대응하기엔 지나치게 복잡하다고 느꼈다. 단순한 업무도 새로운 절차와 계획이 추가되면서 복잡해졌다. 게다가 한꺼번에 수백 개의 프로젝트를 동시에 추진하고 있었기 때문에 정작 실행은 잘 안 됐다. 리히 회장은 잡초를 제거하고 곁가지를 잘라내야 한다고 생각했다.

그는 단순화의 원칙을 세웠다. 바로 '더 낮고, 더 단순하고, 더 낮은 비용이어야 한다'는 원칙이었다. 모든 변화와 혁신은 이 테스트를 통과해야 했다. "단순함이 습관이 되어야 하기 때문"이었다. 많은 기업이 업무 프로세스를 단순화하기 위해 외부 컨설턴트를 고용하지만, 그보다 일선 직원에게 맡기는 것이 훨씬 효과적이라고 리히 회장은 주장한다. 그는 또 직원들이 단순한 업무 절차를 생각해내지 못하는 까닭은 애당초 회사가 제대로 된 질문을 던지지 않았기 때문이라고 말한다. "이 절차를 좀더 단순화할 수는 없는가?"라는 질문 말이다. 그래서 리히 회장은 직원들이 업무 절차를 단순화하는 방법을 언제든 제안하게 하는 제도를 만들었다. 아이디어가 채택돼 실행될 경우 제안한 직원에겐 '가치상Value Award'을 준다.

그렇게 확보된 수많은 아이디어 중 하나가 과일이나 야채 같은 청과류 운송 절차였다. 청과류는 밭에서부터 포장센터, 물류창고, 이동식 운반대, 매장을 거치는 동안 여러 차례 상자에 넣었다 뺐다 해야 한다. 시간도 오래 길리고 상품에 흠집이 나기도 한다. 게다가 청과류 운송에 연간 10만 톤에 이르는 골판지 상자가 필요한데, 청과류가 매장에 운송되면 곧바로 폐기되므로 쓰레기 배출도 엄청났다.

한 직원은 이를 획기적으로 개신하는 아이디어를 냈다. 지극히 간단한 아이디어였다. 골판지 상자 대신 재활용이 가능한 플라스틱 상자를 만들어 청과류를 담자는 것이었다. 테스코는 제안을 채택했다. 이 상자는 한꺼번에 10개씩 이동식 운반대에 실어 옮길 수 있었고, 무엇보다 단 한 명의 직원이 큰 어려움 없이 매장까지 운반할 수 있었다. 플라스틱 상자에 실린 청과류는 진열대에 올라갈 때까지 중간에 뺄 필요도 없었다. 또 상자를 재활용할 수 있기 때문에 농부와 운송업체는 비용을 줄일 수 있어 물류 시스템 개선에 적극적으로 협력했다. 예전엔 밭에서 매장에 이르기까지 수십 개의 서로 다른 규격의 골판지 상자를 처리해야 했으나, 지금은 정해진 규격의 플라스틱 상자 하나만으로 처리할 수 있게 표준화됐다.

가장 큰 효과는 물류 절차가 빨라져 청과류가 예전보다 더 신선한 상태로 진열될 수 있었다는 점이다. 또 플라스틱 상자가 골판지보다 단단하기 때문에 운송 과정에서 청과류에 흠집이 나는 일도 줄어들었다. 골판지를 버릴 필요가 없어 환경에도 훨씬 좋았다. 또한 플라스틱 상자에는 바코드가 부착돼 추적이 가능했기 때문에 정확하게 매장까지 배송될 수 있었다. 직원들은 더 많은 상품을 더 쉽게 처리할 수 있게 됐고, 재고 비축 절차가 빨라지면서 창고 여유 공간도 늘어났다. 결국 고객은 낮은 가격에 좋은 품질, 신선한 제품이라는 '더 나은' 혜택을 누릴 수 있었고, 직원들의 업무 절차는 '더 단순'해졌으며, 테스코와 공급업체, 농가 모두 '비용도 덜' 들었다.

지금껏 우리는 현명한 기업들이 집중하는 다섯 가지를 살펴봤다. 전략의 집중, 고객에 대한 집중, 제품의 집중, 조직의 집중, 프로세스의 집중이 그것이다. 경영자라면, 아니 회사에 몸담고 있는 사람이라면 자문해볼 일이다.

'우리 회사는, 나는 과연 무엇에 집중하고 있을까?'

다섯 가지에 전부 집중하고 있다면 더할 나위 없겠지만, 아마 대부분 한 가지에도 제대로 집중하는 경우가 많지 않을 것이다. 그렇다면 또다른 자문이 필요하다.

'우리 회사는, 나는 과연 무엇에 집중할 것인가?'

처음부터 다섯 가지 모두에 욕심낼 필요는 없다. 이중 가장 절실한 것부터 시작해도 충분하다. 단순화는 바로 그 한 가지에서부터 출발하는 법이다. 중요한 것은 단순해지려는 각오이고 의지이다.

4장

지켜라

열매는 결코 하루아침에
열리지 않는다

우리는 지금까지 단순해지기 위해서 버리고, 세우는 것의 중요성에 대해 이야기했다. 제품과 메시지의 홍수 속에서 헛것과 거품을 버리고, 나만의 정체성을 뚜렷이 세우자고 이야기했다. 단순해지기 위한 다음 단계는 지키는 것이다. 뚜렷이 세운 중심과 정체성을 어떤 어려움에도 일관되게 지켜나가는 것이다. 그래야 단순함을 유지하고, 다시 복잡해지지 않을 수 있다. 물이 바위를 뚫으려면 수천 년, 수만 년이 걸리듯이 나의 중심과 정체성을 이를 악물고 지켜야 비로소 내 몸의 일부로 체화되고, 사람들의 마음의 공간 속에 조그마한 흔적이라도 남길 수 있다. 중심이 흔들려 이리 기웃 저리 기웃하고, 이것 보태고 저것 보태고 하다보면, 다시 복잡해진다. 그러면 나만의 목소리, 지문, 향기는 복잡성의 바다에서 표류할 것이고, 남들의 그것과 구별하기 어려워질 것이며, 사람들의 뇌리에서 흔적도 없이 사라지고 말 것이다.

기업의 관점에서 이야기하자면, 세운다는 것은 우리 회사의 핵심 가치와 창업정신을 세우고 약속하는 것이다. 자기 자신과 고객에게 말이다. 그리고 지킨다는 것은 바로 그 약속을 지키는 것이다. 인간관계도 그렇지만, 기업 경영에서도 약속은 매우 중요하다. 약속을 지키는 일관성이야말로 신뢰의 원천이기 때문이다. 약속을 잘 지키는 사람은 단순하다. 그들은 애당초 많은 약속을 하지 않는다. 신중하게 지킬 수 있는 약속만 골라서 하고, 그것을 어떤 경우에도 지킨다. 약속을 잘 지키는 사람은 복잡한 문서며 도장이 필요 없다. 말이 곧 그 사람 자체이고 약속이라는 것을 상대방이 잘 알기 때문이다. 약속을 잘 지키지 않는 사람은 복잡하다. 그들은 지키지도 못할 약속을 남발하고 못 지킬 것 같으면 복잡한 핑계를 댄다. 그런 사람들의 계약서는 복잡하기 짝이 없다. 상대방이 못 미더워하기 때문이다.

즉 기업의 조직원 개개인이 뼛속 깊이 우리 회사의 '왜'와 정체성을 새기고 고객과의 모든 접점에서 그 정체성에 집착할 때 그것이 기업문화로 체화되고, 비로소 고객의 마음속에 '이 회사는 뭔가 다른 회사'라는 생각이 움트기 시작하는 법이다. 그렇기에 버리고, 세우고, 지키는 단의 공식에서 지킨다는 것은 단순함의 방점을 찍는 마침표라고 할 수 있다.

지킨다는 단의 공식에서 중요한 것은 일관성이다. 선택과 집중을 통해 성城을 쌓고 해자를 파고 악어를 풀어놓았으면, 이를 일관되게 밀고 나가야 한다. 남과 다른 정체성, 차별점을 지켜야 한다. 경쟁자가 초점을 잃고 방황할 때 나는 중심을 지켜야 한다. 열매는 하루아침에 열리지 않는다. 게다가 사람들의 마음을 바꾸는 데는 오랜 시간이 걸린다. 그래서 경영에는 인내가 필요하다. 즉 지킨다는 것은 인내하고 또 인내하는 고행의 과정이기도 하다.

그러나 지키기란 말처럼 쉽지 않다. 일본의 종합 생활용품 브랜드 무인양품은 그 어려움을 잘 보여준다. 무인양품은 탄생부터가 이 책의 주제인 단순함과 닿아 있다. 의류, 가구, 가전, 식품 등 7000여 종의 제품을 판매하는 이 회사의 설립 모토는 '브랜드 없는 것이 진짜 브랜드No Brand Quality Goods'이다. 멋이나 치장보다 쓸모와 편리, 실용을 중시하는 브랜드의 이상理想을 표출하고 있다.

당초 상품 콘셉트는 자연의 색과 천연 소재만 사용하는 것이었다. 그렇기 때문에 옷 색깔도 흰색, 회색, 검은색 등 심심한 무채색 일색이다. 디자인은 애플의 아이폰과 맥북을 연상시킬 정도로 단순하다. 브랜드 이름과 제품 포장까지 없었다. 여백이 많고 무채색 위주의 색깔을 추구하는 이 회사의 디자인은 교토의 선종禪宗 사원인 긴카쿠지銀閣寺의 다실처럼 단순하면서도 정갈한 깊이를 보여준다는 평가를 받는다.

그런데 이따금 고객들이 요구하기 시작했다.[1] "모노톤만 있으니까 질려요. 좀 컬러풀한 옷이 있었으면 좋겠어요." 매출 성장이 지체되던 차여서 상품 개발자는 '혹시 이게 실적 회복의 돌파구가 되지 않을까' 하는 생각에 화려한 색의 상품 개발에 뛰어들었다. 새로운 색의 옷이 완성되자 직원들은 홍보와 판매에 열을 올렸다. 평소의 무인양품과는 다른 신선함이 있었기에 한동안은 잘 팔렸다. 그러나 판매 호조는 오래 이어지지 않았다. 많은 고객이 다른 매장에는 없는 것을 찾아 무인양품을 찾아오는데, 다른 매장에는 없는 '무인양품다움'을 잃어버렸으니 굳

266

이 무인양품을 찾을 의미가 없어진 것이다.

무인양품의 본사인 주식회사 양품계획의 회장 마쓰이 타다미쓰는 『무인양품은 90%가 구조다』라는 책에서 당시를 회고하며 "자연의 색과 천연 소재를 사용해 심플한 것을 만든다는 브랜드의 근간에 해당하는 부분은 바꿔서는 안 되는 것이었다"고 말했다. 그는 "실적이 악화될 때 전략이나 전술의 수정을 도모하는 것은 필요한 일이지만, 건드려선 안 되는 축을 건드리면 고객은 떠나간다는 것을 배웠다"고 덧붙였다.

그는 "가령 초밥집에서 초밥이 팔리지 않으니까 고객의 의견을 듣고 안주 메뉴를 보태면 여느 선술집과 다를 바 없어져, 결국 선술집과의 경쟁에서도 지고 마는 경우와 마찬가지"라고 말했다. 고객을 최우선으로 삼아 그들의 의견을 듣는 것도 중요하지만, 기준 없이 반영하다가는 브랜드의 콘셉트가 흔들리고 만다는 것이다. 전략에도 변화는 필요하다. 그러나 회사가 목표로 해온 콘셉트를 다시금 확인해 진화시키는 방향으로 나아가야 한다는 것이 이 사례에서 우리가 배울 점이다.

위대한 반복을 추구하라
: 사쿠라다 아츠시 모스버거 사장의 지속 가능 경영

전 세계 어디에서나 햄버거업계에서 1위를 고수하고 있는 브랜드는 맥도널드다. 하지만 일본에서는 상황이 소금 다르다. 판매 1위 업체는 역시 맥도널드지만, 인지도에서 1위를 차지하고 있는 브랜드는 일본 토종 햄버거 브랜드인 모스버거MOS BURGER다. 모스버거는 일본 닛케이 신문이 소비자 26만 명을 대상으로 "분야를 가리지 않고 어떤 브랜드를 가장 좋아하는가"라는 선호도 조사를 했을 때 2013년, 2014년 연속 1위를 차지했다. "모스버거 다이스키(정말 좋아)!"를 공공연히 외치는 마니아층도 두껍다.

모스버거의 성장 비결은 우선 서양식 햄버거와 차별되는 메뉴에 있다. 쌀을 사용한 '라이스버거'를 세계 최초로 도입했고, 우엉, 갈비, 생강, 불고기 같은 식재료를 사용해서 '건강한 햄버거'라는 이미지를 만들었다. 또 미리 제품을 만들어놓는 다른 햄버거 브랜드와 달리 고객의 주문을 받은 뒤에 조리를 시작하는 '애프터 오더' 시스템과 종업원이 고객의 자리까지 서빙해주는, 일반 패스트푸드 가게와는 차별되는 고객 중심주의 서비스로 자신만의 이미지를 구축해나갔다.

모스버거의 창업자는 닛코日米 증권회사 직원이었던 사쿠라다 사토시櫻田智다. 사쿠라다는 미국 로스앤젤레스 지사에 파견을 갔다가 그곳에서 처음 맛본 '토미스'라는 작은 햄버거 가게에 푹 빠졌다. 그리스계 미국인 가족이 운영하는 토미스는 9.9제곱미터밖에 되지 않는 작은 가게였고 매장 외부도 볼품없었지만, 언제 찾아가도 햄버거를 사려는 사람들이 길게 줄을 서 있었다. 무엇보다 맛이 좋았다. 일주일에 서너 차례씩 토미스를 찾아가면서 그는 '일본에도 이런 햄버거 가게를 열면 어떨까' 하는 창업의 꿈을 품게 됐다. 1972년 사쿠라다는 회사를 관두고 9.8제곱미터밖에 안 되는 작은 창고에서 첫 모스버거 매장을 열었다. 모스버거는 그후 급속히 성장해서 맥도널드와 어깨를 나란히 하는 햄버거 브랜드로 성장했다. 17년 전 창업자가 갑자기 세상을 떠난 뒤, 현재 모스버거는 창업자의 조카인 사쿠라다 아츠시櫻田厚 사장이 이끌고 있다. 그는 고등학교를 졸업한 뒤 모스버거에 아르바이트생으로 입사해 밑바닥에서부터 일을 배웠다.

모스버거는 패스트푸드업체의 일반적인 성공 공식과 선도업체를 따라 하려는 비교 본능을 '버리고', 남다른 징체성을 '세웠으며', 어떤 어려움 속에서도 그것을 '지켜왔다'는 점에서 이 책에서 말하는 '단'의 모범 사례라 할 수 있다. 사쿠라다 사장은 위클리비즈와의 인터뷰에서 그 자세한 이야기를 들려주었다. 사쿠라다 사장에게 "모스버거가 맥도널드를 포함한 다른 글로벌 햄버거 브랜드와 가장 차별되는 점이 무엇이냐"고 묻자 그는 세 가지를 들었다.[2]

첫번째는 '상품'이다. 그는 맥도널드와 비교하며 설명했다. 맥도널드는 미국에서 패스트푸드라는 업종으로 시작해 전 세계로 매장을 넓혀나갔다. 맥도널드는 대량으로 만들어서 대량으로 판다. 그러니까 빠른 시간 내에 상품을 만들어서 팔 수 있고 그래서 '패스트푸드'라는 이름이 붙었다. 하지만 모스버거는 완전히 다르다. 상품을 하나씩 주문받아 만드는 '오더 메이드order made' 방식인 것이다.

"물론 빨리 만들 수는 없지요. 하지만 이미 다 만들어져 있는 상품을 매장에 진열해놓는 것이 아니라, '갓 나온 상품'을 고객에게 제공할 수 있다는 메리트가 있습니다. 모스버거는 오더 메이드로, 손으로 직접 만든 상품을 제공히기 때문에 거기에 상품으로서 근본적인 차이점이 있죠."

두번째는 '입지'다. 맥도널드는 번화가나 역 주변 등 사람들이 많이 모이는 곳에 출점을 한다. 단시간에 많은 상품을 팔기 위해선 사람들이 많이 찾아야 하기 때문이다. 반면에 모스버거의 경우 사람들이 많이 모이지 않는 곳이더라도 상품 하나하나를 손으로 만들기 때문에 집객 인원에 크게 구애되지 않고 매장을 열 수 있다는 것이다.

세번째는 '점포의 넓이'다. 사쿠라다 사장은 역시 맥도널드를 예로 들어 설명했다. 맥도널드의 경우 사람들이 많이 몰려들지 않으면 곤란하기 때문에 매장의 규모가 크다. 반면 모스버거는 매장이 좁다. 모스버거는 생산 방식이 오더 메이드이기 때문에 너무 많은 손님이 몰려들어도 곤란하기 때문이란다.

"하루에 300명 정도가 와주는 게 제일 좋아요. 맥도널드는 그 두 배는 되어야 유지가 되고요. 이런 점이 맥도널드, 모스버거, 켄터키의 차이점이 아닌가 싶습니다."

일본에서 3년간 근무했던 전원태 SK플래닛 상무에 따르면 모스버거는 "가장 일본다우면서도 일본답지 않은 브랜드"이다. 대형 체인이면서도 동네 가게 같은 친근한 분위기와 정성스레 내놓는 음식은 일본답다. 그러나 1, 2개월에 한 번씩 신제품을 출시하는, 끊임없는 혁신은 일본답지 않다. 그런데 수제 햄버거는 확실히 모스버거만의 독특한 차별화 포인트이자 강점이지만, 그만큼 제품을 만드는 데도 시간이 많이 걸릴 수밖에 없을 것이다. 불평하는 손님도 많았을 법하다. 이 질문에 대한 사쿠라다 사장의 답은 단호했다.

"어쩔 수 없지요. 빨리 만들어내는 게 중요하고, '빨리 만드는 게 최고'라고 한다면 맥도널드의 방식을 따르는 게 최선이겠지요. 그러나 그렇게 따라 하면 그 분야에서 세계 최고인 맥도널드를 이길 수가 없습니다. 그러니 (맥도널드와) 다른 점이 몇 가지 있는 게 오히려 좋지 않을까요? 한국에도 일반 음식점이나 카페보다 좀더 비싼 카페나 레스토랑이 많이 생기고 있잖아요? 그런 데는 분위기도 좀 여유롭고, 모여서 수다 떠는 여성들도 시간에 쫓겨 허둥지둥하지 않아도 되고요.

모스버거도 빨리 만드는 걸로는 맥도널드를 이길 수 없어요. 하지만 맥도널드로 대표되는 보통 패스트푸드 가게보다는 뭐랄까, 조금 더 편안하고 안정감이 있죠. 세상엔 여러 종류의 가게가 있습니다. 맥도널드처럼 대량으로 만들어서 고객의 주문에 신속하게 대응하는 가게도 좋지요. 하지만 모두 그것만 따라 한다면 세상엔 같은 종류의 가게밖에 없지 않겠습니까? 모스버거는 '우리는 맥도널드처럼 빨리 만들 수는 없어요. 하지만 그 대신 '갓 만든' 상품을 제공합니다'라는 모토로 일하고 있습니다."

모스버거는 종업원이 고객에게 "어서 오세요. 감사합니다"라는 말 외에 반드시 한마디 더 인사를 건네는 것이 전통이다. 단골을 위한 특별 메뉴도 있다. 이를테면 '스즈키 씨의 버거' '다나카 씨의 데리야키' 등이다. '이 사람은 토마토를 뺀 버거였지' '이 사람은 마요네즈가 듬뿍 들어간 버거였지'와 같다. 단골은 들어오면서 "늘 먹던 걸로 주세요"라고 주문하기도 한다. 그야말로 고객과 소통하고 교감하는 브랜드라고 할 수 있다.

모스버거 사람들은 9월 8일을 '맥도널드 기념일'이라고 부른다. 1978년 9월 8일은 창업 6년 만에 가맹점 88곳과 직영점 6곳을 운영하며 승승장구하던 모스버거에 운명의 날이었다. 1호점이자 최고 실적을 내던 나리마스 지점 맞은편에 맥도널드가 문을 연 것이다. 규모부터 모스버거보다 10배 가까이 컸다. 하지만 막상 문을 열자 사정은 달랐다. 그날 나리마스점 매출은 23만 엔으로 오히려 예년 평균 16만 엔을 훨씬 넘었다. 단골들이 맥도널드에 기죽지 말라며 찾아와준 것이다. 어떤 단골은 점심, 저녁에 두 번을 오기도 했다. 사쿠라다 사장은 "가장 감격스러웠던 날"이라고 회고했다.

하지만 사쿠라다 사장에게 가장 큰 라이벌은 맥도널드가 아니다. 그는 "실례가 되는 말인지는 몰라도 맥도널드의 방식은 우리에겐 별로 참고가 되지 않는다"고 말했다. 오히려 아주 작은 가게, 예를 들어 부부가 골목길 같은 곳에서 독자적인 메뉴를 만들어 열심히 나름의 단골 고객을 만들어나가고 있는 가게, 그런 곳이 라이벌이라고 생각한다고 했다. 하지만 가장 힘들었던 순간 중 하나는 (비록 경쟁자로 생각하지는 않지만) 맥도널드와 롯데리아 등 일본 외식업체 대부분이 약속이나 한 듯 가격을 확 내려버렸을 때였다. 모두가 가격을 내려버리니 상대적으로 모스버거는 더 비싸 보이게 됐다. 그래서 '모스버거는 그러잖아도 다른 패스트푸드 버거 브랜드보다 비싼데, 가격을 내리진 않는군' 하는 따가운 눈총을 받았다. 그럼에도 모스버거는 가격을 유지했다. 그 이유를 사쿠라다 사장은 이렇게 설명했다.

"가격을 내리는 것은 일시적인 방책일 뿐이에요. 나중에 여러 가지 피치 못할 사정으로 언젠가 다시 가격을 올려야만 할 경우가 있을 텐데, 그걸 생각하지 않고 그냥 내리면 오히려 이미지에 더 마이너스 영향을 줄 뿐이죠. 모스버거는 원재료에 더 신경을 쓰다보니 다른 패스트푸드 버거 제품보다 가격이 조금 더 높습니다. 하지만 시류에 휩쓸리지 않고 원래의 기조를 이어나갔고, 훗날 생각해보니 모스버거가 그렇게 제품의 질에 더 신경을 쓰고, 식재료 하나도 이것저것 선별해서 썼던 것이 우리 브랜드의 경쟁력으로 이어지지 않았나 하는 생각이 듭니다. 남들이 하는 방식을 다 따라 한다면, 햄버거업계에서 맥도널드를 이길 수 있는 방법은 없으니까요."

그는 상대적으로 더 높은 가격에도 불구하고 모스버거를 애용한 고객들은 자신들이 설정한 가격과 가치를 인정해준 것이었다고 설명했다. 만약 일시적인 이득을 바라고 가격을 내린다면 손님은 더 늘어날 수 있었겠지만 거꾸로 그전까지 모스버거의 가치를 인정해준 고객들로 하여금 '뭐야? 그럼 나는 이제까지 더 비싸게 주고 사 먹었던 거야?' 하는 생각을 갖게 만들 수도 있다는 것이다.

"물론 가격이 싸서 와주시는 손님도 중요하겠지만, 우리는 우리의 가치를 인정해주는 고객을 더욱더 소중하게 대하고, 가격을 내리는 것보다 이제까지 만들었던 제품에 비해 한층 더 좋은 제품을 제공한다든지, 매장을 훨씬 더 깨끗하게 한다든지, 서비스에 더 신경을 쓴다든지 하는 방식으로 고객에게 더 가치 있다고 여겨지는 것을 제공하는 것이 더 나은 대응이라고 생각합니다."

위대한 반복 가능 모델

모스버거는 글로벌 컨설팅기업인 베인앤컴퍼니가 강조하는 '위대한 반복 가능 모델Great Repeatable Model'을 실천한 모범 사례이기도 하다. 위대한 반복 가능 모델이란 베인앤컴퍼니가 10년 이상 자본수익률ROC을 웃도는 수익을 올린 지속 성장 기업(『포천』 선정 500대 기업 중 50개)의 공동점을 연구해 만든 전략 콘셉트다. 요약하면 기업의 성공은 어떤 시장을 선택했느냐가 아니라, 어떤 차별화된 핵심역량을 체질화해서 반복 가능한 모델로 만들어갔느냐에 달려 있다는 것이다. 모스버거의 성공

스토리를 이 모델의 세 가지 원칙인 집중focus, 체화embed, 적응adapt으로 나눠 분석해보자.

①**집중:** 모스버거의 핵심역량은 '높은 질의 햄버거'를 만드는 능력이다. 창업자 사쿠라다는 여기에 집중했다. 창업자금 800만 엔 중 600만 엔을 패티(햄버거용 고기)와 빵, 소스 개발에 쏟아부었다. 개발비가 너무 많이 들어 점포는 겨우 9.8제곱미터 넓이에 좌석은 달랑 여섯 개를 두고 시작했다. 그는 미국 '토미스'에서 1주일간 무급으로 일하며 노하우를 배웠다. 모스버거의 독특한 풍미는 소스에 크게 의존한다. 사쿠라다는 원래 토미스가 쓰던 매운맛이 강한 칠리소스를 일본인 입맛에 맞게 조금 더 달고 상큼한 맛으로 바꿨다.

사쿠라다 사장은 중학교 동창들과 모임에서 이런 말을 한 적이 있다고 한다. "이익만 추구하는 기업은 오래가지 못해. 이익만 생각하다가 '저기 맛없어'라는 말을 들으면 그걸로 끝이야. 맛있다는 말을 들으려면 원재료비는 가급적 전체 비용의 반은 되어야 좋아." 처음에 모스버거가 창업했을 때 가격이 120엔이었다. 80엔짜리 경쟁 버거보다 훨씬 비싼데다, 50엔 버거도 나와 인기를 끌면서 판매가 급전직하했다. 창업자의 동업자가 가격을 내리자고 하자 창업자는 이렇게 말렸다고 한다. "모스버거는 가치 있는 상품이야. 자신감을 가져. 씨를 뿌리자마자 파내려 하면 안 돼. 비료와 물을 주고 싹이 트기를 기다려야 해."

②**체화:** 반복 가능 모델의 두번째 원칙은 조직 내 정확한 가치 전달이다. 회사의 핵심가치를 일선 직원이 업무에서 실제로 구현해야 한

다. 쉽게 말해 머리와 손발이 맞아야 한다. 모스버거는 창업자-CEO-일반 직원-점주-매장 직원까지 모두 회사가 추구하는 전략과 진정한 차별성을 이해하고, 거기에 맞춰 행동했다. 특히 매장 직원이 고객을 응대하는 방식(손님에게 인사말 외에 한마디 너 하기, 단골을 위한 특별 메뉴 만들기 등)까지 모스버거가 추구하는 전략과 가치를 지속적으로 반영한 점은 맥도널드와의 경쟁에서 이기는 원동력이 되었다. 사쿠라다 사장은 회사의 가치를 공유하는 데 "사원들과 대화하는 시간을 많이 갖는 것 외에 뾰족한 방법은 없다"고 말했다. 그는 한 달에 두 번씩 되도록 적은 인원, 5, 6명 정도로 '런치 미팅'을 하고 있다. 그는 위클리비즈와 인터뷰를 했던 2014년 10월까지 3년간 75회 런치 미팅을 해서 총 385명과 함께 밥을 먹었다고 한다.

③**적응:** 고객의 피드백을 실제 사업 모델의 개선으로 연결하는 선순환 학습 시스템을 말한다. 모스버거는 CEO가 고객과 종업원을 소규모 그룹으로 직접 만나고, 제안받은 내용을 즉각 반영한다. 사쿠라나 사장은 2011년 2월부터 각 지역의 소비자들과 직접 대화하는 모임을 갖고 있다. 모스버거 매장이나 페이스북 혹은 이메일을 통해 대화 모임 공지를 보고 신청한 고객 50명이 직접 사장에게 제품이나 서비스 등에 대한 긴의사항을 전달하고, 의견을 이야기하는 모임이다. 연간 12회 모임을 가져 현재 총 47개 행정구역(토도후켄都道府縣) 중 35개 지역에서 직접 소비자들을 만나 의견을 들었다. 2015년 9월 일본 전국에서 모임이 끝날 예정이다.

그런 문화가 쌀로 만든 라이스버거, 일본인 입맛에 맞춘 데리야

키버거 출시를 이끌었고, 일본 기업으로서는 이례적으로 1, 2개월마다 신제품을 내놓을 수 있게 했다. 소비자 모임에서 "치킨버거를 부활시켜주세요"라는 요구가 많아서 없앴던 메뉴를 살렸고 "아침 시간에 이용하고 싶으니 개점을 앞당겨주세요"라는 의견을 받아들여 4월부터 1000개 매장에서 오전 7시로 영업시간을 전부 바꾸기도 했다.

인내가 낳은 세계 최고의 프랜차이즈, 맥도널드

전 세계 패스트푸드 산업의 성장을 단 한 사람의 공으로 돌린다면 그 주인공은 맥도널드 체인의 창업자인 레이 크록^{Ray Kroc}일 것이다. "맥도널드에선 배울 게 없다"는 일본 모스버거 CEO의 말을 소개했지만, 맥도널드에는 맥도널드의 길이 있고 모스버거에는 모스버거의 길이 있음을 강조한 것뿐이다.

레이 크록은 기업이 어떤 고난에도 인내하면서 정체성을 지켜갈 때, 어떤 결과를 만들어낼 수 있는지를 보여주는 인물이다. 크록은 로스앤젤레스의 맥도널드 형제가 경영하던 조그만 햄버거 가게를, 전 세계 119개국 3만 5000개 매장에서 매일 6800만 명을 맞이하는 세계 최대 햄버거 패스트푸드 체인으로 만들었다. 그는 프랜차이즈 사업의 전형을 창조했다. 맥도널드를 상징하는 황금빛 아치를 빛나게 한 레이 크록의 연금술 1장은 바로 '지키는' 것이었다. 맥도널드만의 비즈니스 모델과 가치를 어떤 어려움 속에서도 지켜나간 것이다.

토드 부크홀츠^{Todd G. Buchholz}는 경영의 역사가 시작된 이래 가장 전설적인 성공 신화를 남긴 CEO 10명을 자세히 소개한 『죽은 CEO의 살아 있는 아이디어^{New Ideas from Dead CEOs}』에 레이 크록을 등장시켰다. 부크홀츠는 크록의 진정한 혁신은 프랜차이즈 비즈니스를 180도 바꿔놓은 데 있다고 분석했다.

대개 프랜차이즈 본사는 많은 가맹점을 확보한 뒤 높은 가맹점 수수료와 공급 물품 마진을 챙겨 하루빨리 부자가 되고 싶어한다. 하지만 크록은 인내심을 갖고 있었다. 가맹점주들이 번영을 누린다면 자신은 천천히 부자가 되어도 좋다고 생각했다. 그는 가맹점에 각종 기기를 높은 마진에 사도록 강요하지 않았고, 원한다고 해서 아무에게나 프랜차이즈를 내주지도 않았다. 대신 맥도널드만의 정체성과 품질을 지키는 데 온 힘을 쏟았다. 그는 매장을 천천히 확장해나가면서 가맹점주들을 시험하고 훈련시켜 품질과 청결, 서비스에 대한 엄격한 기준을 갖추도록 했다. 크록이 중시한 것은 무엇보다 통일성이었다. 멤피스의 맥도널드 햄버거가 내슈빌의 맥도널드 햄버거보다 훨씬 낫다는 소리는 듣고 싶지 않았다. 그는 한번은 캘리포니아 주의 어느 가맹점주와 충돌했다. 그 가맹점주는 자기 멋대로 매장에서 로스트비프를 썰어 판매하기로 하고는 식섭 주방상 차림을 하고 가게 선년에서 고기를 썰며 이목을 끌려고 했다. 크록은 "맥도널드 간판을 내리시오"라고 말했고 가맹점주는 꼬리를 내렸다.

크록은 또 본사 검열팀으로 하여금 미국 전역을 돌게 하면서 '육류 테스트'를 실시했다. 검열팀은 자정이 넘은 시각에 의심스러운 공급업체의 창고에 들이닥쳐 내용물 중량을 늘리기 위해 충전재를 넣은 증거물이나 속임수를 물색했다. 검열팀은 감자밭을 습격하기도 했다. 그들은 액체비중계라는 장치로 수분의 비중을 측정하거나, 물이 담긴 통에 감자를 쏟아부어 비중을 확인했다. 크록은 또 농부들을 밀어붙여 믿을 만한 감자 저장 시스템을 개발하게 했다. 그전엔 땅을 파 만든 구덩이에 감자를 던져넣고 잔디를 덮어두는 정도였다. 품질에 대한 크록의 집착은 '햄버거 대학' 설립으로 최고조에 달했다.

레이 크록의 청결에 대한 집착도 전설적이었다. 그는 매장을 방문할 때 일부러 몇 블록 떨어진 곳에서 차에서 내려 걸어갔고, 인근 길거리에서 주운 쓰레기로 저글링을 하면서 지점 앞에 도착했다. 맥도널드는 양동이와 대걸레를 손에 든 직원들의 모습을 텔레비전 광고로 내보내기도 했다. 그는 "완벽이란 성취하기 매우 어렵다. 하지만 나는 맥도널드에 완벽을 바랐다"고 말한 적이 있다. 그는 '품질, 서비스, 청결, 가치QSC&V'라는 맥도널드의 모토를 입버릇처럼 되뇌곤 했다.

맥도널드에도 위기는 있었다. 그 위기는 맥도널드다움을 스스로 집어던졌을 때 찾아왔다. 1998년 최고경영자가 된 잭 그린버그Jack Greenberg는 정체된 성장을 극복하기 위해 점포 수를 늘리고, 메뉴 가짓수를 늘리기 시작했다.[3] 이런 성장 일변도 정책은 곧 문제를 낳았다. 신규 점포가 기존 점포의 매출을 앗아가는 일이 많아 점포당 매출액이 1993년 130만 달러에서 2002년 90만 달러로 떨어졌다. 해외 시장에 너무 많은 비용을 쏟아부어 영업이익은 같은 기간 절반 이하로 줄어들었다. 더 큰 문제는 이익 감소를 만회하기 위해 가맹점들이 원칙을 무시하기 시작했다는 점이다. 음식의 질이 낮아지고 화장실은 더러워지고 매장 직원들은 불친절해졌다. 2002년에는 맥도널드 역사상 최초로 분기 적자를 냈고 주가는 급락했다. 결국 이사회는 그린버그를 해고하고 짐 캔털루포Jim Cantalupo를 새 대표이사로 선임했다.

취임 이후 캔털루포는 맥도널드 경쟁력의 원천이었던 운영의 탁

월성operational excellence을 강화하는 데 초점을 맞췄다. 새로운 점포 개설과 해외 시장 진출 속도를 늦추고, 기존 점포 혁신, 메뉴 개선과 빠른 제공, 청결한 화장실 관리, 직원 사기 고양이 그것이었다. 고객의 신뢰가 회복되면서 이익은 늘어나기 시작했고 주가는 급반등했다. 결국 인내가 낳은 세계 최고의 프랜차이즈 맥도널드는 인내하던 과거의 초심으로 돌아감으로써 위기를 극복할 수 있었던 것이다.

모든 브랜드는 '영혼'을 가지고 있다
: 대니 라이스 캐나다구스 사장의 정체성 경영

맥도널드의 사례에서 보듯 기업이 정체성을 지키는 일은 그 어느 때보다 중요해졌는데, 그 이유는 소비자의 구매 동기가 바뀌었기 때문이다. 요즘 소비자는 어떤 제품을 살 때 기능만 보지 않는다. 그 제품의 상징성, 관점, 의미, 철학까지 함께 구매한다.

캐나다구스Canada Goose라는 브랜드가 있다. 이름 그대로 1957년 캐나다에서 출범한 이 브랜드는 지역에 따라 영하 20~30도까지 떨어지는 캐나다의 매서운 추위를 대비하기 위해 만들어졌다. 항공기 조종사, 극지방 연구원, 다큐멘터리 촬영감독 등 추위와 맞서 싸워야 하는 사람들 사이에서 입소문을 타며 일반인에게도 널리 알려지기 시작했다. 캐나다구스는 한국은 물론이고 뉴질랜드, 홍콩, 콜롬비아, 이스라엘 등 겨울철 기온이 그리 낮지 않은 나라에서도 큰 인기를 끌고 있다. 실용성으로만 따지자면, 캐나다구스는 지난 10년간 겨울 평균기온이 영상

0.5도에 불과한 한국에선 굳이 입을 필요가 없는 옷이다. 우리나라에서 가장 많이 팔린 캐나다구스 제품 '익스페디션 파카'는 영하 30도 이하 기후에 적합한 옷으로, 본래 목표 고객층은 극심한 추위를 이겨내야 하는 남극 기지 연구원들이었다. 그런데 왜 그토록 많은 일반 소비자가 캐나다구스에 열광하는 것일까? 토론토 본사에서 만난 캐나다구스의 대니 라이스Dani Reiss 사장은 그 이유를 이렇게 설명했다.⁴

"저는 그런 지역 소비자들이 캐나다구스를 구매하는 이유는 사람들이 레인지로버를 구매하는 이유와 똑같다고 생각합니다. 도심에서 운전하는 사람들은 사막이나 밀림 같은 최악의 환경에서 사용하기 위해 만들어진 레인지로버 같은 차가 굳이 필요하지 않습니다. 하지만 사람들은 특별한 스토리와 진정성을 가진 제품을 원합니다. 거기다 기능까지 좋다면 두말할 나위가 없겠죠."

다시 말해 사람들은 제품을 통해 자신의 정체성을 표현하고 싶어한다. 조나 버거Jonah Berger 와튼스쿨 교수의 표현에 따르면, '자아 표현 소비identity signaling consumption'이다. 주행 속도가 경쟁사에 비해 유독 빠른 것도 아니고, 고장이 잘 안 나는 것도 아닌 할리데이비슨이 꾸준히 인기를 끄는 이유는 소비자들이 '남성성' '마초다움' 등 할리데이비슨이 지닌 상징성에 기꺼이 돈을 지불하기 때문이다. 하지만 모든 브랜드가 소비자들로 하여금 이러한 소비를 유발시킬 수 있는 것은 아니다. 시장에는 수없이 많은 브랜드가 나타났다 사라진다. 그중에서 소비자들이 자신의 정체성을 표현하기 위해 지갑을 여는 브랜드는 소수에 불과하다. 진정성을 가지고 정체성을 지키려는 노력을 오랜 시간 꾸준히 보여줘야만 비로소 자아표현 소비의 대상으로 인식된다. 라이스 사장은 이렇게 말했다.

"저는 '브랜드'라는 것이 영혼을 가지고 있다고 생각합니다. 지난 10여 년간 모든 것이 브랜드화되었어요. 지금 우리가 인터뷰를 하고 있는 이 방도 브랜드로 가득차 있지요. 비즈니스 스쿨은 학생들에게 어떻게 하면 브랜드를 만들 수 있는지 가르칩니다. 브랜드가 기업에 돈을 벌어다주니까요. 하지만 그런 작업 때문에 거꾸로 브랜드가 너무 흔해빠진 존재로 전락했다고 생각합니다. 원래 추구하던 것과는 정반대 결과를 낳게 된 거지요. 모든 제품이 브랜드가 되면서 결과적으로 모두가 같아져버린 겁니다."

캐나다구스가 브랜드의 영혼을 지키는 방법 중 하나는 '인간을 추위로부터 해방시킨다'는 목적을 잊지 않는 것이다. 뉴질랜드나 홍콩 사람들이 캐나다구스를 사건 말건 그 목적에서 벗어나지 않는다. 캐나다구스에는 '익스트림 웨더 아우터웨어' '혹한을 이기는 다운파카' 같은 수식어가 붙는다. 극한極寒을 강조하는 표현들이다. 파카를 패션의 영역으로 끌어올렸다는 평을 받는 몽클레어Moncler에 비해 다소 투박한 모습의 캐나다구스 파카는 기능성이라는 본래의 목적에 더 충실하려는 듯 보이며, 라이스 사장도 이를 부인하지 않는다.

"우리 제품은 극지방같이 매우 추운 곳에서 입도록 개발됐습니다. 물론 제품 가운데는 도심에서 간편하게 입을 수 있는 제품도 있습니다. 하지만 아주 추운 지방, 북극, 남극, 사막, 시베리아, 야외 영화 촬영장 같은 곳이라면 어디서나 캐나다구스의 제품을 볼 수 있을 겁니다. 왜냐하면 우리는 세상에서 가장 뛰어난 방한용 재킷을 만들고 있기 때문입니다."

북극 지도가 그려진 이 회사 로고나 아웃도어 전문가들이 포진한 임원진도 목적에 충실하다는 점을 잘 보여준다. 브랜드의 영혼을 지키기 위해 이 회사가 고수하는 원칙 중 하나는 100퍼센트 '메이드 인 캐나다'이다. 자국에 공장이 없는 장갑을 제외하곤 모든 제품을 캐나다에서 생산한다. 원료 역시 캐나다산 깃털을 비롯해 100퍼센트 캐나다 원자재를 사용한다. 그는 "오늘날 글로벌 제조업체 중에서 모든 생산을 자국에서 하는 곳은 찾아보기 힘들 것"이라고 말했다. 국내에 남아 있는 것이 리스크이긴 하지만, 해외로 나가 남들처럼 만들었다면 오늘의 캐나다구스는 없었을 것이라는 설명이다. "만약 우리가 다른 곳에서 다른 원자재를 사용해 제품을 만든다면, 그것은 '스위스 워치'를 스위스가 아닌 다른 곳에서 만드는 것과 다를 바 없기 때문"이라는 것이다.

"예를 들어 중국 의류공장에선 수많은 노동자들이 세계 각국 브랜드의 제품을 생산하고 있습니다. 그건 같은 작업을 하면서 제품 로고만 갈아 끼우는 데 지나지 않습니다. 하지만 그런 작업 방식에는 브랜드의 영혼이 전혀 들어가 있지 않습니다. 어떠한 마법도 존재하지 않습니다. 많은 제조회사들이 그런 식으로 제품을 만들면서도 마치 자신들의 제품에 어떤 진정성 있는 스토리가 깃들어 있고 무언가 특별한 것이 있다고 말해도 그건 '그런 척'에 불과합니다. 이들이 만든 재킷은 경쟁사 제품을 제조하는 생산 라인에서 똑같은 공정을 거쳐 찍어낸 것이니까요."

라이스 사장은 모든 질문에 군더더기 없이 간단하게 대답했다. 그런 그가 가장 많이 사용한 단어는 '진정성'이었다. "당신이 말하는 진정성의 정의가 뭐냐"고 묻자, 그는 이렇게 답했다.

"진정성은 진짜입니다. 그리고 평판입니다. 진짜라는 평판이 형성되기까지는 꽤 긴 시간이 필요합니다. 사람들은 기업의 여러 마케팅을 인식하지만, 인식은 평판과는 다릅니다. 평판이라는 것은 인식의 단계를 넘어서 직접 본인이 경험을 해본 뒤에 '아, 이건 진짜배기가 맞군'이라고 느끼고서 만들어지는 것이니까요. 캐나다구스도 진짜라는 평판을 듣기까지 수십 년이 걸렸습니다. 극지방에서 생활하는 사람들이나 혹한의 기후에 야외 촬영을 하는 영화 관계자들이 캐나다구스를 입고 추위를 이기는 체험을 하면서 제품에 대한 신뢰가 쌓였습니다."

캐나다구스는 수십 년을 인내하며 정체성을 지켰고, 이로써 진정성이라는 열매를 맺을 수 있었다. 그리고 그 열매는 고객의 신뢰라는 또다른 씨앗으로 이어졌다. 그것은 브랜드의 성공을 품은 씨앗이었다.

"정체성을 상실하는 순간, 모든 것을 잃는다"

2002년 10월 서울 지하철 사당역 인근 4층 건물 지하에 주점이 하나 들어섰다. 문제는 상권이있다. 뒷골목에 있는데다 지하라는 점 때문에 손님이 좀처럼 찾지 않았다. 한 명도 안 온 날도 있었다. 그로부터 10여 년이 지난 지금 그 주점은 어느덧 '와라와라'라는 중견 프랜차이즈업체로 성장했다. 2012년 5월엔 성신여대 지하철역 부근에 100호점이 문을 열었다. 와라와라는 어떻게 단기간에 천지개벽 같은 변화를 일궈냈을까. 유재용 대표는 "표적 고객 하나를 정해 그 '점點'을 향해 달린 전략이 성공했기 때문"이라고 말했다.[5] 와라와라가 목표로 정한 핵심 공략층은 '27세 오피스 레이디'였다. 크루즈 미사일이 송곳 같은 정확성으로 타격을 하듯 구체적이고 또렷하게 목표를 설정했던 것이다.

수많은 음식점과 차별화하려면 개성이 뚜렷해야 한다. 유대표가 몇 달 동안 '다른 주점과 차별화할 수 있는 방법이 무엇일까'를 고민하던 중에 문득 떠오른 것이 '여성'이었다. 여성을 타깃으로 한 주점이란 개념은 당시로선 획기적이었다. 주점이라면 으레 남성 대상이라는 것이 불문율이었기 때문이다. 이제 고민은 어떤 여성이냐에 집중됐다. 생각을 거듭하면서 대상이 명료해졌다. 자기 뜻대로 돈을 쓸 수 있어야 하고, 단골이 될 수 있어야 하며, 다른 손님을 끌고 올 수 있는 여성이어야 했다. 이런 조건을 만족시키는 여성이 바로 27세 오피스 레이디였던 것이다.

이제 그들을 어떻게 만족시키느냐가 남았다. 유대표는 젊은 여성이 좋아할 만한 메뉴를 집중 연구했다. 당시 주점에 거의 없던 메뉴들이 이렇게 등장했다. 과일주는 최대 히트작이었다. 파인애플이나 오렌지, 레몬을 현장에서 갈아 직접 개발한 술과 섞은 과일주는 맛이 좋았고, 도수가 그리 높지 않아 부담스럽지 않았다. 여기에 즉석에서 갈아주는 퍼포먼스를 곁들이자 엄청난 인기를 끌었다. 안주로는 청양고추와 날치알을 넣은 계란말이, 떡볶이가 대표 상품이 됐다. 유대표는 "여성은 취하는 술보다는 맛있는 술을 좋아한다는 점을 고려했고, 막 불기 시작한 웰빙 바람도 참고해 메뉴를 개발했다"고 설명했다. 와라와라는 3개월에 한 번씩 5가지 메뉴를 새로 개발하는 것을 원칙으로 하고 있다. 새 메뉴를 내놓기 전에는 27세 여성 20명을 초청, 품평회를 열어 반응을 확인한다.

서비스도 차별화했다. 와라와라 매장엔 짧은 치마 때문에 불편해하는 여성 손님을 위한 무릎담요가 준비돼 있고, 머리가 긴 손님에게는 머리끈도 준다. 또 손님이 식당에서 나갈 때 옷에 밴 냄새를 없애기 위한 섬유탈취제가 준비되어 있고, 직원에게 부탁하면 휴대전화를 충전해준다. 모두 27세 오피스 레이디를 위해 어떤 서비스를 해야 할지 연구한 끝에 나온 산물이다. 머리끈은 떡볶이를 먹던 한 여성 손님이 머리카락이 자꾸 국물에 닿자 한 손으로 머리를 잡고 먹는 모습을 보고 착안한 것이다. 머리끈은 개당 원가가 100원도 안 되지만 의외로 찾는 손님이 많았고 반응도 좋았다.

그런데 여기서 한 가지 궁금한 점이 있다. 왜 26세나 28세가 아니고 27세일까? 유대표는 "26세냐 27세냐 28세냐는 사실 크게 의미가 없다"며 "우리가 서비스와 메뉴를 개발할 때, 항상 마음속에 그려둬야 할 구체적 대상이 필요했던 것"이라고 말했다. 개성이 뚜렷한 이 주점은 자연스레 소문이 났다. 고무적인 것은 손님이 27세 여성에 머물지 않고 다른 층으로 확산됐다는 것이다. 와라와라 매장 손님 중 20대 후반 여성의 비중은 30~40퍼센트 정도다. 흥미로운 것은 나머지 60~70퍼센트는 남성이나 다른 연령층이라는 점이나. 일부 사맹점주는 "이세 30~40대 이상 손님도 많아졌으니 그에 맞는 메뉴를 개발해야 하는 것 아니냐"고 말하기도 한다. 그때마다 유대표는 "정체성을 상실하는 순간 모든 것을 잃는다"고 설득한다.

사실 유대표가 사업을 처음 시작했을 땐 특별한 목표도 전략도 없었다. 그저 남이 하는 대로 소주와 맥주를 중심으로 한 주류와 손님들의 입맛을 확 당길 수 있는 '비장의 무기' 하나 없는 평범한 메뉴판이 전부였다. 투자비와 월세가 싸다는 것만 믿고 덜컥 가게를 열었지만 결과는 참담했다. 그대로 가다간 쫄딱 망할 수밖에 없는 처지였다. 뭔가 새로운 돌파구가 필요했다. 손에 닿을 듯 가까운 곳에 있으면서도 남들이 가보지 않은 새로운 '블루오션'이 절실했다. 유대표는 "항상 주변에 있었는데 '왜 지금까지 이걸 보지 못했을까' 하며 무릎을 탁 칠 수 있고, 큰돈이나 많은 사람이 필요하지 않아 지금 수준에서도 할 수 있는 것이어야 했다"고 말했다.

그가 찾아낸 블루오션인 27세 오피스 레이디는 여러 매력과 특징을 갖고 있었다. 우선 경제력이다. 여성은 통상 24세를 전후로 사회에 진출한다. 27세라면 최소한 2, 3년은 직장 생활을 했을 것이고, 20대 초반 학생이나 30대 기혼자와 달리 자기 마음대로 돈을 쓸 수 있는 여유가 있을 거라고 판단했다. 이 연령층은 사회활동도 활발해 친구, 직장 동료와 많이 어울리고 미혼이라면 남자친구와 함께 올 가능성도 컸다.

둘째, 입맛이 까다롭다는 것이다. 까다로운 입맛은 음식점으로선 모험이자 기회일 수 있다. 일반적으로 주점은 술에 초점을 맞추지 다른 먹거리에는 신경을 안 쓰는 경우가 대부분이었다. 여성 입맛에 맞는 제대로 된 메뉴를 만들어낸다면 다른 가게와 달리 확실히 손님에게 어필할 수 있다는 계산이었다.

셋째, 마음에 들면 두 번, 세 번 찾아오는 단골이 될 수 있다. 남성은 술 자체를 즐기는 것에 의미를 두지만 여성은 좋은 곳, 마음에 드는 곳을 찾기 때문에 충성도가 훨씬 높다.

넷째, 소문을 잘 낸다는 점이다. '괜찮다, 마음에 든다'는 인상을 받으면 가족은 물론, 친구와 직장 동료에게 빠르게 전파한다. 한 손님이 두 손님을, 두 손님이 여러 손님을 부르는 소문의 힘은 아주 무섭다. 27세 여성은 다른 연령층과 남성을 불러모으는, 일종의 '인간 자석' 역할을 할 수도 있다는 기대감도 있었다. 가장 아름다운 연령대의 여성이 몰리면 자연스레 젊은 남성 손님도 따라 몰릴 거라고 본 것이다. 이 계산이 정확히 맞아떨어졌다는 것은 나중에 사업이 성공하면서 증명됐다.

차별화된 서비스와 메뉴를 개발하기 위해 빌품도 숱하게 팔었다. 유대표는 강남역의 거의 모든 주점에 가봤다고 해도 과언이 아니라고 했다. 그곳에서 여성들이 어떤 술과 음식을 찾는지, 무엇을 좋아하는지 묻고 또 물었다. 와라와라는 10년이 넘는 역사에 비해 가맹점이 많은 편은 아니다. 좀 뜬다 싶으면 마구잡이로 가맹점을 늘리는 다른 프랜차이즈 전략과는 사뭇 다른 모습이다. 육주희『월간식당』편집국장은 "와라와라는 가맹점 수 확장을 목표로 삼지 않는 것이 아주 특이한 점"이라고 말했다.

와라와라 가맹점이 되기는 쉽지 않다. 기본 조건으로 매장이 60평 이상이어야 하고, 5억원 이상을 투자할 수 있는 자본력을 갖춰야 한다. 여기에 구체적인 사업계획서를 내야 하고 특히 까다로운 인터뷰를 통과해야 한다. 인터뷰 때는 "다른 프랜차이즈도 있는데 왜 이곳을 선택했는가" "매장은 3개 이상 가본 적이 있는가" "왜 이 가게에 손님들이 찾아오는지 아는가" 등의 질문에 답을 해야 한다. 유대표는 "가장 중요한 것은 겸손한지, 손님에게 고개를 숙일 수 있는지를 보는 것"이라며 "결국, 고객을 기쁘게 할 수 있어야 한다고 생각한다"고 말했다. 직영점과 가맹점 비율을 2대 8로 유지하는 것도 중요한 원칙 중 하나다. 좋은 메뉴와 최고 서비스를 개발하기 위해서는 직접 매장을 운영하면서 얻는 경험과 노하우가 밑거름이 된다고 믿기 때문이다. 또 본사가 직영점을 하겠다는 강한 의지를 보일 때, 가맹점주들도 믿고 따라온다고 한다.

와라와라의 성공 비결로는 타깃 고객의 정확한 설정을 꼽을 수 있다. 하지만 그보다 중요한 것은 남과 다른 자신의 뚜렷한 정체성을 세우고, 그것을 어떤 어려움에도 지켜내고자 했던 집요한 노력이다. "정체성을 상실하는 순간 모든 것을 잃는다"는 유대표의 말은 와라와라가 어떻게 10여 년의 짧은 기간 동안 대약진을 할 수 있었는지 알려준다.

부화뇌동파와 소신파의 차이

투자에서도 인내가 중요하다. 유럽의 전설적인 투자자 앙드레 코스톨라니André Kostolany는 투자자는 두 부류로 나눌 수 있다고 했다.[6] 즉 부화뇌동파와 소신파다. 소신파는 옛날 프로이센의 헬무트 폰 몰트케 원수가 전쟁의 승리를 위해 꼭 필요하다고 한 네 가지 요소, 즉 4G를 가지고 있다. 돈Geld, 생각Gedanken, 인내Geduld, 그리고 행운Gluck이다. 코스톨라니는 "만약 충분히 생각한 끝에 어떤 전략을 세웠다면 친구나 여론, 일상생활 등에 의해 흔들려서는 안 된다"고 말한다. "인내에 대한 나의 생각은 이렇다. '투자에서 얻은 돈은 고통의 대가로 받은 돈, 즉 고통의 결과'이다."

그는 충분한 생각 끝에 산 주식값이 떨어질 때는 이렇게 생각하라고 한다. '주가가 떨어진다고? 그 정도 가지고 내가 흥분할 것 같나? 나는 3년을 아우슈비츠에 있었어.' 대중매체나 전문가들이 매도하라고 할 때 경험이 적은 투자자들이 여론에 반해서 매수하기란 정말이지 쉬운 일이 아니다. 그리고 이 이론을 잘 알고 따르고자 하는 사람도 마지막 결단의 순간에는 대중심리에 의해 의견을 바꾸고 이렇게 말한다.

"이론적으로는 지금 합승해야 하지만 이번에는 상황이 달라." 그러나 나중에는 이러한 태도가 최악의 판단이었음을 알게 된다. 따라서 투자자는 대중의 히스테리에 파묻히지 않기 위해 훈련을 해야 하며 냉정하다못해 냉소적인 태도까지 취해야 한다. "난 알아, 하시반 나른 사람들은 모두 어리석어"라고 스스로 자신 있게 말해야 한다.

코스톨라니의 충고 중 압권은 이것이다. "수면제와 우량주를 동시에 사서 사이사이에 울리는 천둥 번개를 의식하지 말고 몇 해 동안 푹자라." 주식 투자에도 인내는 절대법칙인 모양이다.

지키기 위해서는 '구조'가 필요하다

앞서 살펴본 것처럼, 지키기 위해 가장 중요한 것은 지키겠다는 의지이다. 그런데 그것만으로는 안 될 때가 많다. 조직 구성원들이 아무리 좋은 의도를 가지고 노력해도 그 노력이 성과로 이어실 수 있는 시스템이 갖춰져 있지 않으면 옆길로 새기 십상이다. 심지어 성과를 저해할 수도 있다. 시간과 노력이 잘못된 방향에 투입된다면 오히려 더 많은 오류를 만들어낼 수 있기 때문이다. 피터 드러커가 말했듯 "애당초할 필요가 없는 일을 지나치게 효율적으로 처리하는 것만큼 쓸데없는일도 없다".

그러기에 어떤 조직이 나아갈 길을 뚜렷이 세웠고, 그 길을 지키겠다는 의지가 충만하다면, 그것을 잘 지키기 위한 시스템을 만드는 일이 중요하다. 조직이 단순해지기 위해서도 단순하게 일할 수 있는 시스템을 만드는 것이 중요하다. 앞서 예를 든 모스버거가 '위대한 반복 가능 모델'을 수립함으로써 단순해질 수 있었던 게 좋은 예다.

무인양품 역시 시스템의 중요성을 잘 보여주는 사례이다.[7] 승승장구하던 무인양품이 2001년 사상 최대 규모의 적자를 냈을 때 취임한 마쓰이 타다미쓰 회장이 회사 정상화의 해법으로 내건 것은 구조조정이나 인건비 절감이 아니었다. 그가 내건 해결책은 '구조', 즉 시스템이었다. 그는 회사가 어려워진 가장 큰 이유는 경험과 감에만 의존하는 '경험 지상주의'에 있다고 생각했다. 업무 스킬이나 노하우를 축적하는 구조가 없었기 때문에 담당자가 없어지면 다시 처음부터 기술을 구축해야 했던 것이다. 그런 식으로는 급변하는 비즈니스 환경에 적응할 수 없었다.

그는 담당자가 바뀌어도 스스로 돌아갈 수 있는 시스템을 만들기 시작했다. 대표적인 것이 매장 매뉴얼과 본사 매뉴얼을 5년에 걸쳐 체계적으로 정비한 것이다. 무인양품의 영어 이름인 무지MUJI에서 이름을 딴 '무지그램MUJIGRAM'이라는 매장 매뉴얼은 2000페이지에 달하는데, 거기엔 상품 개발, 매장 디스플레이, 접객에 이르기까지 모든 업무의 노하우가 기록돼 있다. 그리고 신입사원도 이해할 수 있도록 쉽게 설명돼 있다. 예를 들어 매장 디스플레이 매뉴얼은 단 한 페이지로 돼 있다. 기본적인 내용은 두 가지뿐이다. "(마네킹에 옷을 코디네이트할 때) 실루엣을 삼각형(△)이나 역삼각형(▽) 형태로 한다." "옷에 들어가는 색깔을 세 가지 이내로 제한한다." 그런데 이 정도만 되면 신입사원이라도 마네킹을 코디네이트할 수 있다는 것이다.

또 본사 매뉴얼인 '업무기준서'는 6600페이지에 이르는데, 새로운 점포 출점의 가부 판단 방법까지 정해져 있다. 후보지에 관한 정보 수집부터 현지 조사, 출점 이후 판매 예측 방식 등을 매뉴얼로 만든 것이다. 수집한 데이터를 바탕으로 점수를 매기고 등급으로 평가해 C등급 이상을 받은 후보지를 검토한다. 점포개발부 등 일부 부서에서는 '거래처 명함을 공유한다' '상담 내용을 공유한다'는 내용을 '업무기준서'에 제도화했다. '비고란에는 명함을 교환한 사람의 특징이나 인상을 적는다'라며 데이터 입력 방식까지 구체적으로 명시했다. 마쓰이 회장은 "'이 정도는 말로 하면 되는 것 아닌가'라고 생각하는 것까지 명문화해야 한다"고 주장한다. 점포의 분위기는 레이아웃과 상품 진열 방식, 스태프의 태도, 청소 방법 같은 세부 사항의 총합이라 할 수 있는데, 이런 것들이 매뉴얼을 통해 통일돼야 고객이 어느 점포에 가든 일관된 서비스를 제공받을 수 있고, 브랜드 정체성이 각인될 수 있다는 것이다.

이러한 디테일이야말로 정체성의 주춧돌이라고 할 수 있다. 디테일은 중요한 차이를 만들어내기 때문이다. 고화질 사진을 떠올려보라. 고화질일수록 많은 화소가 필요한데, 각각의 화소가 제 역할을 해야 정말 좋은 사진이 나온다.

화장품 브랜드 이솝은 디테일에 강박적으로 집중함으로써 화장품 시장의 작지만 맵디매운 고추가 될 수 있었다. 이 회사는 본사가 전 세계 모든 매장의 음악과 향까지 직접 지정하고, 매장에서 쓰는 펜이나 종이도 정해진 물건만 쓴다. 이 회사의 마이클 오키프^{Michael O'Keeffe} 사장은 "이런 작은 것들이 더해져서 하나의 문화가 된다. 낯선 소비자라도 매장에 들어오는 순간, '이솝은 어떤 브랜드'라고 스스로 정의할 수 있게 된다"라고 설명했다.

4장. 지켜라

매뉴얼을 만들 때 중요한 것은, 본사에서 만들어 하달하는 톱다운 방식이 아니라, 현장의 아이디어를 토대로 본사와 협의해 결정하는 양방향 방식이 돼야 한다는 점이라고 마쓰이 회장은 강조한다. 본사에서 단독으로 만들면 정작 현장에서는 필요 없는 매뉴얼이 되고, 현장에서 단독으로 만들면 비용 대비 효과를 고려하지 않을 가능성이 있기 때문이다. 무인양품은 연간 2만 건 정도의 개선 요구가 현장에서 올라오고, 그중 500건 정도를 채택해 매뉴얼을 변경한다. 무인양품의 매뉴얼이 다른 회사와 다른 점 중 하나는 매뉴얼 각 항목의 맨 앞에 '작업의 의미와 목적'이 명시된다는 점이다. 작업의 의미를 이해하면 직원 스스로 문제점과 개선점을 발견할 수 있다고 보기 때문이다. 예를 들어 계산대 매뉴얼의 '계산 대응' 항목은 이렇게 돼 있다.

계산 대응은
〈무엇〉 고객이 구입하는 상품의 대금을 알려주고 상품을 건네는 대응
〈왜〉 계산은 점포 업무의 20퍼센트를 차지하는 중요한 일이기 때문에
〈언제〉 수시로
〈누가〉 모든 스태프

※ 많은 점포에서는 하루에 1000명의 고객이 계산대를 통과합니다.
※ '사기를 잘했다' '괜찮은 가게네'라고 생각하게 될 수 있는 기회가 많은 공간이기도 합니다.

마쓰이 회장은 매뉴얼을 만들면 좋은 점으로 다섯 가지를 꼽는다. ①지혜를 공유할 수 있고, ②표준을 정해놓으면 스스로 움직이게 되고, ③상사의 등만 쳐다보는 문화와 결별할 수 있고, ④팀원들이 한곳을 바라볼 수 있으며, ⑤업무의 본질을 되돌아볼 수 있다는 것이다.

2001년 3월은 무인양품 역사에서 잊지 못할 순간이었다. 재고 화형식이 벌어진 것이다. 쓰레기 소각처리장에 나타난 마쓰이 회장 앞에 종이상자들이 산처럼 쌓여 있고, 그 상자들 안에는 물류센터에 있던 의류 재고가 들어 있었다. 그것들을 커다란 크레인이 한 무더기씩 집어 불 속으로 던져넣기 시작했다. 1995년 삼성전자의 불량품 화형식을 연상시키는 장면이었다. 그런데 그 뒤에도 여전히 재고가 생겼다. 마쓰이 회장은 '역시 구조를 바꿔야겠다'는 생각을 하게 된다. 그는 재고가 과도하게 쌓이는 근본적인 이유부터 생각했다. 첫번째 이유는 판매 담당자가 재고 부족을 두려워하기 때문이다. 둘째로 판매 목표를 달성하기 위해서는 덤핑도 불사해야 하는데 그러려면 일부러 여분을 만들어둬야 하기 때문이다. 그는 이같은 판단을 근거로 새로운 구조를 만들었다. 신제품을 투입하고 3주 뒤에 판매 동향을 확인해 예상 매출의 30퍼센트에 도달하면 더 생산하고, 그렇지 않으면 디자인을 변경해 소재를 소진시켰다. 또 이것을 컴퓨터 프로그램으로 관리해 사람의 재량이 개입하지 못하게 했다.

단의 세번째 공식인 '지키기'를 위해 반드시 두꺼운 매뉴얼을 만들자고 주장하는 것이 아니다. 조직 구성원들에게 "지키자"고 독촉만 해서는 좋은 결과가 나올 수 없다는 것이다. 중요한 것은 지킬 수 있는 '구조'를 만드는 일이며, 그 책임의 대부분은 조직의 상층부에 있다. '병목은 항상 병 위쪽에 있다'는 말이 있지 않은가. 기업의 큰 문제는 위에서 제대로 된 구조를 짜주지 않아 생기는 경우가 많다.

넥센 염경엽 감독의 구조화 전략

2014년 프로야구 한국시리즈 승자는 삼성이었지만, 더 깊은 인상을 남긴 팀은 넥센이었다. 선수 평균 연봉은 9개 구단 중 7위였지만 정규 시즌 성적은 1위(삼성)에 0.5경기 뒤진 2위였고, LG, 롯데 같은 대기업 계열 구단도 10년 이상 밟지 못한 한국시리즈 무대를 창단 6년 만에 밟았다. 4, 5년 전만 하더라도 우량자산(우수 선수)을 팔아 운영 자금을 마련하던 부실기업에 가까웠지만, 이제는 당당하게 시장 1위를 넘보는 알짜 회사로 성장한 셈이다.

넥센이 비상飛上할 수 있었던 데에는 '빌리 장석'이라 불리는 이장석 대표와 '염갈량'으로 통하는 염경엽 감독의 리더십이 있었다.[8] 빌리 장석은 『머니볼』의 실제 주인공인 빌리 빈Billy Beane 오클랜드 애슬레틱스 단장에, 염갈량은 『삼국지』의 제갈량에 빗댄 애칭이다. 그들의 리더십 역시 앞서 설명한 '구조화'와 일맥상통한다.

그들은 "우리에겐 돈이 없고 일류 선수도 없어"라고 불평하지 않았다. "성적이 나쁘니 더 열심히 하라"고 다그치지 않았다. 그들은 선수들의 장단점과 외부 상황을 분석해 그에 맞는 구조를 만들었다. 이른바 SWOT Strength·Weakness·Opportunity·Threat 분석을 통해 전략을 짜고 실천한 것이다. 이를테면 넥센은 다른 구단에 비해 우수한 투수가 부족했다. 자연히 볼넷도 많았다. 염감독은 단순히 "볼넷을 적게 던지라"고 지시하지 않았다. 그는 "무조건 3구 이내에 승부하라. 맞아도 책임을 묻지 않겠다"고 주문했다. 이처럼 목표와 성과 지표가 구체적으로 제시되자 투수들은 자신감 있게 공을 던졌고, 볼넷이 줄기 시작했다.

넥센에는 스타 타자가 부족했다. 선구안도 약했다. 염감독은 그냥 "공을 잘 보고 치라"고 말하지 않았다. 타자들에게 스트라이크가 아니라 볼을 치는 특별한 연습을 시켰다. 타격 연습 때 쓰는 피칭머신을 스트라이크 존에서 빠지는 커브볼이 날아오도록 조정했다. 실전에서는 중요한 타이밍일수록 상대 투수가 좋은 공을 던지지 않는다는 점을 감안해 나쁜 공이 와도 당황하지 않고 안타로 만드는 요령을 익히자는 취지였다. 이런 연습 방식은 염감독이 코치 시절 일본 전지훈련을 갔을 때 이치로 선수가 연습하는 광경을 보고 착안했다고 한다. 또한 넥센의 안방인 목동구장은 홈 플레이트에서 담장까지의 거리가 다른 구장보다 비교적 짧다. 이에 코치진은 홈런을 많이 칠 수 있는 선수가 있다면 유리하다고 보고 박병호를 비롯한 중심 타자들에게 근력 운동을 집중적으로 시켰다. 넥센이 팀 홈런 1위를 차지할 수 있었던 비결이다.

넥센은 다른 구난와 달리 모기업의 시원금 없이 외부 스폰서를 모집해 운영하다보니 항상 자금 압박에 시달린다(넥센타이어는 타이틀 스폰서다). 이는 위협 요인으로 간주할 수 있다. 결국 거액이 필요한 자유계약 선수는 포기하고, 트레이드를 통해 가능성 있는 선수를 발굴하고, 내부에서 유망주를 키우는 걸 원칙으로 삼았다. 넥센에는 '1일 휴식권'이란 제도가 있다. 전지훈련 기간 중 도저히 연습을 소화할 수 없는 상태라면 아예 하루를 쉬도록 배려한 것이다. 염감독은 "선수 시절 강압적 분위기에서 몸이 아픈데도 억지로 연습하다 보니 결국 팀으로 보나 개인으로 보나 역효과만 나더라"면서 "쉬고 싶을 때는 쉬고 그다음 날 연습에 더 집중하는 게 훨씬 효율적"이라고 말했다. 아무래도 눈치를 볼 수밖에 없는 신참 선수들은 감독 재량으로 1일 휴식권을 강제 사용하도록 한다.

전략적 의사결정은 본질적으로 선택과 포기를 내포하고 있다. 전략이란 희소한 자원을 배분하는 결정인데, 일단 한 방향으로 선택해서 자원을 몰입하면 다른 방향은 포기할 수밖에 없기 때문이다. 넥센은 구조화를 통해 버리고 세우고 지킴으로써 단순하면서도 효율적인 조직이 될 수 있었다.

과녁 너머를 겨냥하라
: 사업가 어거스트 투랙의 수도원 비즈니스

인내한다는 것은 '바꾸지 말아야 할 무엇'에 대한 집요한 고집이기도 하다. 세상이 아무리 빠르게 변하고, 온갖 풍파가 몰아친다 해도 바꾸지 말아야 할, 바꾸지 않고 지킬 단 한 가지가 있는 기업은 그것을 지키려는 노력으로 버틸 수 있다. 그렇다면 '바꾸지 말아야 할 단 한 가지'란 무엇인가. 어떤 기업은 '이익'을 뛰어넘는 '대의'를 지키고자 노력한다. 그리고 대의의 경영은 고객의 사랑과 충성을 이끌어낸다.

'대의의 경영'이 갖는 힘은 미국 사업가 어거스트 투랙August Turak을 통해 배울 수 있다. 그는 사업에 지쳐 쉬고 싶을 때면 미국 사우스캐롤라이나 주에 있는 멥킨이란 수도원을 찾곤 했는데, 거기서 만든 버섯이나 치즈, 달걀, 과일 케이크가 오랫동안 엄청난 인기를 누리고 있다는 사실을 발견했다. 벨기에의 성 식스투스 수도원의 경우 맥주를 제조해 파는데 매년 이 맥주가 출하될 무렵 수도원 정문 앞은 대기 고객으로 장사진을 이룬다. 수량이 6만 상자로 한정되어 있기 때문이다. 수도원 비즈니스는 지역에 따라 길게는 1500년 동안 불황을 타지 않고 이어져 왔다. 매사추세츠 주 성 요셉 수도원이 대량 생산하는 잼은 매년 123만 병이 미국 전역으로 팔려나간다. 또 이탈리아 카말돌리 수도원에서 만드는 천연 화장품의 명성은 세계적이다.

그 비결은 무엇일까? 투랙은 그 비결이 궁금해 연구하고 분석한 결과를 책으로 펴냈다. 『수도원에 간 CEOBusiness Secrets of the Trappist Monks』가 그것이다. 워싱턴 DC에서 투랙은 수도원의 사업철학과 성공 비결에 대해 위클리비즈와 인터뷰했다. 그는 케이블 음악 방송회사 MTV 임원을 거쳐 RGI 등 소프트웨어회사 2곳을 창업한 뒤 수억 달러에 매각해 큰 부를 쌓은 인물이다. 그는 수도사들이 만든 제품이 꾸준히 사랑받는 이유에 대해 이렇게 설명했다.[9]

"그들은 이익을 거두기 위해 제품을 만드는 게 아닙니다. 하느님과 이웃에게 봉사하는 마음으로 만듭니다. 그렇기 때문에 누가 보지 않아도 품질에 신경을 쓸 수밖에 없습니다. 하느님이 보고 있는데 어떻게 허튼짓을 할 수 있겠습니까. 고객들은 그 품질을 믿기 때문에 기꺼이 지갑을 엽니다. 그들은 제대로 된 삶을 살다가 뜻하지 않게 성공이란 부산물을 얻은 겁니다. 역설적이게도 이익을 잊고 살다보니 이익이 따라오게 된 셈입니다."

투랙은 또 수도사들로부터 비즈니스에 관한 어떤 교훈을 얻었느냐는 질문에는 "섬김service과 자기 비움selflessness의 태도"라고 답했다. 그의 말을 그대로 옮겨본다.

"그들의 삶 자체가 그것을 실천하는 과정입니다. 기업인들에게도 필요한 덕목입니다. 워런 버핏 같은 현인들은 섬김과 자기 비움을 실천했음에도 '불구하고despite' 성공한 게 아니라, 바로 그런 자세를 견지했기 '때문에because' 성공한 겁니다."

그는 열정적으로 말을 이어갔다.

"종종 적잖은 사업가들이 지나치게 이익에 골몰합니다. 하지만 이익을 궁극적인 목표로 삼아선 곤란합니다. 사명감을 갖고 일할 때 이익이 따라오도록 해야 합니다. 골프 칠 때 홀컵 뒤를 보거나 농구할 때 백보드를 향해 슛을 하는 것처럼 '과녁 너머를 겨냥'하는 겁니다. 예를 들어 영업사원이라면 제품과 마진, 할당량과 경쟁 등에 신경을 쓰기보다는 고객이 원하는 게 과연 무엇인지에 집중해야 합니다. 어떻게 하면 고객을 만족시킬 수 있을까 골몰하다보면 자기도 모르게 성공 가도를 달리고 있을 겁니다. 물론 직원을 압박해 실적을 올릴 수도 있겠지만 그런 회사는 결국 몰락합니다."

그는 섬김의 관점에서 볼 때 리더의 목적 역시 자신의 성공에 있지 않다는 말도 했다. "리더란 다른 사람을 성공하게 하는 존재이며, 남들이 잘되는 걸 즐길 수 있는 마음가짐이 필요하다"는 것이다. 약육강식과 정글의 법칙이 난무하는 혹독한 환경 속에서 "과녁 너머를 겨냥하라"는 투락의 말이 지나치게 한가한 말처럼 들릴 수도 있을 것이다. 그러나 세계적인 경영사상가 짐 콜린스의 연구 결과에 따르면, 단순히 돈 버는 것을 뛰어넘는 비전을 가진 기업의 실적이 그렇지 않은 기업의 실적을 장기적으로 크게 웃돈 것으로 나타났다.

이익이란 목표가 아니라 결과다

'기업이란 무엇인가'라는 질문에 대부분의 사람들은 '영리조직'이라고 대답한다. 그러나 피터 드러커는 대표 저작인 『매니지먼트』 1장 첫 페이지에서 "그런 대답은 틀린 것이며 방향부터 빗나간 것"이라고 말했다.

"경제학에서 언급하는 '목적으로서의 이익'이란 예전부터 존재하던 '싸게 사서 비싸게 판다'라는 말을 고친 것에 지나지 않는다. 이는 기업의 어떠한 활동도 설명해주지 못할뿐더러 활동의 바람직한 모습에 관해서도 이야기해주지 못한다. 이러한 생각 때문에 이익의 본질이 오해받고 있으며 이익을 향한 뿌리깊은 적의가 생겨나고 있다. 이 오해와 적의야말로 현대 사회의 가장 위험한 병균이다. 기업의 목적은 기업 외부에 있다. 기업의 목적은 단 한 가지, 고객을 창조하는 것이다."10

물론 수익은 중요하다. 수익은 기업을 지속 가능하게 하고, 성과의 판정 기준이며, 불확실성이란 위험에 대비하는 보험이고, 보다 좋은 노동환경을 만들기 위한 자본이며, 의료나 국방, 교육 같은 공적 서비스를 가져다주는 원천이다. 하지만 그것이 우리의 최종 목표, 즉 '왜'가 될 수는 없다. 수익은 목적이 아니라 수단 혹은 결과이다. 휴렛패커드의 공동 창업자 데이비드 패커드가 말한 대로 "이익이란 경영의 적절한 목표도 지향점도 아니다. 이익은 적절한 목표와 지향점 들을 가능하게 만들어주는 바탕이다".

어떤 사업이라도 그 진정한 목표는 고객을 위한 가치를 창조하는 것이어야 하고, 수익은 그 결과로 나타나는 것이다. 수익에 함몰된 경영은 조직의 진정한 목표와 그 목표를 달성하는 과정에서 얻는 결과물

(수익) 사이의 매우 중요한 차이를 희미하게 만든다.[11]

지금 사람들은 '로파이' 방식의 삶을 원한다
: 경영 컨설턴트 제임스 H. 길모어의 진정성 전략

어느 날 아내가 "우리도 제주도 가서 살까"라고 한다. 왜 그러느냐고 했더니 가수 이효리의 블로그에 들어가보고서 "저렇게 사는 것도 괜찮은 것 같아서"라고 한다. 그래서 나도 그 블로그에 들어갔다가 푹 빠졌다. 도시와는 전혀 다른 느린 일상, 소소하게 하루를 보내는 모습이 무척 정겹다. 나무 아래 평상에서 낮잠도 자고, 개를 데리고 낙엽을 밟으며 산책하고, 5일장에서 장도 본다. 압권은 이효리가 콩밭을 매는 장면이다. 밭에서 오래 일하려면 수시로 아무데나 주저앉아야 한다. 그래서 농부들은 엉덩이에 동그란 방석 같은 걸 붙이고 다닌다. '엉덩이 의자'라고 부르는 그 방석을 이효리가 고무줄로 엉덩이에 낀, 망가진 모습이 정말 좋았다. 신비주의를 다 버리고 그 모습을 사진 찍어 올린 '비운 마음'도 좋았다. 어느 날엔 이효리 부부가 허름한 식당에 가서 팥 칼국수와 시래기 국밥을 시켜 먹는 모습이 나온다. 마치 내가 그 식당에 가서 먹어보는 듯 푸근하다.

아내는 요즘 〈삼시세끼〉란 TV 프로그램에도 푹 빠져 있다. 이서진과 2PM의 택연이 강원도 산골 낡은 시골집에 살면서 도시에선 쉽게 해결할 수 있는 세 끼 식사를 어렵사리 손수 만들어 먹는 리얼리티 프로그램이다. 진흙이니 먼지니 아웃도어를 싫어하던 아내가 이런 생활에 관심 갖는 걸 보니 나이가 들긴 들었나보다. 하지만 그런 걸 좋아하는 사람은 비단 아내 같은 사람만이 아니다. 좋아하는 사람이 무척 많으니 그런 블로그와 프로그램이 인기를 끄는 것이다.

그들이 갈구하는 건 진정성이다. 가식과 인공이 넘쳐나는 세상이다보니 거칠고 소박하더라도 때묻지 않고 가식적이지 않은 것을 원한다. 불필요한 것이 모두 제거된, 그러면서 오래된 듯하고, 집에서 손으로 만든 것 같은 느낌이 드는 로파이lo-fi 방식의 삶 말이다. 허세와 과장이 초래한 글로벌 금융위기를 겪으면서 진정성에 대한 갈구는 더욱 간절해졌다. 시대의 요구는 결핍에서 풍요로, 풍요에서 진정성으로 전환되었다.[12]

요즘 경영자들에게 가장 많이 듣는 말 중 하나도 진정성이다. 경영자들은 어떻게 하면 자신의 회사가 진정성 있는 브랜드로 인식될까 안달한다. 이 시대 소비자들이 가장 원하는 것 중 하나가 바로 진정성이기 때문이다. 진정성 있는 브랜드가 되려면 어떻게 해야 할까? 아니 적어도 진정성 있는 브랜드로 '인식되려면' 어떻게 해야 할까? 그 비결도 결국 버리고, 세우고, 지키는 것과 맞닿아 있다. 경영 컨설턴트 제임스 H. 길모어가 쓴 『진정성의 힘』이란 책을 보면, 진정성을 갖추는 방법은 다섯 가지다. 그런데 그 모두가 버리고, 세우고, 지키는 것과 연관돼 있다.

① 자연성의 진정성

사람들은 가공되거나 합성되지 않은, 사람의 손길이 닿지 않은 상태에서 진정성을 발견한다. 요즘 유기농 식품이 뜨고 기업들이 친환경을 그토록 강조하는 이유가 여기에 있다. 인간은 자연에 가까운 상태에서 편안함을 느끼도록 진화했다. 자연에서 멀어질 대로 멀어진 기술 발전에 사람들은 환호하면서도 한편으론 거북하고 불안해한다. 일부러 흠집을 내 낡아 보이게 한 청바지가 유행하는 이유가 뭔가? '무가공성'을 드러내 자연과 가까움을 보여주기 때문이다. 인공을 '버려라'. 비록 거칠고 투박하더라도 그대로 둬라. 그게 더 편하다.

② 독창성의 진정성

사람들은 이제까지 한 번도 본 적이 없으며, 복제나 모방이 아니라 최초인 것을 진정성이 있다고 인정한다. 이런 요구에 부합하려면 우리는 '세워야' 한다. 남과 다른 나만의 지문을 보여주고 육성을 들려줘야 한다. 좀더 자신감 있게 말이다. 그리고 그것을 일관되게 지켜야 한다. 애플이 디자인하는 거의 모든 제품은 이 영역의 진정성에 호소하려고 노력한다.

③ 특별함의 진정성

사람들은 각별한 봉사정신이나 배려심을 가진 사람이나 기업이 특별하고 진정성 있다고 생각한다. 왜 그럴까? 그들은 '버렸기' 때문이다. 그들은 사욕을 버리고, 명예욕을 버렸다. 세상에 버린 사람처럼 무서운 사람이 없다. 영화 〈쇼생크 탈출〉에서 무기수로 나오는 모건 프리먼은 항상 가석방 심사에서 탈락한다. 어떻게 하면 가석방될까 하는 마음에 거짓말을 일삼으니 심사위원들이 탐탁하게 볼 리 없다. 그러나 늙어서 백발이 성성한 노년의 모건 프리먼이 "이제는 가석방되든 안 되든 관심도 없다"면서 마음을 비우자 심사위원들이 가석방 판정을 내린다.

기업도 마찬가지다. 영악하게 보이기보다는 우직하고 때로 어리숙한 모습으로 어필할 필요가 있다. 이를테면 손해를 보면서라도 고객의 이득을 위해 행동하는 것으로 보여야 한다. 소비자들은 영웅보다 친구를 원하기 때문이다. 폭설이 쏟아지는 산골 사람이 페덱스에 배송을 요청하자 페덱스가 5만 달러에 헬리콥터를 대여해 우편물을 수거해온 것 같은 행동 말이다.

④ 연관성의 진정성(체험)

사람들이 소설이나 영화를 보고 '진실성이 있다'거나 '진정성이 있다'고 평가하는 것은 그 작품이 연관성의 진실, 즉 실생활에 가까운 진실성을 연출하기 때문이다.

만화회사이자 영화회사인 마블 스튜디오의 〈아이언맨〉과 〈엑스맨〉〈스파이더맨〉〈판타스틱 4〉가 크게 흥행한 이유가 무엇일까? '인간적인 너무나 인간적인', 이것이 그 이유다. 슈퍼맨이나 배트맨은 어떤 어려움에도 쓰러지지 않는 완벽한 영웅이다. 하지만 마블의 캐릭터들은 정반대다. 평범한데다 결점투성이다. 〈스파이더맨〉에는 공부벌레에다 여성 울렁증을 가진 남자, 〈아이언맨〉에는 알코올중독에 플레이보이인 백만장자, 〈캡틴 아메리카〉에는 160센티미터의 키에 군 입대를 지원하지만 거절딩한 남자가 등장한다.

마블 스튜디오의 케빈 파이기Kevin Feige 사장은 "인간이라면 모두가 어떤 형태의 결점이 있고 그것을 성공적으로 극복하고 싶어하는데, 마블은 그러한 인간의 본능적 욕구를 캐릭터에 이입했다"고 말했다.[13] "관객이 열광하는 것은 캐릭터의 결점입니다. 그 결점을 가진 캐릭터가 내면에서 싸우기를 원하는 겁니다. 삶의 어두운 그림자를 만드는 거죠. 그리고 캐릭터가 속죄하고 구원받는 과정을 거치게 하는 것입니다. 그 결점을 극복할 때 비로소 슈퍼 히어로가 됩니다." 이런 스토리텔링 공식의 변화는 글로벌 금융위기라는 시대의 흐름과도 관련이 깊다. 영웅의 신화가 깨지면서 대중은 '영웅 페르소나persona'보다 '친구 페르소나'를 선호하게 됐다.

⑤영향력의 진정성

사람들은 다른 사람을 더 높은 목표로 이끌기 위해 더 나은 방식을 제시하는, 논리적이고 의미 있는 영향력이 진정성 있다고 생각한다. 대의에 호소하는 것 말이다. 우리가 '세우고' '지키려는' 것이 우리 자신을 뛰어넘은 그 무엇일 때 사람들은 진정성을 느끼고 마음으로 동참한다. 종업원이든 소비자든 말이다.

바꾸라,
그러면서 바꾸지 마라

이스라엘에는 성경에 자주 등장하는 갈릴리 호수와 사해死海가 있다. 갈릴리 호수는 이스라엘의 중요한 수원水源으로 물이 맑고 깨끗해서 각종 물고기가 서식할 뿐 아니라, 호수 수변 산에도 나무가 무성하다. 반면 사해는 다른 바닷물보다 염도가 몇 배나 높기 때문에 어떤 생명체도 살 수 없다. 사해 주변에도 나무나 풀이 자라지 못한다. 말 그대로 죽은 바다다.

그런데 놀라운 사실은, 갈릴리 호수와 사해 모두 헤르몬 산에서 발원하는 요르단 강물을 받아들이고 있다는 것이다. 같은 줄기에서 나온 물이 어째서 이렇게 다른 운명을 겪게 된 것일까? 그 차이는 바로 '출구'에 있다. 갈릴리 호수는 계속해서 다른 곳으로 물을 흘려보낸다. 하지만 사해는 물이 흘러들어오는 입구만 있을 뿐 나가는 출구가 없다.

물이 흐르지 못하고 고여만 있으니, 염분만 축적되어 결국 죽음의 바다가 되어버린 것이다.

갈릴리 호수와 사해의 이야기는 '지켜라'라는 단의 공식에 중요한 시사점을 제공한다. 지키라고 해서 무조건 갖고 있던 것을 고수하라는 뜻이 아니다. 어떤 외풍이 불어닥쳐도 핵심과 가치를 지키되, 변화에 맞는 민첩한 대응 역시 중요하다. 즉 바꾸되 바꾸지 않는 궁극의 기술이 필요한 것이다.

'아니면'이라는 악령에서 벗어나 '그리고'의 영신을 맞이하라
: 이자벨 귀쇼 발렌시아가 사장의 '전통+창조' 전략

경영자들은 두 가지 상반된 요구 사이에서 고민에 빠지는 경우가 많다. 하나는 우리 회사만의 혹은 우리 제품만의 개성과 차별성을 유지해야 한다는 요구이고, 다른 하나는 늘 혁신하고 변신해야 한다는 요구이다. 둘 중 어느 쪽을 선택해야 할까?

정답은 '둘 다 선택해야 한다'이다. 나는 줄곧 선택을 강조해왔지만, 이 문제에서만큼은 둘 중 하나가 아니라 둘 다여야 한다. 짐 콜린스의 표현을 빌리자면 '아니면'이라는 악령에서 벗어나 '그리고'의 영신靈神을 맞아들여야 한다. 'A 아니면 B'라는 식의 흑백논리가 아니라 태극 문양의 음과 양이 서로 조화를 이루듯 'A 그리고 B'를 동시에 취해야 한다. 변함없는 기업의 핵심이념 '그리고' 격심한 변화와 변동, 핵심이 넘에 대한 보수 성향 '그리고' 활기 넘치는 변화와 개혁, 이런 식이어야 한다.

이 절묘한 균형을 잘 보여주는 브랜드가 있다. 발렌시아가Balenciaga는 부이뷔똥이나 샤넬처럼 대중적 인지도는 높지 않지만, 확고한 지지층을 형성하고 있는 명품 브랜드다. 재클린 케네디, 그레이스 켈리, 니콜 키드먼 등 당대 최고 패션 아이콘으로 추앙받았던 이들은 모두 이 브랜드의 열렬한 팬이었다. 위클리비즈가 파리 본사에서 만난 이자벨 귀쇼Isabelle Guichot 발렌시아가 사장은 전통과 혁신의 균형점을 이렇게 설명했다.[14]

"물론 우리 앞에 남겨진 유산이 너무 크다면 부담이 될 수도 있을 거예요. 무엇을 하든지 항상 '과거의 유산'이라는 말이 따라붙기 마련이죠. 하지만 그것이 짐이 되느냐 발전의 원동력이 되느냐는, 우리의 뿌리를 얼마나, 어떻게 사용하느냐, 우리의 유산과 현재가 어떻게 대화를 시도하느냐에 따라 결정된다고 생각합니다."

발렌시아가의 직원들이 과거의 유산과 대화를 나누는 방법 중 하나는 기록보관소archive에 가보는 것이다. 기록보관소란 일종의 가족사진이 담긴 사진첩이라고 생각하면 된다. 일반인에게는 공개하지 않고, 오직 발렌시아가 직원들만 볼 수 있다. 귀쇼 사장은 "그것이 있기 때문에 우리는 원할 때 언제든지 우리의 뿌리로 되돌아가서 정체성을 확인할 수 있다"고 설명했다. "우리는 전통과 접촉하고 소통하고 공부하고 더 파고, 원할 때면 그걸 현대적으로 재해석합니다."

1919년 세워져 창립 100주년을 바라보는 발렌시아가는 유난히 부침을 많이 겪었다. 한때 크리스티앙 디오르와 어깨를 나란히 하며 세계 패션시장을 주도했지만, '파리 패션계의 교황'이라 불리던 창업자 발렌시아가가 1958년 은퇴한 뒤 오랜 정체기를 겪었다. 발렌시아가가 다시 주목받게 된 것은 1997년 당시 26세에 영입된 니콜라 게스키에르Nicolas Ghesquière 전 수석 디자이너가 만든 펑키 스타일의 '모터사이클백(정식명 아레나)'이 2000년대 초반 전 세계적으로 인기를 끌면서부터다.

2012년 말, 발렌시아가는 또 한번의 모험을 단행했다. 29세의 대만계 미국인 알렉산더 왕Alexander Wang을 수석 디자이너로 영입한 것이다. 처음엔 발렌시아가의 전통과 알렉산더 왕의 독특한 개성이 잘 어우러질지 걱정하는 목소리가 많았지만, 왕의 지휘하에 2013과 2014년 선보인 디자인은 대체로 호평을 받고 있다. 귀쇼 사장은 "어떤 기업이라도 오랜 세월 경영을 하면서 몇 번쯤은 위기를 맞는데, 그 위기를 혁신으로 이끄는 것이 새로운 인재 영입"이라며 "단순히 우리가 가진 유산을 복제하는 수준을 넘어 거기서 무언가를 더 창조하고 한발 더 나아가려면 그에 걸맞은 재능이 필요하다"고 말했다.

전통과 유산의 조화는 제품에선 어떻게 구현됐을까? 2014년 6월 열린 파리 남성복 프레젠테이션에서 알렉산더 왕은 창업자 발렌시아가의 전매특허로 여성복에서 주로 구현했던 코쿤 스타일(어깨 부분이 강조되고 허리가 불룩 튀어나온 스타일)을 남성 코트에 처음 적용했다. 바지에도 개더(옷감을 여러 겹으로 겹쳐 성기게 꿰맨 것)를 하나만 넣던 기존 방식에서 탈피해 두 개를 넣음으로써 여성 드레스 치맛단처럼 부드럽게 흐르는 느낌을 살렸다. 합성 소재와 천연 소재를 자유자재로 섞어 기존에 없던 새로운 질감을 표현했던 창업자처럼, 왕 역시 양가죽을 종이처럼 얇고 가볍게 잘라 종잇장 같은 독특한 질감을 느낄 수 있는 남성 재킷도 선보였다. 귀쇼 사장은 "애호가라면 한눈에 이번 남성복이 발렌시아가의 전통 여성복 스타일을 재해석했다는 걸 알 수 있을 것"이라고 설명했다.

그러나 알렉산더 왕은 발렌시아가의 수석 디자이너 자리를 치음 제안받았을 때, 선뜻 받아들이려 하지 않았다고 한다. 왕은 "아, 그건 너무 부담스러운데요. 두려워요"라며 주저했다. 하지만 발렌시아가의 기록보관소를 본 뒤 마음을 바꾸었다. 발렌시아가가 남긴 유산을 보고, 그것을 바탕으로 자신이 뭔가 새로운 것을 더 창조할 수 있겠다고 생각한 것이다. 2013년 3월 왕의 데뷔 무대가 된 가을/겨울 컬렉션에선 '장난꾸러기 악동 같은 이미지의 20대 디자이너가 100년 가까이 된 브랜드를 어떻게 요리했을까'에 대중의 관심이 집중됐다. 왕은 부드러움을 대변하는 니트 소재를 뻣뻣하게 가공해 석고처럼 보이게 만들었고, 가죽 제품도 고급스러운 대리석 질감이 나도록 가공했다.

옷으로 조형물이 주는 느낌을 표현하는 것은 창업자 발렌시아가의 장기이기도 했다. 패션 역사가 엘리사 디망^{Elyssa Dimant}은 1967년 『보그』에 게재된 발렌시아가의 웨딩드레스를 가리켜 "발렌시아가가 만든 두껍고 뻣뻣한 질감의 웨딩드레스는 강철 덩어리를 재료로 사물의 순수함을 표현한 미니멀리스트 조각가 도널드 저드의 작업을 연상케 한다"고 했다. 귀쇼 사장은 "과거 발렌시아가의 유산과 왕의 창의력이 조합되어 매우 긍정적인 결과물을 낳았다고 생각한다"고 말했다.

"왕은 '제로'에서 시작해 이미 자신만의 패션 브랜드(알렉산더 왕)를 만들었지만, 발렌시아가에선 자신이 사업을 시작할 때 갖지 못했던 전통과 뿌리를 손에 넣을 수 있었어요. 창의력이 벽에 부딪힐 때면 전통에서 해답을 찾고, 유산에서 조언을 구할 수 있습니다. 왕은 발렌시아가의 유산 가운데 어느 하나만을 골라 편향적으로 취하지 않았고 조형, 색상, 디자인, 재질 등 모든 분야에 걸쳐 발렌시아가의 문화유산을 빠르게 흡수하고, 글로벌한 시각으로 해석하려 노력하고 있습니다. 이러한 시도가 향후 다양한 방식으로 나타날 거라고 믿어요."

발렌시아가 고유의 정체성이 희석될 수도 있다는 걱정은 하지 않느냐는 질문에 귀쇼 사장은 이렇게 대답했다.

"그렇게 볼 수도 있지만, 브랜드가 가진 스타일이라는 것은 정기적으로 재탄생되고 재해석됩니다. 때로는 과거에 추구해왔던 것과 다소 거리가 있는 스타일이 나올지 몰라도 길게 보면 그것은 결과적으로 브랜드에 녹아들고, 브랜드의 일부가 됩니다. 그렇게 브랜드의 역사는 계속 이어지지요. '아레나'만 놓고 보더라도, 발렌시아가라는 브랜드가 잃어버린 건 아무것도 없어요. 그 가방은 큰 인기를 끌었고, 그로 인해 발렌시아가의 브랜드 가치가 떨어지지도 않았습니다. 긴 역사를 놓고 볼 때 어느 한 제품이나 하나의 스타일이 전통에 비춰 다소 이질적으로 느껴진다 해도 그것은 우리의 일부일 뿐이지 우리의 전부가 아닙니다. 그 때문에 정체성이 희석됐다고도 생각하지 않고요. 오히려 그런 다양한 시도가 녹아들어 발렌시아가라는 정체성의 일부로 융합되었다고 생각합니다."

발렌시아가는 뿌리를 지키는 가운데, 시대의 변화에 맞춰 다양한 꽃과 열매를 맺고 있는 브랜드다. 지킨다는 것은 이런 것이다. 무조건 고집만 부릴 게 아니라 고수하면서 변화할 줄 아는 여유가 필요하다.

'태양의 서커스'는 어떻게
매출 1조원의 대기업이 됐을까

홍성태 한양대 교수가 위클리비즈 지식콘서트에서 강연한 적이 있다. '마케팅 게임: 작은 차이가 큰 승부를 결정한다'라는 이 강연은 가장 인기 높은 강연 중 하나였다.[15] 이 강연에서 홍교수는 장수 브랜드의 공통점에 대해 이야기했다. 즉 끊임없이 변하는 듯 보이지만, 본질은 결코 달라지지 않는다는 점이다. '본질', 즉 자기다움을 잃지 않되 '껍질'은 계속 바꾸며 신선함을 유지한다는 것이다.

포르셰의 디자인 정책은 '바꿔라, 그러면서 바꾸지 마라Change it, but do not change it'이다. 자동차의 외양은 지속적으로 바꿨지만, 디자인의 핵심은 그대로 유지했다. 앱솔루트 보드카의 슬로건은 '결코 달라지지 않겠지만, 늘 변화한다Never different, but always changing'이다. 에르메스의 모토는 '모든 것은 변한다. 그러나 근본은 변하지 않는다Everything changes, but nothing changes'이다.

위클리비즈는 2014년 가을 '태양의 시커스'를 취재했다. 오윤희 기자가 몬트리올에 있는 태양의 서커스 본사에서 CEO 대니얼 라마르Daniel Lamarre를 비롯한 경영진을 인터뷰했다.[16] 취재 결과, 태양의 서커스의 성공 비결 역시 '바꿔라, 그러면서 바꾸지 마라'에 있다는 것을 알게 됐다.

태양의 서커스는 김위찬 교수가 쓴 『블루오션 전략』에 소개되면서 경영계에서 혁신의 동의어로 받아들여졌다. 태양의 서커스는 서커스를 새로운 각도로 들여다보고 재규정했다. 서커스가 사양길로 치닫던 30년 전, 전통 서커스의 필수 요소로 여겨졌던 동물 쇼를 과감하게 없앴다. 이로써 동물 구입, 조련, 의료 관리, 축사, 운송 등 서커스에서 가장 비중이 컸던 비용을 크게 줄일 수 있었다. 또 연극적인 스토리 라인을 도입하고 음악, 무용, 발레 같은 다른 공연의 장점을 접목하여 '아트 서커스'라는 새로운 장르를 만들었다. 타깃은 어린아이에서 성인으로 설정하고, 공연 장소와 좌석은 안락하게 만들었다. 고가 정책을 펴 입장료는 75~120달러로 높였다.

라마르 사장은 "태양의 서커스는 서커스가 아니다"라고 말한다. 그렇다면 그는 태양의 서커스를 어떻게 정의할까? 그는 "관객들이 상상할 수 없었던 것을 보여주는 것"이라고 말했다. 상상할 수 없었던 것을 보여주기 위해 태양의 서커스는 1년에 한 편꼴로 새로운 레퍼토리를 내놓는다. 그러기 위해서는 늘 동시에 3개의 레퍼토리를 작업해야한다. "새로운 쇼를 완전히 성숙시키기 위해선 2, 3년의 작업 과정이 걸리기 때문"이다. 태양의 서커스는 지금까지 18개의 레퍼토리를 개발했고, 라스베이거스에서만 서로 다른 버전의 7개 공연이 동시에 열리고 있다.

신우석 올리버와이만 코리아 상무는 "만일 태양의 서커스가 초기작의 성공에 심취되어 2편, 3편을 제작하는 방식으로 레퍼토리를 늘려갔다면 지속적으로 성공하기 어려웠을 것"이라며 "크리스텐슨 교수가 말한 대로 '존속적 혁신'의 방향을 선택하지 않고, 자신들이 만드는 서커스의 새로운 이정표를 스스로의 손으로 깨뜨려가는 '파괴적 혁신'을 택했던 것이 성공 비결"이라고 말했다.

태양의 서커스는 지난 30년간 서커스에 춤, 음악, 연주 같은 다양한 장르를 결합한 새로운 형식의 공연을 선보였지만, 그 안에서도 다양한 변주를 시도하면서 조금씩 진화해왔다. 1998년 선보인 '오ᵒ' 쇼는 물을 소재로 했다는 점에서 그전까지의 태양의 서커스 공연과 차이를 보였다. 획기적인 발상이었지만 스크린이 아닌 실제 무대에서 이런 공연을 만들어내기란 쉬운 일이 아니었다. 공연 기획 담당자들은 어떻게 하면 수중 무대를 평지로 바꾸고, 다시 그 평지를 수중 무대로 바꿀 수 있을까 고민하다가 7개의 수압 조절 장치를 사용해 몇 초 만에 물을 빼고 채울 수 있도록 수심을 조절했다.

'오' 쇼가 물을 소재로 했다면, 2005년 내놓은 '카ᴷᴬ' 쇼는 불을 다뤘다. 카는 고대 이집트인이 믿었던, 인간의 현세와 내세를 따라오는 영적 존재의 이름이다. 이글이글 불타오르는 대형 화로를 연상케 하는 무대가 관객들을 몰입시킨다. 또 2003년에 나온 '주메니티ᶻᵘᵐᵃⁿⁱᵗʸ(동물원ᶻᵒᵒ과 인간ʰᵘᵐᵃⁿⁱᵗʸ을 결합해 만든 제목)'는 성性과 환락을 소재로 한 19금 서커스다. 성적인 농담과 코미디, 스트립 댄스를 활용한 이 공연은 큰 관심과 논란을 불러일으켰다. 당시 라마르 사장은 "지나치게 모험한 것 아니냐"는 질문에 이렇게 답했다.

"모험요? 그럴 수 있지요. 하지만 이건 창의적인 모험인걸요. 우리가 계속 똑같은 것만 만들면 관객들은 이렇게 말할 거예요. '이건 완전히 90년대 스타일이잖아. 우리는 90년대가 아니라, 현재의 산물을 원해'라고요."

태양의 서커스는 비틀스의 노래를 배경 음악처럼 활용한 서커스 '러브'(2006년)를 기쳐 2013년 춤과 음악을 전면에 내세운 '원'으로 또다시 새로운 시도를 했다. 마이클 잭슨을 주제로 한 이 공연은 그가 죽은 뒤에 만들어졌다. 제작진은 마이클 잭슨의 녹음실 음원, 생전의 각종 라이브 음원을 가져다가 반주와 불필요한 잡음을 전부 없애고 태양의 서커스가 쇼에 만든 연주에 맞춰 그의 목소리를 덧입혀 마치 현장에서 마이클 잭슨이 노래를 부르는 듯한 효과를 만들어냈다. 특히 LED칩이 600여 개나 들어간 의상을 입은 댄서들이 캄캄한 공연장에서 시시각각 색상이 변하는 조명을 발산하며 〈빌리 진〉 춤을 추는 장면이 압권이다.

1984년 첫 공연을 했으니 태양의 서커스는 어느덧 서른 살이 된 셈이다. 직원은 73명에서 5000명으로 늘고, 매출은 1조원에 이르는 거대 엔터테인먼트기업으로 성장했다. 그러나 라마르 사장은 "지금 우리는 다시 30년 전과 같은 시험대에 서 있다고 생각한다"고 말했다. "우리가 발명한 완전히 새로운 장르를 다시금 재발명해야 하는 상황에 놓여 있다"는 것이다. 그는 지금 태양의 서커스가 '모든 장르가 통합된 엔터테인먼트회사'를 지향하고 있다고 설명했다. 제임스 캐머런 감독과 함께 영화 〈아바타〉를 무대로 옮겨놓는 '아바타 쇼'를 제작중인데, 이 역시 단순한 서커스라고 보기 힘든 작품이 될 거라고 한다. 태양의 서커스를 존재하게 하고, 태양의 서커스의 기반이 됐던 '아트 서커스'라는 카테고리를 더 넓은 예술적 영역으로 확대해나가는 중이라는 것이다. 왜 이렇게 강박적으로 늘 변화하려고 할까? 라마르 사장은 그 이유를 이렇게 설명했다.

"이 업계에서 가장 위험한 건 현실에 안주하는 것이기 때문입니다. 왕좌에 앉아 천하무적이라 생각하고 자만하면 안 됩니다. 계속 새로운 것을 만들어내야 합니다. 관객을 계속 놀라게 하기 위해서 우리는 항상 벼랑 끝에 서 있지 않으면 안 됩니다."

중요한 것은, 태양의 서커스가 이처럼 끊임없이 업을 재조명하고 재규정하면서도 업의 본질만은 소중히 간직하고 있다는 점이다. 매번 다양한 레퍼토리와 기술로 변신하지만, '누구도 상상할 수 없는 것을 보여준다'는 업의 핵심은 늘 간직한다. 라마르 사장의 방으로 들어가는 입구 벽에는 이런 글이 적혀 있다.

'전 세계 사람들의 상상력을 불러일으키고, 감각을 고취하며, 감성을 고양한다.'

바꾸면서 바꾸지 않는 것, 결코 달라지지 않지만 늘 변하는 것, 즉 진정으로 지킨다는 것이 무엇인지 태양의 서커스는 존재 자체로 보여준다. 이것이 바로 궁극의 단순함이다. 단순한 조직은 유연하다. 이미 자신의 정체성과 방향이 뚜렷하기에, 지키면서도 변화의 물살에 올라탈 수 있는 것이다.

진짜 상대는 링 밖에 있다

오늘날 기업환경을 게임에 비유한다면 체스일까, 바둑일까? 전 세계 '최고의 경영사상가' 2013년 랭킹에서 6위를 차지한 리타 맥그래스[Rita Mcgrath] 컬럼비아대 비즈니스스쿨 교수는 체스가 아니라 바둑이라고 주장한다. 컬럼비아대 연구실에서 위클리비즈와 인터뷰를 가진 그녀는 그 이유를 이렇게 설명한다.[17]

"과거 경영의 게임 방식은 적과 아군이 명확하고, 왕을 잡기만 하면 게임이 끝나버리는 체스 같은 것이었어요. 하지만 지금은 게임의 규칙이 그렇게 간단하지 않지요. 오늘날 기업의 게임 방식은 보다 많은 영역에 진출해서 더 많은 집을 짓는 쪽이 이기는 바둑과 비슷하다고 할 수 있습니다. 이런 게임의 세계에선 과거의 경쟁우위 전략으로 승리할 수 없어요. 그렇다면 어떻게 해야 하냐고요? 시대와 사회의 변화에 따라 경쟁우위를 계속 바꿔가면서 한 영역에서 다른 영역으로 자연스럽게 리듬을 타며 옮겨가야 합니다. 그런 기업만이 오늘날 게임에서 승자가 될 수 있습니다."

그녀의 주장은 '경영 전략의 아버지'로 불리는 마이클 포터 교수의 주장을 정면 반박한 것이다. 포터 교수는 1979년 『하버드 비즈니스 리뷰』에 실린 「경쟁력이 어떻게 전략을 만드는가How Competitive Forces Shape Strategy」라는 논문에서 기업이 경쟁사보다 '경쟁우위'에 서기 위해선 어떤 전략이 필요한지를 다뤘다. 그의 이론은 지난 30년간 교과서로 받아들여졌다. 포터 교수 주장의 핵심은 다섯 가지 요인이 특정 산업의 경쟁 강도와 수익성을 결정한다는 것이다. 산업 내 기존 경쟁자의 위협, 잠재적 진입자의 위협, 대체재와의 경쟁, 구매자의 교섭력, 공급자의 교섭력이 그것이다. 이런 위협에 대응하기 위해 기업은 원가를 낮춰 비용우위 전략을 세우거나, 차별화를 하거나, 특정 서비스나 상품에 자원을 집중하는 집중화 전략을 세워야 한다고 포터 교수는 주장했다. 이에 맞서 맥그래스 교수는 이렇게 주장한다.

"오늘날 기업 경영환경은 과거에 비해 서로 훨씬 더 많이 연결되어 있고, 상호 의존적이다. 과거엔 나의 경쟁업체가 어디인지, 그들이 어떤 전략을 취할지 분명하게 예측하고 그에 대응할 전략을 세울 수 있었던 반면, 지금은 나의 경쟁상대가 어디인지를 파악하는 일부터가 모호해졌다. 과거엔 카메라 제조사의 경쟁업체가 같은 카메라 제조사뿐이었지만, 지금은 스마트폰과 아이패드도 경쟁상대가 될 수 있다."

맥그래스 교수의 표현대로라면 마치 '컴퓨터 바이러스'처럼 한 업종이 다른 업종에까지 영향을 주게 된 것이다. 때문에 동일 업종 내 경쟁상대를 누르고 경쟁우위에 서기 위해 생산 원가를 낮추거나, 특정 상품에 집중 투자하는 것이 반드시 바람직한 대응 방법이 될 수는 없다. 그녀는 자신의 주장을 2013년 출간한 『경쟁우위의 종말The End of Competitive Advantage』이란 책에 담았다. 그녀는 "기업은 종종 자신들의 가장 강한 경쟁자가 같은 산업 영역에 있는 다른 회사들이라고 생각한다"면서 "하지만 산업 간 경계가 무너지고 '경쟁'의 의미가 바뀐 오늘날엔 그것이 가장 위험한 사고방식"이라고 강조했다.

맥그래스 교수는 오늘날 게임의 규칙이 바뀐 근본적인 이유 중 하나로 인터넷을 꼽는다. 과거엔 한 영역이 다른 영역들과 물리적으로 분리돼 있어 한 영역에서 일어나는 변화가 다른 영역에 거의 영향을 주지 못했지만, 지금은 인터넷으로 인해 각 영역이 상호 연계, 상호 의존하게 되면서 한 영역에서 일어나는 변화가 다른 영역에도 영향을 미치게 됐다는 것이다. 그녀의 주장은 이 책에서 주장하는 단순함이나 집중과 상반되는 것처럼 보인다. 그러나 그렇지 않다. 맥그래스 교수는 무작정 수많은 영역에 진출해 문어발식 경영을 하라고 말하는 것이 아니다. 주장의 골자는 "경쟁력이 있는 영역을 전략적으로 선별해 확장해나가야 한다"는 것이다. 그녀는 "기업은 자신의 고유한 정체성을 잃지 않으면서 새로운 시장에 진출하거나 참여할 수 있다"고 말했다.

맥그래스 교수의 연구 결과, 시가총액이 10억 달러가 넘는 상장기업 4793개 중 2000년부터 2009년까지 순이익이 매년 5퍼센트 이상 늘어난 기업은 딱 10개였는데 이들은 공통점이 있었다. 모두 자신들이 가진 기술 경쟁력이 시대의 요구에 맞지 않을 경우, 계속 그것에 집착하거나 완전히 새로운 사업으로 바꾸는 대신, 자신의 정체성과 기술을 잘 살릴 수 있는 별개의 사업부문에 활용했다는 것이다. 예를 들어 알리안스 부츠Alliance Boots는 제약 도매업으로 시작한 회사지만, 기존 사업의 노하우를 적용해 화장품 소매업에 진출했고, 현재는 다시 의료 서비스 영역으로 사업을 확장해갈 준비를 하고 있다.

그녀의 조언은 베인앤컴퍼니의 제임스 앨런 글로벌전략부문 대표의 말과 일맥상통한다. 앨런 대표는 기업이 부득이 신사업에 진출해야 할 경우에도 핵심사업과 인접한 사업으로 하는 것이 좋다고 말했다. 그는 인접 사업으로 확장하려 하는 경영자에게 이렇게 조언했다.

첫째, 확장을 하는 경우에도 가능한 한 핵심에 가까이 머물고, 한 번에 모든 것을 바꾸려고 해서는 안 된다. 같은 제품을 다른 나라에 팔거나, 신제품을 기존 유통채널을 통해 팔아보는 것은 괜찮은 축에 속하지만, 신제품을 다른 나라에 팔면서 잘 알지도 못하는 유통망을 통하는 것은 실패의 지름길이다.

둘째, 신사업에 진출할 경우 선도적 지위를 구축할 수 있는 길로 가야 한다. 인수합병을 할 때도 이를테면 7위 업체가 아닌 1위 업체를 인수해야 한다. 그는 영국 이동통신업체인 보다폰Vodafone이 일본 시장에 진출하면서 3위 업체인 제이폰J-Phone을 인수하는 바람에 고생만 잔뜩 하고 별 성과 없이 철수한 사례를 들었다. 그는 "기업이 범하는 큰 실수 중 하나가 많이 뒤처진 후발주자를 인수하는 것"이라고 했다.

물론 기업이 지속적으로 성장하기 위해서는 안정적인 가치, 안정적인 리더십, 안정적인 네트워크를 지키는 게 중요하다. 그러나 한편으로는 재빨리 변화하는 양면성이 필요한 시대다. 성공 기업들은 사명과 핵심가치를 유지하면서도 단순히 현상을 유지하는 데 치중하지 않았고, 새로운 실험을 게을리하지 않았다. 사실 '균형을 유지하라'는 말처럼 많이 이야기되지만 지키기 힘든 말도 없을 것이다. 하지만 급변하는 기업환경에서는 변화와 지속성 사이에서 적절한 균형을 찾는 것이야말로 지속 가능한 기업이 되는 유일한 법칙이란 것을 맥그래스 교수로부터 배울 수 있었다.

현명한 투자자는
'신호'와 '소음'을 구별할 줄 안다
: 비상장기업 1위 카길의 투명성 경영

변화와 지속성 사이에서 균형을 찾기 위해서는 근시안적인 사고를 버리고 먼 미래를 내다볼 줄 알아야 한다. 우리가 아는 대부분의 이름난 기업은 상장기업이다. 상장기업은 자금 조달이 쉬워지고 인지도를 높일 수 있으며 주주가 투자자금을 (지분 매각의 형태로) 보다 쉽게 회수할 수 있다. 그럼에도 굳이 상장을 거부하는 회사들이 있다. 대체로 장수 기업이 많고 위대한 기업도 포함돼 있다.『포브스』가 선정한 미국 비상장기업 1위인 카길^{Cargill}은 창립 149년을 맞았고, 2위 코크 인더스트리스^{Koch Industries}는 74년이 됐다. 명문 건설회사 벡텔^{Bechtel}도 비상장을 유지하며 100년 넘게 건실하게 성장하고 있고, 50년 전통의 오디오 메이커 보스도 비상장이다.

이들은 왜 상장하지 않는 것일까? 보스의 창업자 아마르 보스의 말이 정곡을 찌른다. "우리 회사가 상장회사였다면 난 아마 열두 번은 쫓겨났을 것이다. 1980년대에 5000만 달러에 달하는 R&D 투자를 계속했는데도 아무 성과가 나오지 않았다. 그럼에도 밀어붙였고 결과적으로 성공했다." 코크 인더스트리스의 찰스 코크Charles Koch 회장도 비슷한 이야기를 한 적이 있다. "상장기업이 분기 예상 실적에 단 1페니라도 미달한다면 주식은 곤두박질치고 만다. 결국 단기 이익을 보호하기 위해 장기적 성과를 희생시킬 수밖에 없다. 비상장이기 때문에 장기적인 안목으로 투자할 수 있었다."

카길이 비공개 가족 소유를 유지하는 이유도 비슷할 거라고 전문가들은 말한다. 김경준 딜로이트 컨설팅 대표는 "농업은 투자 회임 기간이 길다는 특징이 있다"면서 "카길이 비공개 가족 소유를 유지하는 데는 그것이 그런 산업에서 장기 전략 수립과 실행에 최적이라는 판단과 경험이 깔려 있을 것"이라고 말했다.

위클리비즈는 2014년 카길의 그레그 페이지Greg Page 회장을 인터뷰한 적이 있는데, 그는 카길이 150년을 선도기업으로 살아남았던 이유 중 하나로 "장기적인 시각을 갖고 미래를 위해 준비했기 때문"이라고 설명했다.[18] 그는 대표적인 것이 세계화라고 말했다. 1950년대로 거슬러올라가면 카길은 미국의 대표 기업도 아니었는데, 그때 이미 '세계화가 앞으로 살길'이라고 생각했다는 것이다. 또한 카길은 철도혁명, 농업혁명, 세계화혁명, 정보화혁명 같은 대변혁기를 미리 준비하며 대응해왔다. 카길이 그렇게 할 수 있었던 것은 "중요한 고비마다 창업자

가족 차원의 투자 의지가 있었기 때문"이라고 페이지 회장은 말했다. 카길 가문은 회사가 벌어들이는 수익의 대부분을 배당 대신 투자에 썼던 것으로 알려졌다. 이처럼 창출되는 현금을 미래를 위해 꾸준히 투자한 것, 그것이 네 번의 혁명 고비에서도 더욱 성공할 수 있었던 계기였다는 것이 페이지 회장의 설명이다.

그런가 하면 이탈리아의 와인 명가 안티노리Antinori의 사주 피에로 안티노리Piero Antinori 후작은 인생에서 가장 잘한 일로 '기업 공개를 추진하며 주식을 팔았다가 나중에 몽땅 되사들인 일'을 꼽았다. 10년 후를 내다보는 와인 사업과 주식시장의 변덕은 맞지 않았던 것이다.

우리는 비상장기업에 대한 고정관념이 있다. 투명하지 않고, 대주주의 독단을 견제하기 힘들다는 것이다. 그러나 그렇지 않은 비상장기업도 많다. 앞서 언급한 카길은 비상장기업이지만, 투명성을 매우 중시한다. 카길에는 전 임직원이 지켜야 할 직원 행동 강령 7가지가 있는데, 첫번째가 '법을 지켜라'이고 세번째가 '우리는 정확하고 징직한 기록을 유지한다'이다. 세번째 강령이 남다른데, 카길은 이 원칙에 입각해 어떤 경우에도 전 직원으로 하여금 단 하나의 숫자를 기록하고 공유하도록 한다. 또 외부에 공시할 수 없거나 장부에 명확하게 기록할 수 없는 일은 아예 하지 않게 한다. '비즈니스 정보 분석 소프트웨어' 분야 세계 1위 회사인 새스 인스티튜트SAS Institute는 1976년 창립 이래 상장을 하지 않는데, 2010년과 2011년 2년 연속 『포친』이 선정하는 '미국에서 일하기 좋은 100대 기업' 1위를 차지했다. 대주주가 독단적이라면 나오기 힘든 기록일 것이다. 시장을 무시하자거나 오너의 장기 집권을 주장하는 것이 아니다. 길게 내다보는 눈과 시장의 변덕에 맞서는 뚝심의 필요성에 대해 이야기하려는 것이다. 독일 컨설팅회사 롤란트 베르거Roland Berger의 부르크하르트 슈벤커Burkhard Schwenker 사장의 말이 피부에 와닿는다. 그는 "독일 중소기업의 95퍼센트는 가족 소유인데 이들에게 실적이란 '분기'가 아니라 '세대'를 기준으로 생각하는 것"이라며 "가족 경영인이 자기 대에 왕창 해먹고 나 몰라라 할까"라고 반문했다.

2008년 금융위기는 '자기 대(재임 기간)에 왕창 해먹는' 자본주의의 해악을 여실히 보여주었다. 그래서 요즘 구미 경영계에서는 '분기 자본주의quarterly capitalism'의 폐해를 반성하고 장기적인 시계視界를 갖는 방안에 대한 논의가 활발해지고 있다. 이를테면 클레이튼 크리스텐슨 하버드 경영대학원 교수는 경영의 시계가 좁아지는 근본적인 원인을 투자자에게서 찾으며, 투자자의 시계를 넓히는 인센티브 체계를 고안해야 한다고 주장한다. 요즘 주식 투자자의 투자 기간 중간값median은 10개월에 불과하다. 따라서 기업의 장기 실적보다 단기 실적을 중시하고, 위험을 지나치게 회피하는 성향을 보이기 쉽다. 그런 투자자의 성향은 그대로 경영진에 대한 압력으로 이어진다.

이를 고치기 위해 크리스텐슨 교수가 제시하는 대안의 하나는 주식 보유 기간에 따라 주주를 차별화하는 것이다. 이를테면 일정 주식 보유 기간이 지나야만 의결권을 주는 것이다. 일정 기간이 지나야만 스톡옵션을 행사할 수 있는 것과 비슷하다. 크리스텐슨 교수는 반문한다. "왜 불과 몇 주, 혹은 길어야 몇 달 투자하는 '여행객' 같은 투자자들에게 장기 투자자들과 같은 100퍼센트 의결권을 줘야 하는가?" 또하나의 대안은 일정 기간 동안 주식을 보유한 장기 투자자에게 추가 배당을 하거나,

주식을 일정한 가격에 살 수 있는 권한(워런트)을 부여하는 것이다.

기업 스스로 장기적 관점을 갖기 위해 노력하는 사례도 있다. 유니레버Unilever는 경영에서 장기적 관점을 갖기 위해 기업 실적 예상치 발표와 분기 단위 실적 보고를 폐기했다. 구글도 분기별 실적 예상치를 발표하지 않는다. 시장은 중요하다. 하지만 시장은 때때로 여름 날씨처럼 변덕스럽다. 경영이 그 변덕에만 휘둘린다면 오래 지속하기 힘들 것이다. 현명한 투자자는 신호와 소음을 구별하고, 군중심리에 휩쓸리지 않으며, 10년 앞을 내다본다. 경영이 지향해야 할 덕목이다.

포용적 자본주의

사실 우리는 장기적인 비전이 없을 때 어떤 결과가 빚어지는지 잘 알고 있다. 윈스턴 처칠은 "민주주의는 최악의 제도다. 단 지금까지 시도된 다른 모든 것을 제외한다면"이라고 말했다. 처칠이 살아 있었다면 그는 아마 경제와 사회 진보의 수단으로서 자본주의가 그와 비슷한 것이라고 생각했을 것이다.

자본주의는 세계 경제를 번영으로 이끌어왔다. 그러나 단기 성장에만 집착해 빈부격차를 초래했고, 환경 문제에 대해서는 무방비에 가까웠다. 글로벌 금융위기는 자본주의와 기업에 대한 사회적 불신의 골을 더욱 깊게 만들었다. 한국뿐 아니라 세계적으로 일어난 현상이다. 최근 신흥 시장이 성장하고 있지만, 세계 경제는 여전히 충격적일 정도로 양극화에 휩싸여 있다. 세계에서 가장 부유한 85명의 재산이 하위 35억 명의 재산을 합친 것과 같다. 부유한 10억 명이 전 세계 소비의 72퍼센트를 차지하는 반면, 빈곤한 12억 명은 단지 1퍼센트만 소비한다.

이런 상황을 만들어내는 체제에 사람들이 거부반응을 일으키는 건 당연하다. 현재 정부를 신뢰한다는 세계 인구는 전체의 절반에도 미치지 못한다. 금리나 환율 조작 의혹에서부터 부정식품 유통까지, 기업에 대한 믿음도 약화하고 있다. 국가와 시장 모두에 대한 환멸이 커짐에 따라 사람들은 자본주의가 그 비용을 넘어설 만한 가치가 있는지 의심하고 있다.

다행히 이런 실패 문제를 바로잡기 위해 세계 경제, 경영계에서는 새로운 자본주의 모델에 대한 논의가 활발해지고 있다. 깨어 있는 자본주의, 도덕적 자본주의, 포용적 자본주의가 그것이다. '세계 지속 가능 발전 기업위원회'나 '국제 소비재 포럼' 같은 기구들은 주요 기업과 정부를 압박함으로써 지속 가능한 자본주의에 힘을 모으도록 하고 있다. 자본주의 실패라는 거대한 문제를 다루기 위해선 기업, 정부, 민간단체가 광범위하게 협조하지 않으면 안 되기 때문이다. 2014년 5월 런던에서 열린 '포용적 자본주의' 콘퍼런스도 그중 하나다. 이른바 워싱턴 컨센서스의 대들보 중 하나인 국제통화기금IMF의 크리스틴 라가르드 Christine Lagarde 총재가 이 논의에서 주도적인 목소리를 낸 것을 주시할 필요가 있다. 그녀는 기조연설에서 "전 세계 최고 부자 85명의 재산이 하위 35억 명의 재산과 같다"며 "경제 불평등 해소를 위해 진보적 과세체계 도입과 재산세 확대 등의 방안이 필요하다"고 주장했다. 그녀는 또 "금융권에 널리 퍼진 윤리 위반과 경제 불평등 심화로 또다른 금융위기의 위험이 커지고 있다"면서 "은행들은 개혁에 격렬히 저항하고 있으며 고액의 보너스를 위해 여전히 리스크가 큰 투자에 열중하고 있다"고 비판했다.

기업들 사이에서도 자성과 자본주의 실패를 바로잡는 데 자발적으로 참여하려는 움직임이 일고 있다. 문제의 씨앗을 뿌린 것은 기업이기 때문이다. 기업은 단기 이윤 극대화에 목을 매면서 장기적 시각을 잃어버렸고 사회와의 단절을 자초했다. 소비지와 협력업체를 무시하고, 환경을 파괴하고, 지역공동체의 어려움을 외면하는 것이 결국엔 자기 발등 찍기란 것을 몰랐다. 14~16세기 유럽에서 종교의 속박에 맞서 인간성 회복 운동인 르네상스가 일어났다면, 최근 경영계에선 기업의 인간성 회복 운동이 일어나고 있다. 인간의, 인간에 의한, 인간을 위한 기업이 되자는 운동이다. 지난 20여 년간 경영계를 지배한 '주주 자본주의'에 대한 뼈저린 반성이기도 하다.

기업 르네상스 운동이라 할 이 도도한 물결은 시대와 함께 진화하고 있다. 1단계는 기업의 사회적 책임을 강조했다. '사회책임경영CSR'이란 말로 대변된다. 그런데 이는 외부의 압력에 대한 기업의 수동적 대응이란 성격이 강했다. 기업의 사회적 책임은 평판을 유지하기 위한 사회적 비용 성도로 간주됐고, 스스로의 경쟁력에 이떻게 연결되는지에 대한 성찰이 부족했다. 기업과 사회는 서로에게 훼방꾼이란 인식도 여전히 남아 있었다.

2단계는 기업이 공동체의 여건을 개선시키면서 스스로의 경쟁력도 높일 수 있다는 '윈윈win-win' 사고방식이다. 이를테면 기업은 환경이나 빈곤 문제 해결을 위한 제품과 서비스를 개발함으로써 사회 문제를 해결하는 동시에 새로운 시장과 혁신의 아이디어를 얻을 수 있다. 환경이라는 지구적 대의를 사업 기회와 연결한 GE의 '에코매지네이션Ecomagination(환경친화적 상상력)' 비전이 대표적인 예일 것이다. 이는 기업의 목적함수 자체를 보다 크게 정의한다는 점에서 1단계보다 훨씬 원대하며, 사회적 목적을 기업의 이윤 동기와 결부시킨다는 점에서 지속 가능성이 좀더 크다. 한때 한국의 일부 전문가들이 주장했던 '이익을 공유'하는 것이 아니라, 마이클 포터 하버드대 교수가 말하듯이 '가치를 공유shared value'한다는 점에서 진일보한 것이다.

요즘 기업들은 누가 강요하지 않더라도 스스로의 생존을 위해 상생이 필요하다는 것을 깨닫기 시작했다. 폴 폴먼 유니레버 CEO는 세계 지도자들의 온라인 토론장인 '프로젝트 신디케이트' 칼럼에서 "10억 인구가 기아선상에 있고 23억 명이 기본적인 위생시설을 이용하지 못하는 세상에서는 기업도 결코 번영할 수 없다. 미래에 대해 대중이 비관하고 기업을 신뢰하지 못하는 상황에서는 사업이 번창할 수 없다"고 말했다. 그는 또 "이런 비용이 관리되지 않는다면 자본주의에 대한 지지를 잃어버릴 수 있는데, 이는 결국 성장과 번영을 위한 인간이 가진 최선의 희망이 사라지는 것이기도 하다"고 강조했다.[19]

기업들은 사회의 목적과 기업의 목적이 정방향 정렬될 때 창출되는 가치가 의외로 크다는 것도 알게 됐다. 이 시대는 대중에게 지혜를 얻는 '오픈 이노베이션'의 시대다. 애플의 성공은 아이팟이나 아이폰, 아이패드 같은 제품의 경쟁력만이 아니라 애플이 협력업체들과 수익을 배분하고 함께 발전하는 환경을 만든 데서 기인한다는 점을 기업들은 생생하게 목격하고 있다. 폴먼 사장이 말했듯 "갈 길은 멀지만 필요한 변화는 시작됐다". 더는 지체할 시간이 없다. 마하트마 간디는 이렇게 말했다. "미래는 현재 우리가 무엇을 하느냐에 달렸다."

지속 가능성은 '썩음'에 대한 예찬이다

우리가 바꾸되 바꾸지 않는, 변화와 지속의 균형을 추구하는 것은 더 나은 미래를 위해서다. 다시 말해 단순함의 형태로 지속 가능하기 위해서다. 이는 개인과 기업의 차원을 넘어 지구적 차원에서도 중요한 문제다. 단순함의 최고의 형태는 썩는 것이라고 생각한다. 썩는다는 것은 분해되어 대자연과 하나가 되고, 제 몸의 형체는 없어지는 것이다. 자신의 흔적조차 남기지 않는 것, 최고의 단순함 아닌가?

흔히 썩는 것은 더럽다고 생각한다. 하지만 썩는 것이 가장 깨끗하다. 자신을 없애기 때문이다. 오히려 썩지 않는 플라스틱이나 비닐 같은 것이 가장 더럽다. 자신을 계속 남기기 때문이다. 요즘 등산을 가면 친절하게도 등산화를 털어주는 에어건이 설치된 곳이 많다. 우린 아주 더러운 것이 묻은 양, 그리고 그것을 그대로 두면 큰일이라도 나는 양 진흙과 먼지를 털어낸다. 하지만 그 진흙과 먼지가 과연 더러운가? 대자연의 일부인 진흙과 먼지야말로 가장 깨끗한 것 아닌가? 그러면서 우리는 왜 마음속의 티끌과 먼지를 털어내는 데는 그토록 인색한가?

등산을 가서 걷다보면 길마다 썩은 나뭇잎, 부러진 채 썩어 있는 나뭇가지가 지천이다. 가을 산엔 계곡마저 썩은 낙엽이 점령한다. 그런 썩음을 보면 왠지 정겹다. '내 몸도 죽으면 저렇게 썩겠지. 그래서 저 나뭇잎처럼 대자연의 일부가 되겠지.' 그렇다면 내 몸과 저 나뭇잎은 이미 안몸인 셈이다. 환경운동가 폴 호큰은 자연의 위대함은 순환에 있다고 말한다. 그에 따르면 산업적 과정과 생물학적 과정의 결정적 차이는 생산의 속성이다. 자연은 되먹임 순환feedback loop에 따라 관리된다는

것이다.[20]

　이를테면 "탄소, 황, 질소 같은 원소는 끊임없이 재활용된다. 우리가 우리 몸속의 탄소, 칼륨, 인, 황, 물의 역사를 추적할 수 있다면, 흑해, 멸종한 물고기, 침식된 산맥, 심지어 예수와 부처가 내쉰 숨의 조각들로 자신이 만들어져 있음을 알게 될 것"이라고 호큰은 말한다. 그러나 산업적 과정은 다르다고 한다. 되먹임 순환이 없다는 점에서 말이다. "산업은 자연으로부터 석유, 목재, 광물, 천연가스 등을 얻고 나서는 쓰레기로 바꿔 돌려준다. 앞으로 2000년이 흐른 뒤에도 지구의 숲과 우리의 후손이 폴리스티렌 컵이나 리복 운동화의 조각들로 만들어지는 일은 없을 것이다." 다시 말해 산업의 쓰레기는 축적될 수밖에 없다고 호큰은 주장한다.

　이 책을 쓰는 도중에 와타나베 이타루라는 일본의 빵집 주인이 쓴 『시골 빵집에서 자본론을 굽다』라는 책이 나왔다. 빵의 발효, 부패 과정과 마르크스의 『자본』을 연결하는 설정은 다소 억지스럽게 느껴졌지만, 발효와 부패가 "자연계에 존재하는 물질이 균의 작용을 통해 자연 속으로 편입되는 과정"이라고 보는 그의 시각은 앞의 이야기와 정확히 일치한다. 와타나베는 책 제목처럼 인구가 8000명밖에 안 되는 시골에서 빵집을 경영한다. 그런데 빵을 만드는 방식이 남다르다. 이스트처럼 인공적으로 배양하는 균이 아니라 자연적으로 배양되는 천연균으로만 만든다. 그 방식이 훨씬 어렵다. 그는 온갖 시행착오를 겪으면서 발효와 부패의 의미를 깨닫는다.

　"자연계에 존재하는 모든 물질은 시간과 함께 모습을 바꾸고, 언젠가는 흙으로 돌아간다. '발효'와 '부패'를 통해서다. 그리고 이 두 가지 현상은 균의 작용에 의해 일어난다. 넓은 의미에서 보면 발효도 부패에 포함된다. 두 가지 모두 미생물에 의한 유기물의 분해 현상이지만, 인간에게 유용한 경우에는 발효라고 하고, 그렇지 못한 경우에는 부패라고 한다. 자연계에서는 균의 활약을 통해 모든 물질이 흙으로 돌아가고, 살아 있는 온갖 것들의 균형은 이 '순환' 속에서 유지된다. 가끔 환경이 변해 균형을 잃을 때도 순환은 자기 회복력을 작동시켜 균형잡힌 상태를 되찾게 된다. 부패가 생명을 가능케 하는 것이다. 그런데 이스트처럼 인공적으로 배양된 균은 원래 부패해서 흙으로 돌아가야 하는 물질마저도 억지로 일정 기간 썩지 않게 만들어버린다. 균은 균인데 자연의 섭리를 일탈한 '부패하지 않는' 물질을 만들어내는 인위적인 균인 것이다."[21]

그는 자연계와 달리 경제계는 부패가 없고, 그래서 모순이 생겨난다고 말한다.

"시간에 의한 변화의 섭리로부터 벗어나 있는 것이 (이스트 외에) 하나 더 있다. 돈이다. 돈은 시간이 시나도 흙으로 돌아가지 않는다. 영원히 '부패하지 않는다'는 말이다. 바로 이 부패하지 않는 돈이 자본주의의 모순을 낳았다."

여기서 '부패하지 않는 돈'이란 이윤을 통해 끝없이 증식되는 자본을 말한다. 그는 부패와 순환이 일어나지 않는 돈을 축적하지 않기 위해 이윤을 남기지 않는 경영을 선택한다. 몸에 좋은 재료를 적정 가격에 파는 대신 이윤을 남기지 않는다. 자신과 종업원 모두 급여 수준은 높지 않지만, 일주일에 사흘은 휴무이고, 매년 한 달은 장기 휴가로 문을 닫는다. 그는 이런 의미에서 "경제를 부패하게 하자"고 주장한다. '부패'라는 말의 어감이 썩 좋지는 않지만, '더 많이, 더 많이'의 성장신화가 한계에 부닥친 세상을 독특하면서도 예리한 시각으로 비판하고 있다.

　요즘 많이 이야기되는 지속 가능성은 기본적으로 썩음의 의미 재발견, 혹은 썩음에 대한 예찬이라고도 할 수 있다. 썩음은 순환과 통한다. 자연계는 썩음으로써 순환하고 과잉을 없애고 균형을 맞춘다. 지속가능 경영은 자연계의 썩음과 순환을 벤치마킹해 지구를 지속 가능하게 하고 사람들의 삶과 기업을 지속 가능하게 하려는 노력이다.
　세계 3대 SPA 브랜드의 하나인 H&M은 기업이 사회와 함께 어떻게 지속 가능성을 추구할 수 있는지를 보여주는 모범 사례의 하나다. H&M의 지속 가능성 전략은 1997년 시작됐으며, 그 기본적인 개념은 사람과 지구, 기업 수익이라는 세 가지 부분에서 지속 가능해야 한다는 것이다.[22] H&M은 그런 개념하에 7가지 약속을 공표했다. ①환경을 생각하는 고객을 위해 환경친화적 패션을 제공하는 것, ②책임감 있는 협력업체 선정과 보상, ③윤리적일 것, ④스마트한 기후변화 대응, ⑤절감, 재생, 재활용, ⑥천연자원의 책임감 있는 사용, ⑦지역사회 강화가 그것이다.
　이 회사에서 지속 가능성은 특정 부서가 아니라, 기업 전반에 걸쳐 통합적으로 실행되고 있다. 지속 가능성 업무가 주요 업무인 직원 수만 170명에 이른다. 이 회사의 대표적인 지속 가능성 사례 중 하나가 '컨셔스 데님'으로 불리는 청바지, 청재킷 의류다. 옷을 만들 때 가장 많이 들어가는 자원은 물이다. 특히 청바지는 염색과 워싱(물 빼기) 작업을 거치기 때문에 한 벌을 만드는 데만 약 1만 2000리터의 물이 필요하다. 생수통 600개에 해당한다. 컨셔스 데님의 경우 물 사용을 65퍼센트 절약하는 기술을 적용해 2013년 한 해에만 물 3억 4000만 리터를 절약했다.

H&M은 2013년부터 헌옷 수거 프로젝트를 시행하고 있다. 고객이 입지 않는 헌옷을 매장에 가져오면 재사용 또는 재활용한다. 헌옷에서 깨끗한 부분을 잘라내 옷을 만들거나 헌옷을 분해해서 실을 뽑아 새 옷을 만든다. 또 유기농법으로 기른 목화로 만든 면을 활용하고, 동물을 보호하는 차원에서 앙고라 털 사용을 중단했다. H&M은 2013년 전체 원자재 중 11퍼센트를 지속 가능한 원자재로 사용했는데, 2020년까지 면제품은 모두 지속 가능 소재를 이용할 계획이다(2014년 기준 16퍼센트). 또 2020년까지 유해 화학물질 사용을 전면 중단할 계획이다. 매장 내 에너지 사용은 2007년 대비 2020년까지 20퍼센트 줄이는 것이 목표이며 지금까지 14퍼센트 줄였다. 뿐만 아니라 고객에게 지속 가능 소비를 권장하는 활동도 하고 있다. 세탁 요령을 설명하는 '웨어앤케어wear&care' 라벨을 붙인 것도 그 일환이다. 라벨에는 예컨대 '냄새만 약간 밴 경우에는 세탁하지 않고 환기가 잘되는 곳에 걸어두기만 해도 금세 냄새가 빠진다' 같은 내용이 붙어 있다.

H&M은 공급업체들이 이런 내용을 제대로 지키고 있는지 연 3000여 건의 감사를 시행한다. 지속 가능성을 실현한 정도에 따라 0에서 100까지 점수를 매긴 다음, 성과가 높은 업체에는 장기 계약을 맺는 등 인센티브를 준다. 실제로 높은 평가를 받은 캄보디아의 한 공장은 장기 계약을 맺은 기념으로 공장 노동자 5000여 명의 연봉을 인상했다. 이들은 그 지역의 다른 노동자 평균보다 15퍼센트 높은 임금을 받는다.

H&M과 같은 패스트 패션업체가 지속 가능성 활동에 적극적인 이

유는 무엇일까? '찔리기' 때문일 거라고 생각한다. 그들은 사회적으로 자주 비판받는다. 옷을 너무 많이 만들어 쓰레기를 양산하고 협력업체를 착취한다는 것이다. 의식 있는 소비자가 늘어난 만큼, 이를 소홀히 하면 여론의 표적이 되고 고객이 등을 돌릴 수 있기 때문에 지속 가능 경영을 펼치는 것이라 할 수 있다. 바꿔 말하면 인내하는 자연의 '부패'를 모방함으로써 소비자의 마음을 사로잡으려는 전략이라고도 할 수 있다.

공유가 만드는 청빈 사상

지속 가능 경영은 필연적으로 지구의 단순화와 연결된다. 그리고 지구적 차원에서 단순함을 추구하는 방법 중 하나는 '공유경제sharing economy'다. 우리는 물건을 반드시 소유해야 한다는 강박관념에 빠져 있는지도 모른다. 그러나 내 것을 남과 공유하면 소유하는 물건이 줄어들고 주변이 단순해질 수 있다. 그럼으로써 개인적으로는 내면의 충실함을 얻을 수 있고, 지구적 차원에선 구매, 소유, 소비, 폐기의 사이클을 벗어나 환경의 지속 가능성을 높일 수 있다.

공유경제란 물건이나 공간, 생산설비 등을 개인이 소유하지 않고 필요한 만큼 빌려 쓰는 것을 말한다. 예를 들어 우리집에 있는 빈방을 여행객에게 빌려주고(에어비앤비Airbnb), 낮 동안 비어 있는 우리집 주차장을 빌려준다(셀파크). 자동차 같은 제품부터 사무실, 화장실 같은 공간, 음식, 경험, 정보, 지식 등 상상할 수 있는 모든 것이 인터넷과 모바일을 타고 공유되기 시작했다.

에어비앤비란 회사를 창업한 브라이언 체스키Brian Chesky는 미국의 디자인 명문인 로드아일랜드 디자인스쿨을 우수한 성적으로 졸업했다.[23] 그는 졸업 후 부모의 바람대로 로스앤젤레스의 한 디자인회사에 취직했지만, 곧 싫증을 느끼고 사표를 냈다. 2007년 그는 동창인 조 게비아Joe Gebbia가 살고 있는 샌프란시스코로 향했다. 당시 게비아가 살던 집의 월세는 2300달러였다. 그는 그 절반인 1150달러를 부담하기로 하고 게비아의 집에 눌러앉았다. 그러나 당시 체스키의 은행 계좌에는 1000달러밖에 없었다. 뭐라도 해서 돈을 벌어야 했다.

그때 체스키의 눈을 사로잡은 게 있었다. 당시 샌프란시스코에서는 미국 산업디자인협회 회의가 열리고 있었다. 미국 각지에서 관련 업계 사람들이 몰려왔지만, 샌프란시스코 시내 호텔은 많은 사람을 수용할 여력이 없었다. 체스키와 게비아는 월세를 벌 아이디어를 떠올렸다. 회의에 참석하러 왔지만 호텔방을 구하지 못한 사람들에게 자신들이 사는 집의 남는 방을 빌려주자는 것이었다. 한 가지 문제는 여분의 침대가 없다는 것이었다. 그런데 게비아는 3개의 에어 매트리스를 갖고 있었다. 두 사람은 하루에 80달러를 받고 이 에어 매트리스를 제공하고 숙박 고객에게 아침식사도 대접하기로 했다.

그들은 이 서비스를 '에어베드 앤드 브렉퍼스트Airbed and Breakfast'라고 불렀다. 에어 매트리스와 아침을 제공한다는 의미나. 그리고 줄여서 '에어비앤비'라고 불렀다. 손님은 계속 몰려왔고, 두 사람은 이 방법을 확장해 본격적인 사업을 벌이기 시작했다. 놀리는 방이 있는 사람과 방이 필요한 숙박객을 연결해주는 사업이었다. 2013년 8월 에어비앤비는 전 세계 192개국, 약 3만 5000개 도시에 35만 개가 넘는 지역 주민들의 집을 네트워크로 확보한 세계 최대 숙박시설 공유업체가 됐다. 뉴욕과 파리에서만 각각 2만 3000개, 2만 4000개의 방을 네트워크로 연결하고 있다.

에어비앤비의 방식은 여러 방면에서 모방됐다. 예를 들면 스토어프런트StoreFront는 매장을 단기 임대해준다. 소매업계의 에어비엔비라 할 수 있다. 임차인은 리스크를 줄이면서 일정 기간 자신의 사업을 평가해볼 수 있고, 임대인은 공간 활용도를 높일 수 있다. 테크숍tech-shop이란 곳도 있다. 아주 저렴하게 기계 작업장을 공유하는 것인데 미싱, 목재 기계, 소프트웨어 등 다양한 설비를 갖추고 있다. 에어피앤피airpnp란 서비스까지 등장했다. 집주인은 비어 있는 화장실을 공유하고, 용무가 급한 사람은 스마트폰 앱으로 주위의 깨끗한 화장실을 찾아 이용할 수 있다. 무료도 있고 톰 크루즈, 니컬러스 케이지 같은 톱스타가 이용했다는 한 호텔의 화장실은 10달러를 받기도 한다. 북미와 유럽을 중심으로 현재 400여 곳의 집주인이 화장실 개방에 동참했다.

물론 과거에도 가족, 친척, 이웃, 지인이 서로 빌리고 빌려주었지만, IT가 만들어낸 디지털 플랫폼을 바탕으로 이 관계가 무한대로 넓어졌다. 빌려주는 사람은 놀리던 자원으로 돈을 벌고, 빌리는 사람은 저렴하게 서비스를 이용하고, 사회 전체적으로는 자원이 절약되는 윈윈 모델이다. 세계 공유경제의 규모는 작년 기준 51억 달러 수준으로, 매년 80퍼센트 이상 성장하고 있다. 공유경제 전문가 닐 고렌플로Neal Gorenflo는 "인간은 지구가 자체적으로 생산하는 자원보다 40퍼센트 이상을 더 소비하는데, 공유경제를 통해 자원 낭비를 막고 불평등을 해소할 수 있다"고 주장했다.[24] 고렌플로는 공유경제가 확산되는 이유에 대해 "2008년 글로벌 금융위기로 더 많이 가지면 행복해질 것이란 '미신'

이 사라지기 시작했다. 공유경제를 통해 기후변화나 빈부격차를 해결할 수 있다는 분위기가 퍼졌고, 여기에 정보기술이 발달하면서 활성화될 수 있는 토대가 마련됐다"고 말했다

공유경제로 생산과 소비가 줄어들 것이란 지적도 나온다. 공유하게 되면 제품 구매 행위가 감소할 것이기 때문이다. 이런 가능성을 고렌플로는 부정하지 않았다. 그는 "사실 생산과 소비를 좀 줄일 필요가 있다"며 "인간은 매년 지구가 대체할 수 있는 자원의 1.4배를 쓰고 있다. 이걸 무기한 반복할 수는 없다"고 이유를 설명했다. NASA의 최근 연구를 보면, 우리 사회에 들이닥친 가장 큰 위협 두 가지는 '환경의 질적 악화'와 '부의 불평등'이다. 공유는 이 두 가지를 모두 완화할 수 있다고 고렌플로는 강조한다.

적게 생산하고, 적게 벌고, 적게 쓰고, 나눠주고, 나눠 쓰고…… 어떻게 보면 축소 지향적이다. 하지만 이는 우리가 '더 많이'의 신화에 세뇌돼 '더 적게'의 이점을 간과하는 사고의 습관을 갖게 된 탓일 수도 있다. 또한 이는 지속 가능한 삶과 지구를 위해 불가피한 선택일지 모른다. 사실 우리는 지구를 후손에게 빌려 쓰고 있다고 봐야 한다. 공유하고 빌려 쓰는 것은 그런 존재의 의미와 맞닿아 있다는 점에서도 설득력을 가진다.

공유경제 분야의 권위자인 하랄트 하인리히Harald Heinrich 독일 뤼네부르크 대학교 사회학과 교수는 "공유경제는 한편으로는 개인과 개인이 온라인싱에서 공유하는 피어 투 피어peer to peer 방식의 비즈니스 모델이고, 다른 한편으로는 어떻게 친환경적이고 지속 가능한 제품을 생산할 것인가, 즉 생산 시스템의 문제"라고 했다. 미래학자 제러미 리프

킨Jeremy Rifkin도 『한계비용 제로 사회The Zero Marginal Cost Society』라는 책에서 현재 상태로는 지속 불가능한 미래 경제에 공유경제가 하나의 대안이 될 수 있다고 주장한다.

'한계비용 제로 사회'란 기술 혁명이 극단적 생산성 향상을 불러일으켜 모든 산업의 한계 생산비용, 즉 마지막 한 단위를 추가로 생산하는 데 드는 비용이 거의 제로 수준으로 떨어지는 사회를 말한다. 리프킨은 그 혁명의 원동력으로 사물 인터넷을 지목한다.

사물 인터넷 기술로 수십억 개의 센서가 모든 사물을 모든 사람과 연결시키고 통신·물류·에너지 등 생산 인프라 또한 연결됨으로써 모든 산업의 생산 방식이 디지털화되고 한계 생산비용이 급격히 떨어질 수 있다는 것이다. 마치 인터넷 뉴스나 스마트폰 앱을 더 많은 사람이 이용해도 기업 입장에서 추가로 발생하는 비용이 없는 것처럼 말이다. 이렇게 되면 인터넷 뉴스처럼 가격이 거의 공짜 수준까지 하락하는 가격 경쟁이 발생한다.

소비자 입장에선 반가운 일이지만, 기업 입장에선 이윤이 고갈돼 고정비용조차 회수하지 못하게 되므로 산업이 유지될 수 없다. 일자리가 없으니 소비가 창출되지 않아 산업은 더욱 유지되기 어렵다. 모든 것이 거의 공짜가 되므로 희소성은 사라지고, 희소성에 기반을 둔 자본주의는 작동 근거를 잃게 된다.

이런 상황에서 산업을 유지할 수 있는 방안은 두 가지뿐이다. 독과점화를 허용해 가격을 올리거나, 가격을 거의 제로로 두되 모든 사람이 생산비용을 소비량과 무관하게 똑같이 분담하는 것이다. 리프킨이 주장하는 것은 두번째 방안이다. 통신이나 전력 산업의 '보편적 서비스'

와 유사한 사회정책적 개념이라 할 수 있다. 모든 사람이 협업으로 생산에 참여하고 그 산출물을 공유하는 '협업형 공유경제' 방식으로 경제가 운영된다면, 한계비용 제로 상황에서 모든 사람이 마음껏 써도 자원이 고갈되지 않는 풍요를 공유할 수 있게 된다는 것이 리프킨이 제안하는 대안이다.

진정 희소한 자본은 '자연자본'

'자본주의'란 말은 문자 그대로 '자본'의 역학에 관한 가치체계다. 그런데 그 자본에 대한 중요 가정, 즉 자본이 희소하다는 가정은 더이상 유효하지 않다. 그러나 그것은 전통적인 의미로 자본을 정의할 때만 그렇다. 이 시대에 진정으로 희소하고 중요한 자본이 있다. 세계적인 환경운동가 폴 호큰이 이름 붙인 '자연자본'이 그것이다. 이는 생명을 지탱하는 생태계 시스템의 총합을 말한다. 인간의 활동으로 생산할 수 없다는 점에서 자연자본은 인공자본과 다르다.

우리는 자연자본을 쉽게 간과한다. 공기가 없으면 살지 못하는데 우리는 공기의 소중함을 모른다. 우리는 자연자본이라는 연못 속에서 헤엄치고 있는데도, 물고기가 그렇듯이 스스로가 물속에 있다는 사실을 인식하지 못한다. 즉 우리는 생태계가 우리 삶에 갖는 가치를 정확히 알지 못한다. 앞서 언급한 에드워드 윌슨 교수는 나와의 인터뷰에서 그 가치에 대해 자세히 설명해주었다. 그는 생물 다양성biodiversity을 강조하는 대표적인 자연보호론자이기도 하다. 지면 사정상 신문에 다 싣지 못한 이야기를 소개한다.

"우리는 생물 다양성을 파괴할 때 어떤 일이 일어날지 예측하지 못하고 있다. 생태계는 수백만 년 동안 이 세계의 평형 상태를 유지하는 여러 메커니즘을 만들어냈는데, 우리는 이제야 그중 일부를 연구하게 됐을 따름이다.

사실 우리는 현재 지구의 생물 다양성이 어느 수준인지조차 모르고 있다. 우리는 지난 250년간 지구의 190만여 종種에 이름을 붙일 수 있게 되었지만, 전체 생물 다양성의 규모에 대해서는 대강의 크기조차 잘 모르는데, 최근의 한 연구는 약 800만 종의 동식물이 존재할 것이라고 추정한다. 미생물까지 아우르면 말문이 막힐 정도로 많다. 지구의 대부분의 산소 생산은 해양과 수중 생태계를 통해 이뤄지는데, 이는 대부분 1차 조류藻類의 하나인 프로클로로코커스prochlorococcus가 담당하고 있다. 일반 현미경으로는 안 보이는 이 미생물(길이가 0.6마이크로미터다)은 1988년 전까지는 우리가 존재조차 모르고 있었다. 그럼에도 이 세상에서 가장 많은 수효로 해양에서 광합성을 하는 생물종이다.

요컨대 우리는 아직 대부분 조사도 못한 생물권에서 살고 있는 것이다. 내 예상에 우리가 현재와 같은 속도로 생물권을 조사한다면, 최소한 어떤 종들이 살고 있는지 알아내는 데만 100~150년이 걸릴 것이다. 그리고 그건 시작에 불과하다. 왜냐하면 우리는 생태계가 어떻게 짜여 있는지 모르기 때문이다. 아주 많은 종류의 생물들이 생태계에서 서로 연결되어 있는데, 이런 연결에 대해서는 이제야 연구하기 시작했을 따름이다. 우리는 심지어 핵심종Keystone species, 그러니까 그것을 제거하면 전체 생태계가 무너지는 종이 무엇인지도 파악조차 못했다.

이런 비유가 와닿을지 모르겠다. 만약 우리를 집도하는 외과의사가 우리의 생체기관의 10만분의 1밖에 모르면서 몸을 헤집는다고 생각해봐라. 그러므로 우리는 신중할 필요가 있다. 동양적인 태도라고 할 수 있을지 모르겠다. 도교道教라고 할까, 이 세계의 합일, 부분을 넘어 전체의 조화를 중시하는 사고 말이다. 바로 이것이 생물 다양성을 유지해야 하는 이유라고 할 수 있다.

따라서 '그냥 내버려둬라Leave them alone'! 이게 우리가 해야 할 일이다. 우리가 새를 좋아하고 야생에서 평화를 느끼기 때문에 그래야 한다는 것이 아니다. 그것도 좋지만, 더 중요하게는 우리가 조심해야 하기 때문이다. 우리는 너무 빠르게 세상을 변화시키고 파괴하고 있다."

그는 인터뷰 당시 세 권의 책을 집필중이라고 했는데, 그중에는 『인류세의 종언The End of the Anthropocene』이라는 책도 포함돼 있었다. '인류세'가 무엇이냐는 질문에 그는 "만들어진 지 얼마 안 되는 말이지만, 앞으로 많이 듣게 될 말이며, 점점 큰 반향을 불러일으킬 말"이라고 했다. 'Anthropo'는 그리스어로 '인류'를 말하며, 'cene'은 지질학적 시대를 가리킨다. 이 개념은 인류가 현재 환경에 미치는 영향이 엄청나서 지금의 지실학적 시대(홀로세, 현세)를 넘어 새로운 지질학적 시대가 시작됐다고 봐야 한다는 이해로부터 비롯됐다고 그는 설명했다.

"만약 인류가 종말을 고하고 나서 수백만 년 후에 다른 행성에서 생명체가 와 고고학적·지질학적 소사를 한다면 우리가 만들어낸 지층을 확인하게 될 것이다. 쓰레기, 그리고 멸종된 생물들의 화석 같은 것을 지질학적 지층으로 보게 될 것이다. 그만큼 우리 인류가 지구에 엄청난 영향을 끼치고 있기 때문이다.

이렇게 인류세, 즉 인류가 지구를 지배하는 시기에 접어들면서, 우리가 지구를 완전히 소유할 수 있다고 믿고, 그것이 곧 우리의 운명이라고 믿는 사람이 주변에 많다. 지구, 이 행성은, 인류의, 인류에 의한, 인류를 위한 곳이라는 것이다. 더이상 우리가 자연에 대해 관심을 가질 필요가 없다, 자연은 이미 죽었다고 선언하는 것이다. 이러한 이해가 오해라는 것이 지금 준비하는 책의 주제다. 나는 이 책에서 인류세의 종말을 주장할 것이다. 인류의 진보를 끝내자는 것이 아니다. 내가 끝내자고 주장하는 것은, 이 지구라는 행성이 진정으로 인류의 것이라는 생각을 끝내자는 것이다. 인류 외에 모든 것들을 배제하고 오로지 인류만을 위해 써야 한다는 생각, 모든 것은 인류를 위해 복속되어야 한다는 생각 말이다."

윌슨 교수는 생태계가 교란되었을 때의 미래상에 대해서도 이야기했다.

"우리가 지금처럼 계속 자연을 파괴하고 나면 우리는 우주선에 사는 것과 다름없어질 것이다. 그리고 인류는 우주선의 선장이 될 것이다. 그럼 우리는 자연 생태계가 대기와 토양, 물의 대순환을 유지하는 상황을 즐기는 것이 아니라, 우리 스스로 그 다양한 상태들을 통제하고 측정하고 관리해야 하는 것이다. 그처럼 끔찍한 상황이 어디 있는가? 인류가 끊임없이 논쟁하고 계획하면서 이 행성의 안정을 유지해야 한다고 상상해보라. 벌써 기후변화 때문에 그렇게 하고 있지 않은가?"

윌슨 교수가 연구해온 진화생물학은 우울한 과학이다. 흔히 우울한 과학의 대명사로 일컬어지는 경제학보다 훨씬 우울하다. 진화론은 사람이 단순히 유전자의 운반기계에 불과하다고 보기 때문이다. 그래서 진화론을 접한 많은 사람이 허무주의에 빠진다. '그럼 우리는 무엇 때문에 사는가? 모든 것이 유전자가 계획한 대로 움직일 뿐인데……
나는 지금까지 알던 내가 아니구나. 내 안의 유전자가 이렇게 하는 거
구나.' 나 역시 윌슨 교수를 만나기 전후에 공부한답시고 진화론 책을
몇 권 정독했는데, 비슷한 경험을 했다. 하이데거가 말한 대로 그야말
로 세상에 내팽개쳐진 느낌이었다. 존재의 의미도, 관계의 의미도 하찮
게 느껴졌다. 그리고 심각하게 우울해졌다. 결국 진화론 책들을 모두
책장 아래 깊숙이 감춰버렸다. (그래도 버리기엔 아까웠다.)

그렇다면 윌슨 교수는 그 우울한 학문을 하면서 어떻게 우울해지
지 않을 수 있었을까? 어떻게 어린아이 같은 천진난만함을 잃지 않을
수 있었을까? 그것은 그가 평생 가까이한 자연의 힘 때문이었는지도
모른다.

자본주의의 핵심은 '자원 분배'가 아닌 '창조'에 있다

많은 문제점에도 불구하고 자본주의는 인류의 번영에 크게 기여
해왔다. 19세기와 20세기에 서구를 경제적으로 크게 번영시켰으며, 이
어 개도국에서 수억 명의 인구를 기아로부터 해방시켰다. 그런에도 자
본주의가 오늘날처럼 거세게 공격받았던 적은 없었다. 특히 2008년 금
융위기 이후 세계적인 빈부격차 심화와 중산층의 정체는 많은 사람들
로 하여금 자본주의 시스템의 모순에 눈을 돌리게 했다.

무엇이 잘못됐을까? 옥스퍼드대 신경제사고연구소 소장인 에릭
베인호커Eric Beinhocker 박사와 기업가이자 벤처캐피털리스트인 닉 하

나우어Nick Hanauer는 매킨지 쿼터리에 기고한 '자본주의를 재정의한다 Redefining capitalism'에서 자본주의가 '어떻게', 그리고 '왜' 작동하는지에 대한 재정의가 필요하다고 주장했다. 이들은 지난 100년간 이른바 '신고전주의' 경제학은 자본주의의 작동원리를 편협하게 기계적으로 해석함으로써 오해를 불렀다고 주장한다. 즉 사회의 여러 자원을 효과적으로 배분하는 데 있어 시장과 가격의 역할에 치중했다는 것이다. 이를테면 합리적이고 이기적인 기업들은 이윤을 극대화하고, 합리적이고 이기적인 소비자들은 자신들의 효용을 극대화하고, 이런 경제주체들의 결정이 공급과 수요를 추동해 가격이 설정되고, 시장은 균형을 찾으며, 자원은 최적의 사회적 방법으로 배분된다는 식이다.

이런 관점은 흔들목마에 비유할 수 있다. 외부의 힘에 의해 잠시 동요하지만 조만간 다시 정적인 균형 상태로 돌아간다. 그러나 금융위기 동안 우리가 목격한 것은 흔들목마가 아니라 야생마의 무리에 가까웠다. 무언가가 그중 한 마리를 겁먹게 하면 그 말은 다른 말을 걷어차고 다른 말은 또다른 말을 걷어차며 빠른 속도로 전체 무리가 복잡하고 동적인 방식으로 움직이게 된다.

지난 수십 년간 신고전주의 경제학이 흔들리기 시작했고, 금융위기 이전부터 새로운 경제학적 관점이 등장했다. 이는 금융위기 이후 꽃을 피우기 시작했다. 이 새로운 관점은 경제를 늘 진화하고 밀접하게 상호 작용하는 경제주체들의 네트워크로 본다. 흔들목마보다는 야생마 무리에 가깝다. 이처럼 복잡하고 동적이며 개방돼 있고 비선형적인 경제는 신고전주의가 상정하는 기계론적 시스템이 아니라 생태계에 가깝다. 에릭 베인호커와 닉 하나우어는 자본주의에 대한 이런 새로운 관

342

점에 입각해 자본주의의 초점을 '자원 배분의 효율성'에서 '창조성을 촉진하는 효과성'으로 옮긴다. 그들에게 시장이란 매일 우리의 삶을 향상시키기 위한 수백만 가지 실험이 일어나는 진화론적 시스템이다. 요컨대 자본주의의 핵심적 역할은 '자원 배분'이 아니라 '창조'에 있다.

오늘날 수십억 인구의 삶이 1800년 전보다 극적으로 향상된 것은 자원을 더 효율적으로 배분해서가 아니다. 인간이 부닥치는 여러 문제들을 해결하는 동기구조를 만들고, 그것을 많은 사람이 이용할 수 있도록 했기 때문이다. 중요한 것은, 번영을 정의하는 것은 돈이 아니라 인간의 문제들에 대한 해법이라는 점이다. 자본주의의 작동 원리에 대한 이같은 인식의 변화는 앞서 설명한 제조업자적 사고방식에서 마케팅적 사고방식으로의 전환과 유사하다. 그리고 '더 많이'의 패러다임에서 벗어나야 한다는 이 책의 논지와도 부합된다.

① 번영의 재정의

우리는 사람들이 돈을 많이 가질수록 사회가 번영한다고 생각하기 쉽다. 미국 가계의 평균 가처분소득은 2013년 3만 8001달러인데, 캐나다는 2만 8194달러이다. 이 수치를 보고 사람들은 미국이 캐나다보다 더 번영을 누린다고 생각한다. 그러나 이같은 생각이 오류임은 간단하게 논박할 수 있다. 만일 소득이 3만 8001달러인 전형적인 미국인이 브라질 열대우림 고립지역에서 수렵과 채취를 하는 원주민들과 같이 생활한다고 하자. 당연히 그는 그 지역 최고의 부자가 될 것이다. 아무리 오두막집을 멋있게 수리하고, 마을에서 가장 좋은 바구니를 구입하고, 마을에서 가장 좋은 음식을 먹더라도 그는 항생제와 에어컨, 안락한 침대를 가질 수는 없다. 요컨대 인간 사회에서 번영이란 소득이나 자산처럼 화폐적으로 측정되어서는 부정확하고, 인간의 문제들에 대한 해결책의 총합으로 이해돼야 한다는 것이다.

②성장의 재정의

측정이 되어야만 관리할 수 있다. 현대 GDP 회계가 세계 경제 발전에 큰 기여를 한 것 역시 분명하다. 하지만 최근 GDP가 인간 진보의 척도로 부적절하다는 주장이 많이 제기되고 있다. 세계 GDP는 1973년 이래 매년 2.5퍼센트씩 착실하게 성장해왔다. 그러나 우리 삶의 경험이 그만큼 개선돼왔는지는 의문이다. 삶의 질, 여가 시간, 가족과 보내는 시간, 실질 임금, 경제적 안정성 면에서의 개선 말이다.

엘리자베스 2세 영국 여왕은 2008년 런던경제대학LSE에서 열린 글로벌 금융위기 토론에서 금융 거물들을 당황시켰다. "왜 아무도 금융위기가 찾아오는 걸 몰랐죠?"[25] 이 질문은 그 뒤로도 끊임없이 경제 전문가들을 괴롭혔는데, 그들은 앞선 '황금기' 동안 실패의 잠재적 위험성을 보지 못했을 뿐만 아니라 성공의 '진짜 비용'도 인식하지 못했기 때문이다. 지나간 황금기는 탐욕으로 얼룩졌고, 급격한 경제성장의 와중에 오히려 소득과 삶의 질은 불평등해졌다고 많은 사람이 생각한다. 세계의 지도자들은 이 문제의 심각성을 이해하기 시작했고, GDP를 대체할 수 있는 좀더 새롭고 포괄적인 정책 목표를 고려하기 시작했다. 이것이 중요한 이유는, 목표가 바뀌면 사람들의 생각과 행동이 바뀌기 때문이다.

GDP라는 개념을 처음 만든 경제학자 사이먼 쿠즈네츠Simon Kuznets도 우리의 실제 삶과 GDP의 괴리 문제를 인식하고 있었다. 그는 GDP

개념을 처음 알린 「국민소득, 1929~1932」라는 논문의 서론 7쪽에 이렇게 썼다. "따라서 한 국가의 복지는 앞서 정의한 대로의 국민소득 측정으로는 거의 유추될 수 없다." 경제학자다운 조심스러운 말로 포장돼 있지만, 그 메시지는 뚜렷하다. GDP는 경제적 성과 측정을 도와주는 도구이다. 그러나 그것은 우리의 복지를 측정하는 수단은 아니다. 따라서 그것이 모든 의사결정의 지표가 돼서는 안 된다.[26]

현 경제학의 정의에 따르면, 산업, 환경, 사회적 낭비의 대부분이 GDP로 집계된다. 사회에 도움을 주는 지출이냐, 손해를 보는 지출이냐는 전혀 따지지 않는다. 그저 모든 지출을 더한 것을 경제성장으로 정의한다. 이를테면 GDP는 폭탄과 감옥도 성장으로 계산한다. 새로운 지표는 그런 점을 개선해야 한다. 가장 많이 거론되는 대안은 '삶의 질' 또는 '삶의 만족도'를 측정하는 것이다. 여기엔 대인관계, 공동체, 치안, 건강처럼 GDP에는 포함되지 않지만 인생에서 중요한 것들이 포함될 수 있다. 또한 GDP에는 기술이 주는 혜택이 반영되지 않는다. 우리는 구글이나 네이버, 페이스북 같은 인터넷 서비스를 사용해 예전보다 훨씬 쉽게 일할 수 있게 됐지만, 이에 대한 사용 요금을 지불하지는 않는다. 따라서 이는 GDP에는 포함되지 않는다. 에릭 브린욜프슨 교수와 MIT 박사후과정 연구원인 오주희 박사의 연구에 따르면, 인터넷 공짜 상품의 가치가 반영될 경우 미국의 성장률은 2, 3퍼센트 포인트 더 높아질 것으로 추정된다.

에릭 베인호커와 닉 하나우어는 앞서의 주장의 연장선에서 새로운 지표가 '인간의 문제들에 대한 새로운 해결책의 질과 이용 가능성'을 반영해야 한다고 주장한다. 이를테면 도서관에 가서 정보를 찾던 사람

345

이 인터넷으로 세계의 정보를 순식간에 얻으면 성장이다. 이처럼 성장을 재정의한다면, 우리 삶은 '더 많이'의 맹목에서 벗어나 보다 심플해지고 행복해질 것이다.

③자본주의의 재정의

경제학의 전통적인 견해는 자본주의는 '효율적efficient'이기 때문에 제대로 작동한다는 것이다. 그러나 실제로 자본주의의 강점은 문제를 창의적으로 해결하는 능력과 '효과성effectiveness'에 있다고 에릭 베인호커와 닉 하나우어는 주장한다. 효율성은 더 싸게 더 많이 만드는 데 가치를 두는 것으로 앞서 설명한 제조업자적 사고방식이 중시하는 미덕이다. 반면 효과성은 다른 사람에게 의미 있는 기여를 하는 데 가치를 두는 것으로 마케팅적 사고방식이 중시하는 미덕이다.

자본주의의 효과성은 효율성과 때로 상충한다. 이를테면 자본주의는 매일 수백만 명에게 새로운 문제 해결 방법을 찾는 실험을 하도록 동기를 부여하고, 그중 가장 나은 것을 선택하는 경쟁을 제공하는데, 그 과정에서 덜 성공적인 것은 도태된다. 생태계를 닮은 이 과정은 필연적으로 낭비를 초래한다. 매일 수많은 기업이 새로 생겨나지만, 그에 못지않게 많은 기업이 사라진다. 성공적인 자본주의는 그런 의미에서 '슘페터적 낭비'의 측면을 갖는다.

④기업의 역할

모든 사업은 문제 해결의 아이디어에 기초를 둔다. 변화하는 사람들의 요구를 효과적으로 충족시키는 위대한 아이디어를 제품과 서비스로 전환하는 과정이야말로 대부분의 사업을 규정짓는다. 이는 매우 당연해 보이며, 많은 CEO들은 "그게 바로 우리가 하는 일입니다"라고 말할 것이다. 그러나 기존의 정통 이론은 그렇게 말하지 않았다. 신고전주의 이론에 바탕을 둔 1970년대와 1980년대의 경영학 연구들은 주주가치를 극대화하는 것이 기업의 유일한 목적이 돼야 한다고 주장했다. 그런 주장을 하는 교수들은 기업이 이를 달성하기만 하면 사회 전체의 경제적 효율과 사회적 복지를 극대화할 수 있다고 말했다. 이러한 관점은 그전까지 자본주의가 갖고 있던 일부 문제점을 개선하긴 했다. 특히 주주들에게 힘을 실어줌으로써 CEO들이 수익을 추구하기보다 자신의 제국을 키우는 데 몰두하는 행위에 브레이크를 걸었다.

그러나 주주가치를 극대화하자는 주장은 다른 큰 문제들을 낳기 시작했다. 이는 기업들로 하여금 분기 실적과 단기적인 주가 움직임에 근시안적으로 과도하게 신경쓰게 했고, 장기 투자를 기피하게 만들었다. 이러한 태도는 그 바로 직전까지 경영사의 사고방식과도 크게 달랐다. 만일 성장과 번영을 구가했던 1950년대의 CEO들에게 CEO의 책무가 무엇이냐고 물었다면, 첫번째로 "고객을 위해 훌륭한 제품과 서비스를 만드는 것"이라고 대답했을 것이다. CEO들은 이어서 종업원 관리와 미래의 성장에 투자하기 위한 이윤 창출을 꼽았을 것이고, 마지막에야 주주들에 대한 적절한 배당을 이야기했을 것이다.

글로벌 금융위기를 겪고 나서 구미 경영계에서는 1950년대의 생각으로 되돌아가려는 움직임이 일고 있다. 또한 주주에게만 초점을 맞추기보다 소비자와 종업원, 지역사회 등 다양한 이해관계자에게 고루 신경쓰자는 생각이 다시 자리잡기 시작했다. '파괴적 혁신'으로 유명한

클레이튼 크리스텐슨 교수는 불과 얼마 전까지 경영계를 풍미했던 주주가치 극대화는 잘못된 가정에 기반하고 있다고 주장한다. 즉 '자본이 희소하다'는 가정이 그것이다.[27] 그러나 이 책의 모두에 이야기한 것처럼 요즘은 자본이 희소한 게 아니라 너무 흔해졌다. 생각이 바뀌어야 하는 이유다. 그렇다고 주주가 중요하지 않다는 이야기는 아니다. 주주에게 적절한 수익을 제공하는 것은 성공적인 기업의 기본적인 조건이다. 그러나 그것이 기업의 목적이 될 수는 없다. 충분한 식량은 인간이 살아가는 데 기초적인 요건이지만, 삶의 목적은 단순히 먹는 데에 있지 않다.

오늘날의 문화는 돈과 부를 성공의 척도로 생각한다. 이런 생각은 전통적인 경제, 경영 이론에 의해 강화됐다. 대신 이제는 사람들의 문제를 창의적으로 해결했을 때 축하하는 문화를 자리잡게 하면 어떨까. 우리는 어떤 사람을 처음 만날 때 "어떤 일을 하세요?"라고 묻는다. 이는 결국 어떤 직위에 있고 돈은 얼마나 버느냐는 질문이기도 하다. 그 대신 "어떤 문제를 풀고 계세요?"라고 묻는 문화가 정착되면 자본주의와 우리 사회 모두 지금보다 훨씬 개선될 것이다.

결국 '지켜라'라는 단의 공식은 '장기적인 시각을 갖고 미래를 내다보는 일'과 같다. 개인적 차원에서는 삶의 마지막 장면을 의미 있게 만들기 위해 노력하는 것이고, 기업의 차원에서는 가장 소중한 핵심가치를 지키기 위해 어떤 역경에도 굴하지 않는 것이며, 지구적 차원에서는 더 나은 내일, 모두가 행복한 미래를 위해 자본주의부터 환경 문제까지 '우리의 문제'를 해결할 방법을 같이 모색하는 것이다.

단순함이란 가장 소중한 것까지 죽이고 또 죽임으로써 버리고 비워내는 정화의 과정이고, 다른 사람의 생각과 말, 시각에 휘둘리지 않고 오직 나만의 가치를 세우는 고집이며, 먼 미래를 내다보고 우직하게 걸어가는 뚝심이다. 앞서 던졌던 질문을 조금 변형해 다시 한번 꺼내본다.

이제 당신은 단순해질 각오가 됐는가?

모든 것을 다 비워버린
깊은 기쁨

옛날에 어떤 이가 이웃의 식사에 초대받아 갔다. 음식을 먹다가 싱겁다고 하니 주인이 소금을 조금 넣어주었다. 정말 맛있게 먹고 나서 손님은 생각했다. '조금만 넣어도 이렇게 맛있어지는데, 더 많이 넣으면 얼마나 맛있을까?' 그 뒤 그는 계속 소금만 퍼먹었고, 결국 입안이 헐고 병이 났다.

인도의 불교 우화를 모은 책 『백유경百喩經』에 나오는 이야기다. 전례 없는 풍요의 시대를 살아가면서도 계속 '좀더 좀더' '이것도 저것도'를 외치며 더 배고파하고 목말라하는 우리 자신의 모습을 보는 듯하다.

많을수록 행복할까? 꼭 그런 것은 아니다. 오히려 반대일지 모른다. 과감히 버림으로써 얻을 수 있는, 더 높은 차원의 만족이 있다. 소나무 향기처럼 청아한 마음의 만족 말이다. 방에 불필요한 물건이 잔뜩 쌓여 있는데, 정리하지 않고 지낸 적이 있는가? 그러고 있으면 방에 공기마저 통하지 않고 탁해진다. 필요한 물건을 필요할 때 찾을 수도 없다. 마음도 마찬가지다. 진흙투성이로 탁해지면, 일이며 인간관계며 가정이며 그때그때 적절한 판단을 할 수 없게 된다.

채울수록 좋을까? 꼭 그런 것은 아니다. 비워야 좋을 때가 많다. 골프에 '힘 빼는 데 3년'이란 말이 있다. 오랫동안 해보니 아니다. 3년으론 턱도 없다. 30년은 필요하다. 힘 빼기가 그렇게 어렵다. 힘을 빼기 위해서는 마음을 비워야 한다. '잘 쳐야겠다' '이겨야겠다'는 생각을 버려야 한다. 골프를 열심히 연습하던 시절 어느 코치가 귀에 못이 박히도록 말했다. "공을 맞히려고 하면 더 맞지 않고, 맞히지 않으려 하면 맞는다"라고. 무슨 귀신 씨나락 까먹는 소리냐고 생각했는데, 맞다. 시인 고은이 "내려갈 때 보았네/ 올라갈 때 보지 못한/ 그 꽃"이라 하고, "노를 젓다가/ 노를 놓쳐버렸다// 비로소 넓은 물을 돌아다보았다"[1]라고 한 뜻을 조금이나마 알 것 같다.

인생도 마찬가지 아닐까. 누군가 결정적인 순간을 맞을 때 사람들은 "어깨 힘을 빼고 평소 하던 대로 자연스럽게 하라"고 말하곤 한다. 그러나 어디 그게 말처럼 쉬운가. 나이를 먹어가면서 숱한 시행착오를 겪고서야 비로소 그런 경지를 조금이나마 느낄 수 있는 것 같다. 경험이 쌓이고 자기 자신이란 것이 확립될수록 굳이 남에게 좋은 모습을 보이려는 생각이 없어지고, 역설적으로 자의식이 엷어진다. 근본이 단단해지면 굳이 '내가, 내가'라고 주장하지 않더라도 자기 자신을 잃어버리는 일이 없기 때문이다.

에필로그

단순함은 고요함을, 고요함은 평안함을, 평안함은 무엇에도 쉽게 흔들리지 않는 안정감을 가져온다. 모든 것을 다 비워버린 깊은 기쁨을 한 선시禪詩는 이렇게 표현했다.

대나무 그림자가 섬돌을 쓸어도
먼지 하나 일지 않고
달빛이 연못 바닥까지 꿰뚫어도
물에는 아무 자국이 없네

자, 우리 이젠 버리고 비워보지 않으려는가.

감사의 글

　이 책은 조선일보와 '위클리비즈'가 없었으면 태어날 수 없었다. 위클리비즈 편집장으로 일할 기회를 주신 조선일보 방상훈 사장과 변용식 발행인, 강효상 편집국장, 그리고 위클리비즈의 전·현직 팀원들, 이 밖에 일일이 거명하지 못한 조선일보의 선후배, 동료 들에게 깊이 감사드린다.

　이 책에는 위클리비즈 전·현직 팀원을 비롯한 조선일보 기자들의 생생한 인터뷰와 취재가 사례로 많이 인용됐다. 열과 성을 다한 취재로 위클리비즈 지면을 빛내주고 이 책에 인용을 허락해준 동료 기자들에게 마음속 깊이 감사드린다. 특히 미국으로, 유럽으로 세계 각지를 발로 뛰어다녔던 오윤희 기자와 윤형준 기자의 열정과 땀이 담긴 기사들이 없었다면 이 책은 나올 수 없었을 것이다.

　오윤희 기자가 『보랏빛 소가 온다』 『이카루스 이야기』를 펴낸 세계적인 마케팅 베스트셀러 저자 세스 고딘을 인터뷰했을 때의 일화가 생각난다. 오기자가 그를 만나기로 한 2014년 1월의 뉴욕은 폭설 때문에 도로가 통제되고 학교도 임시 휴교한 상태였다. 그러나 오기자는 약속에 늦지 않기 위해 새벽에 출발해 약속 시각보다 2시간 이른 오전 7시에 그의 사무실 근처에 도착했다. 근처 카페에서 메일함을 열어보니 그가 보낸 메일이 들어와 있었다. '눈이 너무 많이 내리고 있으니 인터뷰는 어렵겠고 나른 방법을 찾아보자'는 내용이었다. 전화를 걸어 '벌써 도착했다'고 하자, 그는 '믿을 수 없다'고 여러 번 감탄하더니 '곧 가겠다'고 말했다. 조금 뒤 나타난 그는 "당신이 오늘 여기 올 수 있으리라고는 상상도 못했다. 50년 전까지 세계에서 가장 가난한 나라들 가운데 하나였던 한국이 지금처럼 성장한 이유를 알겠다"고 말했다.

또 장일현, 이위재, 이인열, 최원석, 류현정, 이신영, 박승혁 기자에게도 감사한다. 이 책이 생생함을 가질 수 있었다면 그것은 모두 이런 위클리비즈 전·현직 동료 기자들 덕분이다. 위클리비즈 기사들을 빛나게 편집해준 편집부 동료들에게도 감사한다.

이 책에는 세계적인 컨설팅회사인 베인앤컴퍼니의 컨설팅 사례들이 많이 인용됐다. 많은 관련 자료들을 찾아 보내준 정지택 베인앤컴퍼니 코리아 대표에게 감사한다. 정태영 현대카드 사장은 이 책의 구상 단계부터 마무리 단계까지 많은 조언을 해주고, 현대카드 디자인 라이브러리에 소장된 책 중 단순함에 관한 책을 선별해주었으며, 현대카드와 GE의 단순화 프로젝트 추진 사례를 자세히 설명해주었다. 깊이 감사드린다. 이 책의 초고를 읽고 소중한 조언을 해준 홍성태 한양대 교수, 김형태 조지워싱턴대 객원교수, 홍종호 서울대 환경대학원 교수, 강태형 문학동네 사장에게도 감사드린다.

한 세대가 다음 세대에게 물려줄 수 있는 최고의 선물은 오랜 경험에서 묻어나는 지혜일 것이다. 이 책에 인용된 많은 책의 저자들과 인터뷰 대상으로 소개된 석학들, 경영인들에게 지혜를 빌려준 점에 대해 머리 숙여 감사한다.

마지막으로 이 책을 쓰는 도중 크고 작은 난관에도 불구하고 가장 솔직한 조언을 해주고 늘 격려해준 아내 김소미와 형 이상훈, 그리고 어머니와 현지, 재현에게 사랑과 감사를 보낸다.

미주

프롤로그. 지금 우리에겐 '빈 잔의 마음'이 필요하다

1   마쓰시타와 스님의 일화와 '빈 잔의 마음'이라는 표현은 무무木木, 『오늘, 뺄셈人生中的滅法』, 오수현 옮김, 예담, 2013에서 참고했다.

2   테리 리히Terry Leahy, 『위대한 조직을 만드는 10가지 절대법칙Management in Ten Words』, 차백만 옮김, 21세기북스, 2013에서 재인용.

3   박승혁, 'CEO는 외로운 존재… 누군가 자기 의견에 반대해주길 원해', 위클리비즈, 2013. 6.1.

1장. 단순해질 각오가 돼 있는가

1   김형태, '[김형태의 예술과 금융] 헨리 무어의 조각처럼, 경제도 '千의 얼굴' 가져야 선진국', 위클리비즈, 2013.10.19.

2   최원석, '제 작품 50번이나 본다고요? 49번 볼 시간에 다른 경험 하세요', 위클리비즈, 2013.10.5.

3   최원석, '진짜 인생은 정리한 뒤 시작된다… 울림 없는 물건은 모두 버려라', 위클리비즈, 2013.9.14.

4   최경원, 『좋아 보이는 것들의 비밀 Good Design』, 길벗, 2012.

5   유홍준, '다시 장인정신을 묻는다', 『신동아』 창간 80주년 기념 릴레이 강연, 2011.7.21.

6   헨리 데이비드 소로Henry David Thoreau, 『월든Walden』, 강승영 옮김, 은행나무, 2011.

7   시나 아이엔거Sheena Iyengar, 『쉬나의 선택실험실The Art of Choosing』, 오혜경 옮김, 21세기북스, 2010에서 재인용.

8   박승혁, "총, 균, 쇠' '문명의 붕괴' 저자 다이아몬드 교수를 만나다', 위클리비즈, 2013.9.7.

9   함영준, '[함영준의 사람과 세상] 자칭 보통 사람 정명훈 "천재 못 따라가니 평생 노력"', 중앙선데이, 2014.11.30.

10   Adam Gorlick, 'Media multitaskers pay mental price, Stanford study shows', *New Scientist*, 2009. 5: 11.

11   니컬러스 카Nicholas Carr, 『생각하지 않는 사람들The Shallows』, 최지향 옮김, 청림출판, 2011.

12   아리아나 허핑턴Arianna Huffington, 『담대하라, 나는 자유다On Becoming Fearless』, 이현주 옮김, 해냄, 2012.

13   언스트 곰브리치Frnst Gombrich, 『서양미술사The Story of Art』, 백승길, 이송숭 옮김, 예경, 2013.

14   변양균, 『어떤 경제가 우리를 행복하게 하는가』, 바다출판사, 2012.

15   미셸 투르니에Michel Tournier, 『짧은 글 긴 침묵Petites proses』, 김화영 옮김, 현대문학, 2004.

16   A. K. 프라딥A. K. Pradeep, 『바잉 브레인The Buying Brain』, 서영조 옮김, 한국경제신문, 2013.

17   Niraj Dawar, 'When marketing is strategy', *Harvard Business Review*, Dec 2013.

18   크리스티안 제렌트Christian Saehrendt, 슈테엔 키틀Steen T. Kittl, 『예술은 무엇을 원하는가Was will Kunst?』, 정인회 옮김, 자음과모음, 2011.

19   류현정, '페이스북에 인수된 인스타그램 창업자 시스트롬', 위클리비즈, 2013.7.13.

20   A. G. 래플리A. G. Lafley, 로저 마틴Roger Martin, 『승리의 경영전략Playing to Win』, 김주권 외 옮김, 진성북스, 2013.

21 앨런 시겔Alan Siegel, 아이린 에츠콘Irene Etzkorn, 『심플Simple』, 박종근 옮김, 알에이치코리아, 2013.

22 이미지, '황당해 보이는 이 경고문… 처절한 생존 몸부림입니다', 조선일보, 2014.9.6.

23 호리바 마사오堀場雅夫, 『남의 말을 듣지 마라人の話なんか聞くな』, 이선희 옮김, 이레, 2004.

24 금원섭, 김정훈, '당신의 연금은 안녕하십니까 (3)난해한 상품 설명', 조선일보, 2014.4.20.

25 자일스 콜본Giles Colborne, 『Simple and Usable 단순한 디자인이 성공한다Simple and usable web, mobile, and interaction design』, yuna 옮김, 에이콘출판사, 2012.

26 류현정, '우리의 1순위는 돈이 아닙니다', 위클리비즈, 2013.11.16.

27 Daniel Alpert, The Age of Oversupply, Portfolio, 2013.

28 폴 호큰Paul Hawken, 에이머리 로빈스Amory Lovins, 헌터 로빈스Hunter Lovins, 『자연자본주의Natural Capitalism』, 김명남 옮김, 공존, 2011.

29 세르주 라투슈Serge Latouche, 『낭비사회를 넘어서Bon pour la casse! Les déraisons de l'obsolescence programmée』, 정기헌 옮김, 민음사, 2014.

30 윌리엄 맥도너William McDonough, 미하엘 브라운가르트Michael Braungart, 『요람에서 요람으로Cradle to Cradle』, 김은령 옮김, 에코리브르, 2003.

31 그레그 매커운Greg McKeown, 『에센셜리즘Essentialism』, 김원호 옮김, 알에이치코리아, 2014.

32 김용길, 『편집의 힘』, 행성:B잎새, 2013.

33 김용길, 같은 책에서 재인용.

34 윤준호, 『카피는 거시기다』, 난다, 2012.

35 Kristin Feireiss ed., Sanaa: Kazuyo Sejima and Ryue Nishizawa: Zollverein School of Management and Design, Essen, Germany, Prestel Publishing, 2006.

36 박창섭, 『야마를 벗어야 언론이 산다』, 서해문집, 2012.

37 새뮤얼 프리드먼Samuel G. Freedman, 『미래의 저널리스트에게Letters to a Young Journalist』, 조우석 옮김, 미래인, 2008.

38 로버트 그린Robert Greene, 『마스터리의 법칙Mastery』, 이수경 옮김, 살림Biz, 2013.

39 언스트 곰브리치, 『서양미술사』.

40 윤태호, '한국능률협회 리더스모닝포럼' 강의 중에서. 그 요약된 내용은 '그림만 화려한 만화는 결국 未生… 스토리까지 좋아야 完生'(이위재, 위클리비즈, 2014.8.30)에서 확인 가능하다.

41 윤형준, '싸우면 必敗… 기계와 공존할 일자리 창조하라, '기계와의 경쟁' 저자 브린욜프슨 MIT 교수', 위클리비즈, 2014.9.13.

42 알랭 드 보통Alain de Botton, 『뉴스의 시대The News』, 최민우 옮김, 문학동네, 2014.

43 김성원, 『Forget the Curator』, 김홍희 엮음, 『큐레이터 본색』, 한길아트, 2012.

44 윤형준, '명품이 된 폐품 가방 '프라이탁' 열어보니', 위클리비즈, 2014.3.22.

45 오윤희, '17년간 잡스와 일한 켄 시걸이 말하는 '단순화 전략'', 위클리비즈, 2014.6.21.

46 켄 시걸Ken Segall, 『미친듯이 심플Insanely Simple』, 김광수 옮김, 문학동네, 2014.

47 김범진, 『스티브 잡스i Mind』, 이상, 2010.

2장. 버려라

1   최경원, 『좋아 보이는 것들의 비밀 Good Design』.

2   윤형준, '화장 안 한 화장품… 진정성 마케팅으로 성공한 러쉬와 키엘', 위클리비즈, 2014.12.13.

3   제임스 H. 길모어James H. Gilmore, B. 조지프 파인 2세Joseph Pine II, 『진정성의 힘Authenticity』, 윤영

호 옮김, 세종서적, 2010.

4 최원석, '진짜 인생은 정리한 뒤 시작된다… 울림 없는 물건은 모두 버려라'.

5 박정호, '[의식주 경제학] 실패한 부동산 투자를 중단하지 못하는 이유 – 기회비용 및 매몰비용', 네이버 캐스트.

6 조앤 마그레타Joan Magretta, 『경영이란 무엇인가*What Management Is*』, 권영설, 김홍렬 옮김, 김영사, 2004.

7 윤형준, '진짜 중요한 아이디어는 놀 때 나온다', 위클리비즈, 2014.10.25.

8 피터 틸Peter Thiel, 블레이크 매스터스Blake Masters, 『제로 투 원*Zero To One*』, 이지연 옮김, 한국경제신문, 2014.

9 마틴 셀리그먼Martin E. P. Seligman, 『마틴 셀리그먼의 긍정심리학*Authentic Happiness*』, 김인자, 우문식 옮김, 물푸레, 2014에서 인용했다. 셀리그먼은 사람이 가진 강점의 범주를 24가지로 분류했고, 간단한 설문조사를 통해 자신의 대표 강점을 파악할 수 있게 했다. 이 검사는 그의 웹사이트(www.authentichappiness.com)에서 누구나 할 수 있다. 대표 강점 24가지는 다음과 같다. 호기심, 학구열, 판단력, 창의성, 사회성 지능, 예견력, 용감성, 끈기, 정직, 친절, 사랑, 팀워크, 공정성, 리더십, 자기통제력, 신중함, 겸손, 감상력, 감사, 낙관성, 영성, 용서, 유머감각, 열정.

10 미셸 투르니에, 『짧은 글 긴 침묵』을 참고했다.

11 윤형준, '세계 최대 인터넷 장비업체 시스코… 19년 장수 CEO 존 체임버스', 위클리비즈, 2014.12.20.

12 장일현, '난독증으로 장애인 학교 다녔던 청년, 영어 교육으로 4조 巨富에… 스웨덴 최대 외국어 교육업체 'EF' 버틸 헐트 회장', 위클리비즈, 2014.11.29.

13 마커스 버킹엄Marcus Buckingham, 도널드 클리프턴Donald O. Clifton, 『위대한 나의 발견 강점 혁명 *Now, Discover Your Strengths*』, 박정숙 옮김, 청림출판, 2013.

14 박승혁, "'21세기 에디슨' 도발 예언… "2045년 되면 인간은 죽지 않는다"', 위클리비즈, 2013.7.20.

15 정지택, '[정지택의 '알고 보면 쉬운 경영 전략'] 설렁탕만 파는 식당·MP3·레고… 단순해서 通했디', 위클리비즈, 2013.11.23.

16 PMG 지식엔진연구소 엮음, 『시사상식 바이블』, 박문각, 2008.

17 이위재, "'핵심에 집중해야 반복 가능한 성공 모델 나와"', 위클리비즈, 2014.6.21.

18 Simon Collison, 'The Global Simplicity Index: 10.2% – The Hidden Cost of Complexity', Simplicity Consulting Ltd.

19 이채욱, 『백만불짜리 열정』, 랜덤하우스코리아, 2006.

20 윤형준, '고객이 B인지 C인지는 중요치 않다–늘 最終소비자를 생각하라… 독일 SW社 SAP 창업자 하소 플래트너', 위클리비즈, 2014.4.5.

21 엔도 이사오遠藤功, 야마모토 다카아키山本孝昭, 『디지털 단식『IT斷食』のすすめ』, 김정환 옮김, 와이즈베리, 2012.

22 브래드 스톤Brad Stone, 『아마존, 세상의 모든 것을 팝니다*The Everything Store*』, 야나 마키에이라 옮김, 21세기북스, 2014.

23 레이 커즈와일Ray Kurzweil, 『특이점이 온다*The Singularity is Near*』, 장시형, 김명남 옮김, 김영사, 2007.

24 닐 포스트먼Neil Postman, 『죽도록 즐기기*Amusing Ourselves to Death*』, 홍윤선 옮김, 굿인포메이션, 2009.

25 수잔 에트링거Susan Etlinger, 'TED@IBM', Sep 2014.

26 윤형준, "'빈손으로 시작해 경쟁·협력하며 勢 불려… 바둑 두듯이 경영해야"', 위클리비즈, 2014.9.6.

27 위기십결에 대한 설명은 장석주, 『인생의 한 수를 두다』, 한빛비즈, 2013을 참고했다.

28 최수현, '[오늘의 세상] '아시아 퀸'의 눈물', 조선일보, 2014.10.3.

29 이위재, '[7 Question] '미슐랭가이드★★★ 21년' 佛요리사 피에르 가니에르', 위클리비즈, 2014.12.6.

30 이위재, '[지식콘서트] 名作의 공통점은 디테일… 엄청 꼼꼼한 匠人정신 있어야 나오는 것…유홍준 교수의 삼성 사장단 회의 강연', 위클리비즈, 2014.10.4.

31 가르 레이놀즈Garr Reynolds, 『프리젠테이션 젠Presentation Zen』, 정순욱 옮김, 에이콘출판, 2008.

32 도미니크 로로Dominique Loreau, 『심플하게 산다 2L'art de la simplicité』, 임영신 옮김, 바다출판사, 2014.

33 버나드 지라드Bernard Girad, 『구글은 일하는 방식이 다르다The Google Way』, 이영숙 옮김, 예문, 2010.

34 윤형준, '복잡한 건 기업이 도맡아야. 버튼만 누르고 즐기게 하라', 위클리비즈, 2014.10.11.

35 후카사와 나오토深澤直人, 재스퍼 모리슨Jasper Morrison, 『Super Normal 평범함 속에 숨겨진 감동 슈퍼노멀Super Normal』, 박영춘 옮김, 안그라픽스, 2009.

36 김신, '장식이 없다는 건 기술이 좋다는 것 안목이 높다는 것', 중앙선데이, 2013.1.13.

37 미셸 투르니에, 『짧은 글 긴 침묵』.

38 윤형준, '많이 준다고 좋아할까? 고객은 편리함 택한다', 위클리비즈, 2014.11.8.

39 마틴 셀리그먼, 『마틴 셀리그먼의 긍정심리학』.

40 서은국, '위클리비즈 지식콘서트' 강의 중에서. 그 요약된 내용은 '행복은 生存 위한 수단… 사람·음식을 찾도록 하는 생물학적 신호'(이위재, 위클리비즈, 2014.6.28)에서 확인 가능하다.

41 마틴 셀리그먼, 『완전한 행복Authentic Happiness』, 곽명단 옮김, 물푸레, 2004.

42 이신영, '세상은 아직 덜 연결됐다', 위클리비즈, 2014.3.8.

43 윌리엄 케인William Cane, 『거장처럼 써라Write Like the Masters』, 김민수 옮김, 이론과실천, 2011.

44 니컬러스 카, 『유리감옥The Glass Cage』, 이진원 옮김, 한국경제신문, 2014.

45 그레그 매커운, 『에센셜리즘』.

46 헨리 데이비드 소로의 말. 게리 캘러Gary Keller, 제이 파파산Jay Papasan, 『원씽The ONE Thing』, 구세희 옮김, 비즈니스북스, 2013에서 재인용.

47 김용규, '위클리비즈 지식콘서트' 강의 중에서. 그 요약된 내용은 '지난 2500년은 지식 습득의 시대… 이젠 '생각하는 법' 아는 게 힘'(이위재, 신성헌, 위클리비즈, 2014.11.29)에서 확인할 수 있다.

48 나심 니콜라스 탈레브Nassim Nicholas Taleb, 『블랙스완The Black Swan』, 차익종 옮김, 동녘사이언스, 2008.

3장. 세워라

1 대한불교조계종 포교원, 『간화선입문』, 조계종출판사, 2006.

2 최원석, '직원 30% 자르고 회사 살린 JAL 회장… "小善은 大惡"', 위클리비즈, 2013.9.28.

3 오윤희, '2년 만에 GM 정상화… 크래퍼드 사장의 기업회생론 "정리해고가 반드시 惡은 아니다. 30% 잘라서 70%를 살리려는 것…"', 위클리비즈, 2014.11.22.

4 오윤희, '"왜"를 알아야 진심으로 움직인다', 위클리비즈, 2014.8.23.

5 짐 콜린스Jim Collins, 제리 포라스Jerry I. Porras, 『성공하는 기업들의 8가지 습관Built to Last』, 워튼포럼 옮김, 김영사, 2002를 참고해 정리했다.

6 선병원에 대해서는 '디테일로 승부하는 대전 선병원'(장일현, 위클리비즈, 2013.6.8)과 선승훈, 『삼형제의

병원경영 이야기』, 봄인터랙티브미디어, 2013을 참고했다.

7 조지프 캠벨Joseph Campbell, 다이앤 K. 오스본Diane K. Osbon 엮음, 『신화와 인생A Joseph Campbell companion』, 박중서 옮김, 갈라파고스, 2009.

8 오프라 윈프리Oprah Winfrey, 『내가 확실히 아는 것들What I Know for Sure』, 송연수 옮김, 북하우스, 2014.

9 이위재, '"스타트업은 빠른 실행이 생명… 일단 제품 내놓고 市場 반응 살펴야"… '기업 창업가 매뉴얼' 쓴 실리콘밸리의 代父 스티브 블랭크', 위클리비즈, 2014.7.12.

10 가르 레이놀즈, 『프리젠테이션 젠』에서 재인용.

11 오윤희, "'이카루스 이야기' 펴낸 세계적 마케팅 베스트셀러 저자 세스 고딘', 위클리비즈, 2014.1.18.

12 달라이 라마Tenzin Gyatso, 하워드 커틀러Howard C. Cutler, 『달라이 라마의 행복론The Art of Happiness』, 류시화 옮김, 김영사, 2001.

13 문영미, 『디퍼런트Different』, 박세연 옮김, 살림Biz, 2011.

14 팀 허슨Tim Hurson, 『THINK BETTER 창조와 혁신을 위한 생산적 사고의 길Think Better』, 박재찬 옮김, K-BOOKS, 2009.

15 박승혁, 'CEO는 외로운 존재… 누군가 자기 의견에 반대해주길 원해'.

16 아리아나 허핑턴, 『담대하라, 나는 자유다』.

17 호리바 마사오, 『남의 말을 듣지 마라』.

18 박웅현, 『여덟 단어』, 북하우스, 2013.

19 송호근, '위클리비즈 지식콘서트' 강의 중에서. 그 요약된 내용은 '내 집 마련·자녀 교육밖에 모르는 중산층… 民主主義는 누가 키우나'(이위재, 위클리비즈, 2014.4.12)에서 확인할 수 있다.

20 최진석, '이젠 去彼取此(거피취차·저것을 버리고 이것을 취한다)시대… 바람직한 것보다 바라는 것을 해야 성공', 위클리비즈, 2014.8.16.

21 잭 트라우트Jack Trout, 스티브 리브킨Steve Rivkin, 『단순함의 원리The Power of Simplicity』, 김유경 옮김, 21세기북스, 2008.

22 Mark Gottfredson, 'The focused company', Bain&Company, 2012.

23 A. G. 래플리, 로저 마틴, 『승리의 경영전략』.

24 이동현, '초일류, 세계최고, 글로벌, 종합… 전략, 미사여구와 잡다한 목표부터 빼라', 『동아비즈니스리뷰』, 2012.8.1.

25 이성훈, '재미만 놔두고 다 바꿨다 '진화의 교과서'', 위클리비즈, 2009.6.20.

26 윤형준, '변하지 않는 브랜드의 매력… 200년간 美대통령을 빛내다', 위클리비즈, 2014.7.26.

27 「斷」의 經營, 日經ビジネス, 2014.10.6.

28 조앤 마그레타, 『경영이란 무엇인가』.

29 윌리엄 B. 어빈William B. Irvine, 『직언A Guide to the Good Life』, 박여진 옮김, 토네이도, 2012.

30 조서환, 『근성: 같은 운명, 다른 태도』, 쌤앤파커스, 2014.

31 윤형준, '"협력업체와의 義理가 우리 경쟁력… 그들의 수익 지켜주는 게 철칙"', 위클리비즈, 2014.11.1.

32 조앤 마그레타, 『경영이란 무엇인가』.

33 피터 드러커Peter Drucker, 『클래식 드러커Classic Drucker』, 이재규 옮김, 한국경제신문, 2007.

34 하레사쿠 마사히데晴佐久昌英, 『나를 살리는 말生きるためのひとこと』, 신병철 옮김, 가톨릭출판사, 2013.

35 김애란, 『두근두근 내 인생』, 창비, 2011.

36 오윤희, '革新을 요리하라 눈으로 볼 수 있게', 위클리비즈, 2014.4.12.

37 이신영, '[Small Champion] 日 최고의 양갱가게 '오자사'', 위클리비즈, 2012.8.25.

38 마크 코트프레드슨Mark Gottfredson, 스티브 샤우버트Steve Schaubert, 『성과혁명The Breakthrough Imperative』, 청림출판, 2009.

39 Mark Gottfredson, 'The focused company'.

40 '피부 위 복잡성'과 '피부 아래 복잡성'에 대한 설명은 François Faelli, Eduardo Giménez and Odd Hansen, 'Growth through simplicity: How the best consumer good players are getting bigger by getting smaller', Bain&Company, 2013을 참고했다.

41 포드의 모델 T와 GM에 대한 이야기는 조앤 마그레타, 『경영이란 무엇인가』 등을 참고했다

42 'For the person who has everything… A London bookseller reinvents itself as a purveyor of private libraries', *The Economist*, Dec 20th 2014.

43 게리 캘러, 제이 파파산, 『원씽』.

44 제이슨 제닝스Jason Jennings, 『적은 것이 많은 것이다Less is More』, 남문희 옮김, 해냄, 2004.

45 Mark Gottfredson, 'The focused company'.

46 변양균, 『어떤 경제가 우리를 행복하게 하는가』.

47 마크 고트프레드슨, 스티브 샤우버트, 『성과혁명』.

48 김대식, 『김대식의 빅퀘스천』, 동아시아, 2014.

49 애플이 작은 그룹으로 일하는 방식에 대해서는 애덤 라신스키Adam Lashinsky, 『인사이드 애플Inside Apple』, 임정욱 옮김, 청림출판, 2012를 참고했다.

50 이신영, "'세계 최고 애니메이션 영화업체' 픽사 사장 에드 캣멀 픽사 영화 100% 흥행 기적… 비법은 회사 내 계급장 떼기', 위클리비즈, 2013.9.14.

51 테리 리히, 『위대한 조직을 만드는 10가지 절대법칙』.

4장. 지켜라

1 이 부분에서는 무인양품의 본사인 주식회사 양품계획의 회장 마쓰이 타다미쓰가 쓴 『무인양품은 90%가 구조다』(민경욱 옮김, 모멘텀, 2014)를 참고했다.

2 오윤희, '일본인이 가장 좋아하는 브랜드 1위 '모스버거'', 위클리비즈, 2014.10.25.

3 허문구, '성장은 결코 전략이 아니다', 『동아비즈니스리뷰』, 164호, 2014.

4 오윤희, '10년 새 매출 3000% 늘어난 '캐나다구스'의 브랜드 전략', 위클리비즈, 2014.11.29.

5 장일현, '[장일현 기자의 딱 한 수] 酒店 와라와라, '27세 오피스 여성'만 공략했더니 남성 고객도 몰려오더라', 위클리비즈, 2013.7.20.

6 앙드레 코스톨라니André Kostolany, 『돈, 뜨겁게 사랑하고 차갑게 다루어라Die Kunst über Geld nachzudenken』, 김재경 옮김, 미래의창, 2005.

7 마쓰이 타다미쓰, 『무인양품은 90%가 구조다』를 참고했다.

8 이위재, '창단 6년 만에 한국시리즈 진출… 넥센 염경엽 감독이 말하는 성공 비법', 위클리비즈, 2014.11.22.

9 이위재, '수도원이 만든 잼·맥주·화장품… 私心이 없으니 불황도 없더라', 위클리비즈, 2014.3.29.

10 피터 드러커, 『피터 드러커·매니지먼트Management』, 남상진 옮김, 청림출판, 2007.

11 조앤 마그레타, 『경영이란 무엇인가』.

12 제임스 H. 길모어, B. 조지프 파인 2세, 『진정성의 힘』.

13 이신영, '마블社 CEO에게 듣는 '빅히트 영화 제작 5가지 비결'', 위클리비즈, 2013.11.2.

14 오윤희, "'전통+창조' 전략, 위기 딛고 도약한 명품 발렌시아가', 위클리비즈, 2014.9.6.

15 이 강연의 요약된 내용은 '품질만으로 차별화 안 된다… 소비자가 좋다고 느끼게 만들어라'(이위재, 위클리비즈, 2014.5.24)에서 확인할 수 있다.

16 오윤희, '매출 1조원 대기업 된 '태양의 서커스'', 위클리비즈, 2014.11.1.

17 오윤희, ''이겼다고? 우쭐대는 '업계 1위'에게 날리는 한방 진짜 상대는 링 밖에 있다', 위클리비즈, 2014.4.19.

18 이인열, "'곡물업계 거인' 카길의 페이지 회장… 아시아 언론 최초 인터뷰', 위클리비즈, 2014.9.20.

19 폴 폴먼Paul Polman, '[칼럼 Outside] 번영 이끈 자본주의 양극화로 신뢰 잃어… 지체할 시간이 없다', 위클리비즈, 2014.5.31.

20 폴 호큰, 에이머리 로빈스, 헌터 로빈스, 『자연자본주의』.

21 와타나베 이타루渡邊格, 『시골 빵집에서 자본론을 굽다田舍のパン屋が見つけた「腐る經濟」』, 정문주 옮김, 더숲, 2014.

22 윤형준, '쓰레기 양산하는 패스트 패션? 물 사용 65% 줄인 데님 개발… 헌옷 수거해 재활용도', 위클리비즈, 2014.10.18.

23 에어비앤비에 대한 설명은 머니투데이 특별취재팀, 『앞으로 5년 결정적 미래』, 비즈니스북스, 2013에서 인용했다.

24 장우정, '지구촌 자원 낭비·불평등 문제 어떻게 푸냐고? 공유경제가 쫌이다', 위클리비즈, 2014.3.29.

25 거스 오도넬Gus O'Donnell, '[칼럼 Outside] 번영·발전의 새 지표 국민 '삶의 質'을 측정하고 활용하자', 위클리비즈, 2014.3.29.

26 Michael Green, 'What the social progress can reveal about your country', Ted 강의, 2014년 10월 촬영.

27 Clayton M. Christensen and Derek van Bever, 'The Capitalist's Dilemma', *Harvard Business Review*, June 2014.

에필로그. 모든 것을 다 비워버린 깊은 기쁨

1 고은, 『순간의 꽃』, 문학동네, 2001.

단

ⓒ이지훈 2015

1판 1쇄   2015년 1월 22일
1판 4쇄   2015년 2월 13일

지은이 이지훈 | 펴낸이 강병선
기획·책임편집 고아라 | 편집 오경철 | 모니터링 이희연
디자인 이효진 | 마케팅 정민호 이연실 정현민 김주원 지문희
온라인마케팅 김희숙 김상만 한수진 이천희
제작 강신은 김동욱 임현식 | 제작처 영신사

펴낸곳 (주)문학동네
출판등록 1993년 10월 22일 제406-2003-000045호
주소 413-120 경기도 파주시 회동길 210
전자우편 editor@munhak.com | 대표전화 031)955-8888 | 팩스 031)955-8855
문의전화 031)955-1933(마케팅) 031)955-1915(편집)
문학동네카페 http://cafe.naver.com/mhdn | 트위터 @munhakdongne

ISBN 978-89 546-3442-7 03320
* 이 책의 판권은 지은이와 문학동네에 있습니다.
   이 책 내용의 전부 또는 일부를 재사용하려면 반드시 양측의 서면 동의를 받아야 합니다.
* 이 도서의 국립중앙도서관 출판예정도서목록(CIP)은 서지정보유통지원시스템 홈페이지
   (http://seoji.nl.go.kr)와 국가자료공동목록시스템(http://www.nl.go.kr/kolisnet)에서
   이용하실 수 있습니다.
   (CIP제어번호: CIP2015000432)

www.munhak.com